国学经典

淮南子

[汉]刘安 撰
陈静 注译

中州古籍出版社

淮南子

那久远年代的故事(代前言)

《淮南子》是一部有故事的书。在书内,它记载了许多历史掌故,编撰了不少神奇传说,这些掌故和传说是它在书中讲述的故事。在书外,它更有一个影响巨大的故事,那是一个用鲜血和生命写成的悲剧:它的作者们,在一场历史的不幸事件中同时赴死,同死者上万人。这上万的死者并不都是《淮南子》的作者,但《淮南子》的作者都在其中,无一幸免。

那是一段怎样的历史呢?《淮南子》又是一部怎样的典籍呢?那些写下《淮南子》的思想家们,有过哪些所思所想,所喜所悲呢?他们希冀过什么?向往过什么?又怎样走向了一条不归的死路呢?是他们因为《淮南子》而罹祸,还是《淮南子》因为他们的死而变成了一个传奇?

如果我们了解《淮南子》的时代和它的作者们,对于这些问题当有自己的解答。而当我们了解了《淮南子》的时代和作者,我们在阅读《淮南子》时,还会在它讲述的故事和寄寓在这些故事里的普泛道理中,读出那个时代沉重的历史经验,窥觑到那些不幸作者如幽似明、时隐时现的模糊面影。

一

《淮南子》是淮南王刘安和他的宾客门人共同撰著的,问世于西汉前期，距今已经两千一百多年。在西汉前期那个特别的年代，"王"的尊贵地位，几乎命定地为淮南王刘安勾画了生命的轨迹：他的生命将终止于不幸的杀戮。而那些与他一道撰著《淮南子》的人，也将与他同归于尽。

为什么尊贵的王会难逃死路？谁能够拿走王的爵位和他们的生命呢？西汉前期，政治上的一个突出现象，就是皇权与王权的对抗。朝廷要集中权力，建立大一统帝国，受封的封王却意味着分权，这就与朝廷的集权背道而驰了。这两种不同方向的力量彼此抗衡和争斗，成为西汉前期政治的主旋律。

这种抗争从西汉王朝建立之初就开始了。公元前206年，汉高祖刘邦建立了汉朝。新王朝面临许多困难，其中的最大困难甚至可以称之为威胁的是，与刘邦一同打天下的英雄们，此时转化成为威胁最高权力的力量。汉高祖竭尽全力清除异姓王，每清除一个，就改封刘氏家族的某个成员取而代之，然后歃血为盟，与大臣订立"非刘氏不王"的"白马盟誓"，来防止刘姓之外的人觊觎权力，希望以一姓掌权来安定天下。但是，朝廷统一权力的意志与封王扩张自身的欲望必然冲突，这一矛盾并不会因为姓氏的同异而改变，所以，在清除异姓王之后，朝廷与封王之间的矛盾很快就在刘氏家族内部展开了。

文帝时代有济北王的反叛，身为叔父的汉文帝诛杀了自己的侄儿济北王刘兴居。景帝时代有七国之乱，汉景帝杀死了叔伯弟兄楚王刘戊、赵王刘遂等人，也杀死了叔父吴王刘濞。淮南王刘安是汉高祖的孙子、汉武帝的叔父，他以谋反罪死在了侄子汉武帝刘彻的手中。他的宾客门人，参与和没有参与著述《淮南子》的，无人幸免。

二

淮南王刘安有广袤的封土，巨大的财富，却身处政治的风雨飘摇之中。许多像他一样的封王选择了放纵。据《汉书》记载，汉初封王多荒淫，多禽兽行。其中的原因，除了因革命而骤然成为贵族，尚未养成与其地位相匹配的教养，还有一个原因，就是生命的朝露薄冰感，谁也不知道今日的封王和明天的罪人在什么时候转换身份。这种没有方向也不知明天的生命感觉，造成了对生命的不负责任，于是，茫然的生命被巨大的财富推动，不知滚落何方。当前中国出现了不少所谓的富二代，有许多就正在重复相似的悲剧。

说来，淮南王刘安一家是刘氏家族中比较不幸的一支。他的祖母是自杀身亡的；他的父亲，老淮南王刘长，也是蒙着谋反的罪名自杀身亡的。刘安在父亲死后八年承袭了淮南王位，当时大约十六岁。这位年轻的封王，却没有像刘氏家族的许多成员那样放纵生命，他"为人好书，鼓琴，不喜弋猎狗马驰骋"，且"折节下士"，所以"天下方术之士，多往归焉"，在他身边，渐渐聚集了一批热衷思想的门人。东汉末年高诱曾经注释《淮南子》，注本的序言说，淮南王刘安"与苏非、李尚、左吴、田由、雷被、毛被、伍被、晋昌等八人，及诸儒大山、小山之徒，共讲论道德，总统仁义，而著此书"。淮南王与门人编著的典籍不仅有《淮南子》，还有其他书，参与著书的人，当然也不止高诱列名的这些。当时的淮南王国，已经成为一个重要的文化中心。在汉武帝时代，淮南王以谋反罪自杀身亡，时年五十九岁。淮南王国被取消，改设为朝廷直接控制的"九江郡"。他的那些宾客门人，也都被诛杀了，"坐死者数万人"。历史记录了淮南王国的悲剧，淮南王刘安却以思想家的声誉，留名青史。

一位爱好思考的王，一群围绕他一同著书的门人宾客，他们会写下些什么呢？换句话问，《淮南子》是一部怎么样的书呢？

三

《淮南子》是一部"奇"书。

说《淮南子》"奇",首先是因为它的作者们以悲剧收场的命运,为该书抹上了传奇的色彩。这传奇的结局是悲剧,过程则充满了身处权力对抗下的挣扎和感伤。《淮南子》有许多关于命运的感慨。在讨论一些重大话题时,这些感慨会突然冒出来,成为思考中的一声沉重叹息。例如,精神修养是《淮南子》的一个重要话题,它在用种树比喻修养的时候,突然就感慨道:"一人养之,十人拔之,则必无余蘖,又况与一国同伐之哉!虽欲久生,岂可得乎!"又以水的清浊为喻,说澄清一盆水,需要很长时间,搅浑却只要一下,现在是一辈子都在被搅扰,"曷得须臾平乎?"它于是感慨说:"体道者不专在于我,亦有系于世矣。"类似的感慨在《淮南子》中是很多的,这些内容增加了这部书的丰富性,使《淮南子》不仅记录了那个时代的思想,也记录了那个时代一个特殊人群的生存状态和情感体验。有人说《淮南子》也是一部《离骚》。也许可以从这个角度来读《淮南子》,只是这种读法,过于强调了这群思想者的生存感受,而忽视了他们的深刻思想。不过,《淮南子》的传奇性,确实增加了它的丰富性。

说《淮南子》"奇",还因为它保存了先秦和当时思想的大量材料。《淮南子》并不是一部现代意义的著作,并不是淮南王和他的门人"创作"的一部书,而是他们"编著"的一部书,是他们对先秦以来思想的剪裁、整理和解说。这样,许多失传的典籍有可能凭借《淮南子》保存其思想。《淮南子》的史料价值很高,这是公认的。农历的二十四节气,完整名称最早就见于《淮南子·天文训》,已经与今名完全一样。《淮南子》的《天文训》和《地形训》,保存了先秦和当时的许多天文地理知识,至今仍然是研究中国古代天文地理的宝贵材料。《淮南子》的《精神训》,是中国古代最早以"精神"为研究对象的专论,也是中国古代唯一一篇以"精神"为标题的论文。《淮南子·缪称训》保留了子思学派的思想材料,除了有清人辑佚的对照,现在还有地下出土的郭店竹简在思想的内容上加以印证。诸如此类，不一而足。作为思想和知识的文库，《淮南子》的丰富性是同时代的其他著作难以比拟的。

说《淮南子》"奇"，还因为它具有恢宏的思想气势。《淮南子》有"牢笼天地"的雄心，试图在一部书里容纳所有的思想和知识的领域，把它们组织成一个大系统。由于《淮南子》的思想秩序比较混乱，造成了它在思想上的杂芜，从而使它组织思想和知识的努力，停留在包容广泛的层次上。但是《淮南子》高远的思想视野，宏大的思想气势，也为它获得了"奇"书的声誉。

四

《淮南子》还是一部"杂"书。

在中国古代的图书分类系统中，《淮南子》从来就被归类于"杂家"。中国对图书进行分类，是从汉代开始的。在《汉书·艺文志》中，图书首先被分为"六艺"、"诸子"和"诗赋"等不同类别。"诸子"类的图书，又被分成了儒家、道家、阴阳家、法家、名家、墨家、纵横家、杂家、农家和小说家十个派别，《淮南子》就在"杂家"的类目之下。从此以后，所有史志都遵从《汉书·艺文志》的理解，一致地视《淮南子》为杂家。《淮南子》在问世以来的两千多年里，就以杂家的名义流传着。

所谓"杂"，就是杂芜不纯。《淮南子》是一部思想性很强的著作，为什么历代的图书分类都认为它杂芜呢？考其缘由，大致有这样几条：

其一，《淮南子》的文风，是汉赋的铺排渲染，行文多用对偶句式，重叠着形形色色的华丽词藻，这些堆砌的词藻往往具有隐喻意味，因此词藻堆砌又形成意义叠压。阅读《淮南子》很容易获得一片绚烂的印象，同时也有被意义的光影所淹没的感觉，阅读时触目皆是嘉言，掩卷细想却难以理出一个完整的思路。《淮南子》的行文似乎不是在推进一个思路，而是在一个大致相近的意向上放纵想象和广纳众说。它的许多主题都是横说纵说，说了又说，最终把人说晕了，以至于需要静心重想，才能回到它的主题。《淮南子》的"繁言"，遮蔽了它的"要义"，可以说，《淮南子》的语言风格和言说方式，在很大程度上造成了《淮南子》的杂芜风格。

其二，《淮南子》在思想上抱有太大的雄心，想在一部书里纳入对许多问题的思考和论说，这是《淮南子》"奇"也是它"杂"的原因。《淮南子》正文二十篇，只要看一看这二十篇篇目名称所涉及的范围，就能看出它的论域有多么广泛。一部论域宽泛的书需要仔细安排思想的秩序，而《淮南子》恰好在这个方面非常薄弱。这样，它纳入的内容越多，给人的感觉就越乱，《淮南子》正是如此。作为思想材料，《淮南子》可谓一大宝藏；但是作为一个思想体系，《淮南子》却逃不掉"杂家"的名声。

其三，《淮南子》的思想立场游移不定，徘徊于道家的追求自由和儒家的维护秩序之间，这是导致《淮南子》杂芜的根本原因。

淮南王拥有大片的封土，他在管理自己的王国时，需要建立秩序，而儒家的仁义礼智等观念，是当时社会建立秩序的价值基础。但是，贵为封王的刘安，在王权与皇权的冲突中又时时感到更大权力的制约和威胁，所以他有摆脱控制获得自由的强烈愿望，这种需要使他对道家尤其是庄子的自由传统格外心仪。站在庄子的思想传统上追求自由，《淮南子》认为儒家维护秩序的价值准则是自由的桎梏，所以每每称"仁义礼乐……以招好名声于世，此我所羞而不为也"。这样，《淮南子》就陷入了自相矛盾：站在建立秩序的立场，《淮南子》赞扬儒家的仁义礼智；站在追求自由的立场，《淮南子》批评儒家的基本价值。《淮南子》时儒时道的论说立场，导致了两套不同价值立场的话语彼此否定，从而使整部书显出了混乱。思想立场的不时迁移,是导致《淮南子》思想杂芜的根本原因。

《淮南子》思想立场的不时转移,也使它在图书的归类上发生了困难。说它是一部道家的典籍吧,它又有许多儒家立场的论述,甚至有站在儒家立场批评道家的篇章,例如《修务训》;说它是儒家的典籍吧,它又有那么多蔑视儒家的言辞,有一个从根本上否定儒家的理路。于是,它成了"杂家"。

五

《淮南子》是杂芜的,它的"杂",使它的深刻思想同时表现为深刻的理论矛盾。因此,《淮南子》也是一部充满理论矛盾的书。

汉代是中国历史上的一个重要时代,在这个时代,中国的大一统政治制度最终确立。这个制度保持了两千多年,其间虽然有改朝换代的政权移手和各种政策的沿革变迁,但是大一统政治制度的基本格局却一直延续下来,直到辛亥革命取消帝制,才终结了这个制度,开始了共和的新时代。

大一统政治制度的基本特点,是一切权力归朝廷,所以,它不允许朝廷之外有其他政治力量存在。汉初的封王是自己封地的全权主人,封国就是一个小号朝廷,封王在封国内收取赋税、任免官吏,甚至铸造钱币,拥有自己的年号,在《淮南子》里,就出现了"淮南元年"的纪年。封王作为朝廷之外的政治力量,从根本上否定和抗拒着大一统政治制度,所以,建构中的大一统政治制度必须消灭封王。

封王终于被消灭了,消灭的方式各不相同。有的是在与朝廷的战场对决中被消灭的,例如七王之乱。有的是被怀疑谋反而被诛杀或自杀的,例如两代淮南王。也有小的封国放弃政治权力,演变成收取租税的大地主,虽然保持着封王的名号,但已经不是汉初拥有实权的封王了。大一统政治制度在消灭了封王之后,宣告了自己的胜利。

一个新制度的诞生，一定会有理论上的论证，汉代的宇宙构成论，就是大一统政治制度的理论证明。这个理论有复杂的结构和论证方式。这里只是指出，它的主旨是要说明，一切存在都存在于宇宙之中，没有外在于宇宙的存在。这与大一统政治制度掌控一切笼罩一切的本性是息息相通的。

《淮南子》里也有一个宇宙构成理论的基本框架，《天文训》里有一个五方结构，《地形训》也有这样一个结构；《时则训》的四季，也因为需要配合五行五方，特别从夏季分出一个月称季夏。这个五行五方四季的结构系连一切：五音、五色、五味、五畜等等，在《淮南子》中，凡是涉及分类或者秩序安排，都可以看到这个结构在起作用。问题是，淮南王是大一统政治制度的"他者"，他在这样的结构里没有位置，他只能被消灭，无论是哪种消灭方式。因此，对于《淮南子》的作者而言，五方结构的宇宙尽管是一个"真实的"宇宙，却不是一个"有意义的"宇宙。《淮南子》的五方宇宙很少系连道德伦理的含义，与同时代的另一个大思想家董仲舒完全不同，原因就在于此。《淮南子》作者们的"他者"身份，使他们只能把"意义"寄托在"他处"。《淮南子》除了宇宙构成的理论，还有一个宇宙生成的思路，设想宇宙如何从无到有，演变成为一个五方宇宙。与此相配合，还有一个人文世界的古今比照，设想社会如何从淳美的远古，演变到浇薄的当世。《淮南子》里古今对照着说的内容是很多的，它显然把"意义"寄托在了宇宙生成之"初"和古今对照的"古"，总之不是现在，不在现实之中。

于是，《淮南子》陷入了理论的困难：宇宙有一个结构，这个结构却没有意义；宇宙有一个生成过程，这个过程却消解了意义。这个理论困难隐喻了《淮南子》作者的生存困境：他们不在朝廷之内，除非他们成为朝廷的臣民；他们成为朝廷的臣民，就是自我消灭。于是，淮南王死了，他的宾客门人也死了。尽管他们获得了普遍同情，直到今天还有学者为他们辩诬,说他们没有谋反,死得冤枉。但是,在大一统政治制度下,他们没有位置,在宇宙结构所隐喻的现实社会结构中,他们没有位置,他们是这个理论结构的"他者",是大一统政治制度必须排除的"他者"。于是,他们死了,一起死了。

六

中州古籍出版社的卢海山先生委托我做一个《淮南子》的选本,我感谢他的信任,接受了委托。《淮南子》丰富而杂乱,如何选编,是一个需要认真思考的问题。我根据《淮南子》正文二十篇的不同风格,做了不同的处理。按照风格,《淮南子》可以大致分为四类:第一类有相对明确的论说主题,这样的篇目有《原道训》、《俶真训》、《天文训》、《地形训》、《时则训》、《览冥训》、《精神训》、《本经训》、《齐俗训》、《兵略训》、《修务训》和《泰族训》,对于这些篇目,选编所做的是删除一些冗杂段落,尽可能突出原文的思路。第二类是以事明理的,用历史掌故来阐明道理,一段故事说明一个道理,全篇就由若干故事构成。这样的篇目有《道应训》和《人间训》,对于这样的篇目,选编所做的是选择相对完整和故事性强的段落。第三类是主题比较分散,但议论相对完整的篇目,这样的篇目有《缪称训》、《泛论训》和《诠言训》,对于这样的篇目,选编所做的是分别突出各个主题。第四类是散碎的锦言集,这样的篇目有《说山训》和《说林训》,这两篇原来计划不选,但为了保存篇目和显明风格,也略选几段。四类不同风格的篇目有不同的选编方式,但基本原则相同,这就是尽可能首尾完整,所以每篇都是以原文的开篇起始,除了《天文训》、《时则训》和《齐俗训》,其他各篇都以原文的结尾终篇;再就是不打乱原文的文序,中间删略的部分,用省略号代替。《淮南子·要略》虽然不是正文,却是一篇重要的学术史文献,所以全部选入，不做删节。

一般了解《淮南子》，一个选本也够了。有兴趣深入研读的朋友，可以继续选读全本。刘文典先生的《淮南鸿烈集解》、何宁先生的《淮南子集释》、张双棣先生的《淮南子校释》、陈广忠先生的《淮南子斠诠》、陈一平先生的《淮南子校注译》，都是有价值的读本。

目 录

卷一　原道训 —————————————————— 15
卷二　俶真训 —————————————————— 33
卷三　天文训 —————————————————— 54
卷四　地形训 —————————————————— 64
卷五　时则训 —————————————————— 80
卷六　览冥训 —————————————————— 92
卷七　精神训 —————————————————— 106
卷八　本经训 —————————————————— 122
卷九　主术训 —————————————————— 136
卷十　缪称训 —————————————————— 158
卷十一　齐俗训 ————————————————— 164
卷十二　道应训 ————————————————— 181
卷十三　泛论训 ————————————————— 203
卷十四　诠言训 ————————————————— 217
卷十五　兵略训 ————————————————— 233
卷十六　说山训 ————————————————— 257
卷十七　说林训 ————————————————— 263
卷十八　人间训 ————————————————— 266

卷十九　修务训 —————————————— 291
卷二十　泰族训 —————————————— 306
卷二十一　要略 —————————————— 322

卷一　原道训

[题解]

《原道训》是《淮南子》的第一篇。原，根源，本原。训，解说。本篇是对"道"的解说。《淮南子》认为，道是最大的存在，是宇宙万物存在的根据，所以，宇宙万物和人类都应该以道的本质作为自身的行为原则。道是自然无为的，因此自然无为就是"体道者"、"大丈夫"应当奉行的行为原则和行为方式。

夫道者，覆天载地，廓四方，柝八极。①高不可际，深不可测。包裹天地，禀授无形。②源流泉浡，③冲而徐盈；④混混汩汩，⑤浊而徐清。故植之而塞于天地，横之而弥于四海。⑥施之无穷，而无所朝夕。⑦舒之幎于六合，⑧卷之不盈于一握。约而能张，⑨幽而能明，弱而能强，柔而能刚。横四维而含阴阳，纮宇宙而章三光。⑩甚淖而滒，⑪甚纤而微。山以之高，渊以之深，兽以之走，鸟以之飞，日月以之明，星历以之行，⑫麟以之游，凤以之翔。

[注释]

①廓：张开。柝（tuò）：展拓。②禀授：给予。③源：水的源头。浡（bó）：水流涌出。④冲：虚。冲而徐盈：开始空虚，渐渐充满。⑤混混：水流大。汩汩：水流急。⑥植：树立。塞、弥：都是满的意思。这两句从空间的方面形容道的廓大。⑦施：延。这两句从时间的方面表示道的永恒。⑧舒：展

开。幎（mì）：覆盖。六合：上下四方。⑨约：捆束。⑩纮（hóng）：纲，大绳。宇宙：上下四方曰宇，古往今来曰宙，宇宙指空间和时间。章：同"彰"，显明。三光：日、月、星。⑪淖（nào）：稀泥。溔（gē）：黏稠的样子。本句形容道有质而无定形的样态。⑫星历：星辰。

[译文]

  道，覆盖天，承载地，开拓出空间的四方八极。高度不可能触摸，深度不可能探测，它包裹着天地，孕育着一个无形的世界。像水在源头流出，像泉从泉眼涌出，似乎空虚，却渐渐充盈；滚滚奔流，却渐渐澄清。所以它树立可以充满天地，平铺可以笼罩四海。它不断展开，没有一刻间断。张开来，盖住了天地四方；收拢来，占不满一个手掌。既能收拢，又能展开；既能幽藏，又能显明；既弱小，又强壮；既柔软，又刚硬。道啊！满天地四角，蕴阴阳气化，统率着宇宙，使日月星辰闪耀光辉。它柔软、饱满，纤细、精致，但高山凭借它才能崇高，深渊凭借它才能幽深，走兽凭借它才能奔跑，飞鸟凭借它才能奋飞，日月凭借它才有光辉，星辰凭借它才能运行，就是那神异的麒麟凤凰啊，也要凭借了它才能出游世间，翱翔长空。

  泰古二皇，①得道之柄，立于中央。神与化游，②以抚四方。是故能天运地滞，③轮转而无废，水流而不止，与万物终始。风兴云蒸，事无不应；雷声雨降，并应无穷。鬼出电入，④龙兴鸾集，⑤钩旋毂转，周而复匝。⑥已雕已琢，还反于朴。⑦无为为之而合于道，无为言之而通乎德。……是故大丈夫恬然无思，⑧澹然无虑。⑨以天为盖，以地为舆，⑩四时为马，阴阳为御。⑪乘云陵霄，与造化者俱。⑫……上游于霄雿之野，⑬下出于无垠之门，浏览遍照，复守以全。经营四隅，还反于枢。故以天为盖，则无不覆也；以地为舆，则无不载也；四时为马，则无不使也；阴阳为御,则无不备也。……执道要之柄,而游于无穷之地。是故天下之事不可为也,⑭因其自然而推之。⑮万物之变不可究也,秉其要归之趣。⑯……

[注释]

①泰:大,这里转义为远。二皇:传说中的古帝王,指伏羲和神农。②神:指二皇的精神。化:指天地阴阳的造化。③运:行。滞:止。本句表达的是天动地静的观念。④电:"神"字之误。⑤鸾(luán):凤鸟。⑥钧:制陶器所用的转轮。毂(gǔ):车轮的中间部分,有圆孔,可以插轴。匝(zā):周。⑦朴:未经加工的木料。⑧大丈夫:指领悟了道的人。⑨澹(dàn):淡。⑩盖:车盖,古代车上用来遮阳避雨的伞。舆:车厢,指车。中国古代有盖天说,认为天像一把无柄的伞遮蔽大地。这里因天似车盖,想象大地像一辆大车承载万物。⑪御:驾驶车辆。⑫造化:创造、化育。造化者:指道。⑬霄霓(diào):虚无寂寞。⑭为:人为,人有意的造作。⑮因:顺随。推:助成。⑯秉:把握。要:重要。归:旨趣。趣:真谛。

[译文]

远古伏羲、神农二位帝王,把握了道的关键,所以能立身天地的中央。他们的精神顺随自然的生化,安抚着四方百姓,所以能如天一般运行,地一般凝止,像车轮运转不停,像水流奔腾不止,参与万物生生死死的整个过程。如风起云涌,没有事情不能相应解决;如雷鸣雨降,一切事情皆彼此呼应。神奇啊,像鬼神出入一般无形;吉祥啊,如龙的腾飞、凤的栖集一般美好。像转轮、车轴的运转,周而复始。似乎已经雕刻成形,琢磨出光了,却又不失原本的真朴。二帝的功业啊,没有刻意去做却做成了,并且符合道的本质;二帝的言教啊,没有刻意去说却流传了,并且符合人的德性。……所以,体道的大丈夫,应当悠闲淡泊,不可妄动心思。以天作为车盖,以地作为车厢,以四季为拉车的马匹,以阴阳为驾车的驭手,乘云气,越高空,与造物者一道行动。……向上逍遥于空漠的旷野,向下出入于开敞的门户,四处浏览,全面察看,最终却持守道的整全。向着四方发展，最终却要回归道的关键。所以，以天为车盖，则无所不能遮盖；以地为车厢，则无所不能承载；以四时为马匹，则无所不能驱使；以阴阳为驭手，则无所不能掌握。……把握了道的根本，就能够在广袤的空间遨游。所以，天下的事情不能有意去做，只能顺其自然去助成。万物的变化不可能细细追究，只能把握其中的关键。……

人生而静，天之性也，感而后动，①性之害也。物至而神应，知之动也。②知与物接，而好憎生焉。好憎成形，而知诱于外，不能反己，而天理灭矣。故达于道者不以人易天，外与物化，而内不失其情。③……

[注释]

①感：与外部事物接触。动：被触动。②物：外部事物。神：内在精神。③情：真实，这里指真实的本性。

[译文]

人生来是安静的，这是天赋的本性，与外部事物接触后被搅动，这是对本性的危害。人的精神回应外物，心智就开始活动。心智与外物接触，好恶之情就产生了。好恶有了固定的方向，心智再受到外物的引诱，不能返回本心，天赋的本性就泯灭了。所以，懂得道的人，不会以人的造作来取代天性，虽然外表与外物一起变化，内心却始终不丧失真实的本性。……

昔者夏鲧作三仞之城，①诸侯背之，海外有狡心。②禹知天下之叛也，③乃坏城平池，④散财物，焚甲兵，施之以德，海外宾伏，⑤四夷纳职。⑥合诸侯于涂山，⑦执玉帛者万国。⑧故机械之心藏于胸中，⑨则纯白不粹，⑩神德不全。⑪在身者不知，⑫何远之所能怀？⑬……故体道者逸而不穷，任数者劳而无功。

[注释]

①鲧（gǔn）：相传是禹的父亲，治水失败，被舜诛杀。仞：古代的长度单位，具体长度不详。②背：转身，指诸侯有了背离的意图。狡心：狡诈之心。③叛：判也，指分崩离析。④坏：拆毁。平：填平。⑤宾：服。伏：服也。同指归顺臣服。⑥四夷：古代对中原华夏族之外各族的统称，又按方位分别称为东夷、西戎、南蛮、北狄，是带贬义的称谓。职：进贡。受封的诸侯向天子进献地方特产，汇报当地情况，称纳职。⑦合：召集。涂山：古地名。相当今天何处，则众说纷纭。⑧玉帛：玉器和丝帛，会盟时的珍贵礼品。执玉帛者：指带着礼品参加会盟的诸侯。⑨机械：巧诈。⑩纯白：没有瑕斑的精白素丝。粹：纯粹。⑪德：内在的本性。⑫在身者：自己本身所具有的。⑬怀：关心，安抚。

[译文]

过去，夏代的鲧修筑三仞高的城墙，诸侯们背离他，海外各国也有了各自的盘算。大禹知道天下会因此分崩离析，于是拆除城墙，填平护城河，散发财物，焚毁盔甲兵器，施行德政，海外各国都归顺臣服，边远藩国也来进贡述职。大禹在涂山聚会诸侯，上万的国君带着玉帛来参加。所以，心中有巧诈的算计，就像素帛掺了杂色，人的精神和本性不再纯粹。自己本身具有的都不能了解，怎么可能安抚远方呢？……所以啊，体道的人安闲而不会走绝路，算计的人辛苦却不会有收获。

夫峭法刻诛者，①非霸王之业也；棰策繁用者，②非致远之术也。离朱之明，③察针末于百步之外，④不能见渊中之鱼；师旷之聪，⑤合八风之调，⑥而不能听十里之外。故任一人之能，不足以治三亩之宅也；修道理之数，⑦因天地之自然，则六合不足均也。⑧是故禹之决渎也，⑨因水以为师；⑩神农之播谷也，因苗以为教。……由此观之，万物固以自然，圣人又何事焉！

[注释]

①峭（qiào）：又高又陡，这里比喻严峻。刻：用刀深挖。诛：惩罚。②棰（chuí）策：马鞭。③离朱：传说是黄帝时视力特好的人。明：视力好。④察：看清楚。⑤师旷：春秋时晋平公的乐师，听力超人，善辨音律。⑥合：和。八风：八，八方；风，风俗歌谣。⑦修：修理，顺从。数：规律。⑧六合：天地四方。均：平，相等。⑨禹：鲧的儿子。鲧用堵塞的方法治水失败，禹改用疏导的方法，获得成功。决：疏通、引导水流。渎：泛称江河大川。⑩因水以为师：顺随水势下流的规律引导水流。

[译文]

施行严刑峻法，不是霸王的功业；频繁使用马鞭，不是走远路的方法。离朱的视力好，看得清百步之外针尖大的东西，也看不见深渊的游鱼；师旷的听力好，可以分辨不同地方的曲调，也听不见十里之外的声音。所以，单凭一个人的才能，整理三亩大的宅院都有困难；而遵循道的规律，顺随天地的自然，就是安顿天地四方也绰绰有余。所以大禹疏导河流大川，正是顺随水势下流的规律引导水流；神农播种五谷，正是以禾苗的生长作为对自己的教导。……由此看来，万物本来就各有各的本性，圣人又何必干预它们呢！

九疑之南，①陆事寡而水事众，于是民人被发文身，②以像鳞虫；短绻不绔，③以便涉游；短袂攘卷，④以便刺舟，⑤因之也。雁门之北，⑥狄不谷食，⑦贱长贵壮，俗尚气力。人不弛弓，⑧马不解勒，⑨便之也。故禹之裸国，解衣而入，衣带而出，因之也。……是故达于道者，反于清净；究于物者，终于无为。

[注释]

①九疑：山名，在今湖南宁远县南。②被：当作剸（zuān），剪断。③绻（kūn）：同"裈"，有裆的短裤。绔（kù）：没裆的套裤。④袂（mèi）：袖子。攘：捋。攘卷：捋起袖子。⑤刺舟：撑船。⑥雁门：山名，在今山西代县西北。⑦狄：古代北方少数民族的泛称。⑧弛：放松弓弦。⑨勒：马络头。

[译文]

九疑山以南地区，陆地上的事情少而水里的事情多，所以人们都剪去头发，在身上刺上花纹，模仿鱼龙的样子；穿没有裤腿的短裤，以便涉水；把短衣袖捋起来，以便撑船，这是顺应自然环境。雁门山以北地区，人们不怎么吃谷物，轻视年老体弱的人，尊重年轻力壮的人，风俗是崇尚气力。人不放松弓弦，马不解下络头，这也是顺应自然环境。所以，禹到裸国去，脱掉衣服进去，出来再穿上，是顺应当地的风俗。……所以，真正懂得道的人，会复归清净的自然本性；真正理解物的人，会守持无为的做事原则。

以恬养性，以漠处神，则入于天门。① 所谓天者，纯粹朴素，质直皓白，未始有与杂糅者也。所谓人者，偶䩄智故，② 曲巧伪诈，所以俯仰于世人，③ 而与俗交者。故牛歧蹄而戴角，④ 马被髦而全足者，⑤ 天也；络马之口，穿牛之鼻者，人也。循天者，与道游者也；随人者，与俗交者也。……故圣人不以人滑天，⑥ 不以欲乱情……圣人内修其本，而不外饰其末。保其精神，偃其才智，⑦ 故漠然无为而无不为也，澹然无治而无不治也。所谓无为者，不先物为也；所谓无不为者，因物之所为。所谓无治者，不易自然也；⑧ 所谓无不治者，因物之相然也。⑨ ……

[注释]

①恬：恬静。漠：闲淡。天门：自然的门径。②偶：同"隅"，角，转义为不正。䩄（chá）：差，不正为差。偶䩄：指人的作为各有偏差。智：用心机。故：有目的。③俯仰：躬身和挺身，指俗世周旋应酬的情态。④歧：岔。歧蹄：指牛蹄中间分开。戴角：头上长角。⑤被：披。髦：马以及类似兽类项上的长毛。⑥滑（gǔ）：乱。⑦偃：停息。⑧易：改变。⑨相然：本身的样子。

[译文]

以恬静来涵养本性，以闲淡来调理精神，就进入了"天"的门径。所谓"天",就是纯粹、朴素、正直、洁净,没有掺入杂质。所谓"人",就是东倾西顾,有算计,有目的,有手段,巧饰、虚伪、狡诈,随人俯仰,与人周旋。所以,牛的蹄开裂头上长角,马有鬃毛蹄足完整,这是"天";给马套上笼头,给牛穿上鼻绳,这就是"人"。顺随"天",就是与道一同逍遥;跟随"人",就是与世俗同流合污。……所以圣人不会用"人"来扰乱"天",不会用欲望来扰乱真性。……圣人向内修养本性,而不是向外装饰外表。他保养自己的精神,停止心智活动,因此能够淡定无为,却又做完了所有事情,能够安闲无治,却又治理了整个天下。所谓"无为",就是不在事物变化之前有所行动;所谓"无不为",就是顺随事物的变化。所谓"无治",就是不改变事物的自然状态;所谓"无不治",就是顺随事物本来的面貌。……

故得道者,志弱而事强,心虚而应当。①……动不失时,与万物回周旋转,不为先唱,②感而应之。是故贵者必以贱为号,而高者必以下为基。……故欲刚者,必以柔守之;欲强者,必以弱保之。积于柔则刚,积于弱则强。……兵强则灭,木强则折,革固则裂,齿坚于舌而先之敝。是故,柔弱者,生之干也;而坚强者,死之徒也。

[注释]

①志弱:心志柔韧。事:用做动词,指处理事务。心虚:不存成见。应:回应。应当:指回应是准确的。②唱:倡导。

[译文]

所以,得道的人,心志柔韧,但处理事务干脆利落;没有先入之见,但回应事物准确无误。……举动不失时机,与万物周旋,不先行倡导,只是感受和回应它们。所以,尊贵的一定要以卑贱作为名号,崇高的一定要以低矮作为基础。……所以,希望坚硬,一定要以柔韧来护持;希望强壮,一定要以微弱来保养。积累柔韧,就会变得结实;积累微弱,就会变得刚强。……兵器太刚了,就容易毁灭;木料硬挺了,就容易折断;皮革太硬了,就容易开裂;牙齿比舌头坚硬,却比舌头先损坏。所以,柔弱是生命的本质,而坚强则走向死亡。

先唱者,穷之路也;后动者,达之原也。……何者?先者难为知,而后者易为攻也。① 先者上高,则后者攀之;先者蹱下,则后者蹍之;② 先者隤陷,③ 则后者以谋;先者败绩,④ 则后者违之。由此观之,先者则后者之弓矢质的也。⑤……所谓后者,非谓其底滞而不发,⑥ 凝竭而不流,贵其周于数而合于时也。⑦ 夫执道理以耦变,⑧ 先亦制后,后亦制先。是何则?不失其所以制人,人不能制也。……是故圣人守清道而抱雌节,⑨ 因循应变,常后而不先。柔弱以静,舒安以定,攻大磨坚,⑩ 莫能与之争。

[注释]

① 攻:功也,功效。② 蹍(niǎn):踩。③ 隤(tuí):跌倒。陷:捕捉野兽的陷阱。④ 败绩:失败,失利。⑤ 弓矢:弓和箭。质的:箭靶,目标。⑥ 底滞:止。⑦ 周:合。数:道理。时:时机。⑧ 耦:合。⑨ 清道:清静之道。雌节:雌与雄相对,指柔弱退让;雌节指柔弱退让的行为方式。⑩ 磨坚:碾碎坚硬的东西。磨,同"磨"。

[译文]

率先倡导,容易陷入困境;随后而动,才是通达的起点。……为什么呢?因为率先行动很难知道前景,跟在后面则容易取得功效。先行者登高,后随者跟着攀援;先行者跨越过去,后随者跟着跃下;先行者跌入陷阱,后随者重新选路;先行者失败了,后随者重新另做。由此看来,先行者是后随者的弓箭和靶子。……所谓后,并不是停止不动,凝固不流,后的可贵在于符合道理又把握了时机。如果以道理应对变化,那么,先可以制约后,后也可以制约先。这是什么道理呢?不丧失可以制约他人的力量,他人就不能控制你。……所以圣人守持清静之道,用退让的态度做事,顺随外物的情况,应对到来的变化,往往处于后而不争先。柔弱而清静,舒适而安定,却可以攻克高大的东西,碾碎坚硬的东西,没有谁能与它抗争。

天下之物,莫柔弱于水。然而大不可极,深不可测,修极于无穷,远沦于无涯。①……与万物始终,是谓至德。夫水所以能成其至德于天下者,以其淖溺润滑也。②故老聃之言曰:"天下至柔,驰骋天下之至坚。出于无有,入于无间。吾是以知无为之有益。"③夫无形者,物之大祖也;无音者,声之大宗也。其子为光,其孙为水,皆生于无形乎!夫光可见而不可握,水可循而不可毁。故有像之类,莫尊于水。……

[注释]

①沦:没。②淖溺:柔软。③"天下至柔"五句:语见《老子》第四十三章,文字略不同。

[译文]

天下的东西,没有比水更柔弱的。然而水可以大到没有边际,深到不可探底,长到难以溯源,远到没有尽头。……它始终不离万物,这就叫最高的德啊!水所以能够成就天下最高的德,就在于它的柔软润滑。所以老聃说:"天下最柔软的东西,驱使天下最坚硬的东西。从不可见的地方产生,渗透到没有缝隙之处。我因此知道了无为的好处。"那无形的,才是万物的源头啊!那无音的,才是声响的宗主啊!无形之下是光,再往下就是水了,都产生于无形之中。光看得见,但是不能攥住;水可以因循,但是不能切割。所以,有形体的事物,没有比水更尊贵的了。……

是故清静者，德之至也；而柔弱者，道之要也；虚无恬愉者，万物之用也。①肃然应感，②殷然反本，③则沦于无形矣。所谓无形者，一之谓也。所谓一者，无匹合于天下者也。④卓然独立，块然独处。上通九天，下贯九野。⑤员不中规，方不中矩，⑥大浑而为一。……道者，一立而万物生矣。是故一之理，施四海；一之解，际天地。……是故至人之治也，掩其聪明，⑦灭其文章，⑧依道废智，与民同出于公。约其所守，⑨寡其所求，去其诱慕，除其嗜欲，损其思虑。……一度循轨，⑩不变其宜，不易其常。放准循绳，⑪曲因其当。⑫

[注释]

①用：应用。本句指万物以虚无恬愉的方式存在。②肃然：严肃的样子。应感：对外物的触动做出反应。③殷然：殷切的样子。反：返。反本：返回根本。④匹合：配对。⑤九天：泛指天空。九野：指中央、四方、四隅，泛指大地。⑥规：圆规，这里指标准圆。矩：画方形的曲尺，这里指标准方形。⑦聪：听觉。明：视觉。聪明：指向外求知的取向。⑧文章：错综华美的花纹。青与赤相配为文，赤与白相配为章。⑨约：简化。⑩度：标准。一度：统一标准。轨：两轮之间的距离。古代车轨有定制，故由轨引申出法则、制度的意思。⑪放：仿。准：测量平面的量器。绳：木匠用来取直的墨线。⑫曲：委曲变通。

[译文]

所以，清静，是最高的德；柔弱，是道的关键；虚无恬愉，是万物的存在方式。认真回应外物的影响，切实复归自身的本性，沉沦到无形之中。所谓无形，就是"一"啊。所谓"一"，就是整个天下没有与它匹配的东西。它独自存在，向上通达九天，向下贯连九野。说圆不圆，说方不方，混同一切，成为一体。……道啊，"一"确立了，万物就产生了。所以，"一"的原理，可以应用到四海之外;"一"的解释,可以适用于天地之内。……所以,至人的做法是,遮蔽向外探知的耳目,去掉华美复杂的色彩,依据道理,废弃机心,与人们一道走正路。省略自己的守持,减少自己的追求,去掉被诱惑而产生的羡慕,消除因爱好而具有的欲望,不再忧心忡忡。……统一标准,遵循法则,不变动适宜的做法,不改换常规。按照正直的标准做,有所曲通,也以适宜为原则。

夫喜怒者,道之邪也;①忧悲者,德之失也;好憎者,心之过也;嗜欲者,性之累也。②人大怒破阴,大喜坠阳。③薄气发瘖,④惊怖为狂。忧悲多恚,⑤病乃成积。好憎繁多,祸乃相随。故心不忧乐,德之至也;通而不变,静之至也。嗜欲不载,⑥虚之至也;无所好憎,平之至也;不与物散,粹之至也。能此五者,则通于神明。⑦通于神明者,得其内者也。

[注释]

①邪:偏。②累:负担。③破阴、坠阳:古人认为愤怒的情感属于阴,喜悦的情感属于阳。阴阳平衡相交是良好状态,身体因此健康。但是,过度的愤怒和喜悦使阴上扬,阳下坠,造成阴阳不相交不平衡,因此破坏了身体的健康。④薄:迫。薄气:阴阳之气对身体的压迫。瘖(yīn):哑。⑤恚(huì):恨,怒。⑥载:充满。⑦神明:精神爽朗而明识的状态。

[译文]

喜悦愤怒的感情,是对道的偏离;忧伤悲恸的感情,是对德的损害;爱好憎恶的感情,是心灵的过失;偏好贪恋的情感,是本性的负担。人过于愤怒,会破坏阴气;过于喜悦,会损伤阳气。被过度的气逼迫,人会说不出话,甚至惊恐发狂。忧愁悲伤,经常发怒,疾病便积累起来了。好恶太多,灾祸就跟随到来了。所以,内心没有忧伤快乐,是德的极致;通达而不变动,是安静的极致;没有嗜欲,是虚无的极致;没有好恶,是平和的极致;不追逐外物、分散精神，是纯粹的极致。能够做到这五条，就达到精神爽朗而明识的状态了。精神爽朗而明识的人，是能够把握内心的人。

是故以中制外，①百事不废。中能得之，则外能收之。②中之得则五藏宁，思虑平，筋力劲强，耳目聪明。……能存之此，其德不亏。③万物纷糅，与之转化。以听天下，若背风而驰，④是谓至德，至德则乐矣。古之人有居岩穴而神不遗者，⑤末世有势为万乘而日忧悲者。⑥由此观之，圣亡乎治人，⑦而在于得道；乐亡乎富贵，而在于得和。知大己而小天下，则几于道矣。

[注释]

①中：内心。外：外在事物。②收：取。③存：保持。亏：损失。④背风：背向风，即顺风。背风而驰：顺风奔跑。意思是借助风力，使奔跑变得容易而快速。⑤神：精神。遗：丧失。⑥万乘：一万辆兵车，周代出兵按等级，万乘是天子出兵的规模，故万乘转义为天子。⑦亡：不。

[译文]

所以，用内心来把握外物，任何事都不会失败。内心保持平和，就能够控制外物。内心能够平和，那么，五脏安宁，思虑平静，筋骨强健，耳目聪明。……能保持这种状态，德就不会亏损了。万物混杂繁多，也能够与它们一道运转变化。以此来治理天下，就像顺风奔跑，（既省力又快速，）这就叫最高的德，达到最高的德，就获得了快乐。古代的人，即使居住在山洞里，精神并不因此丧失；世道衰落时，即使达到了天子的权势，也终日忧愁悲伤。由此看来，圣明并不在于统治人民，而在于是否获得了道；快乐不在于富贵，而在于是否达到了内心的平和。懂得修养自己，看轻身外世界，就接近于道了。

所谓乐者，岂必处京台、章华，游云梦、沙丘，①耳听《九韶》、《六莹》,②口味煎熬芬芳,③驰骋夷道,④钓射鹔鹴之谓乐乎?⑤吾所谓乐者,人得其得者也。夫得其得者,不以奢为乐,不以廉为悲,与阴俱闭,与阳俱开。故子夏心战而臞,得道而肥。⑥圣人不以身役物,不以欲滑和。⑦是故其为欢不忻忻,⑧其为悲不惙惙。⑨万方百变,消摇而无所定,⑩吾独慷慨遗物,⑪而与道同出。是故有以自得之也,乔木之下,空穴之中,足以适情。⑫无以自得也,虽以天下为家,万民为臣妾,不足以养生也。能至于无乐者,则无不乐,⑬无不乐则至极乐矣。

[注释]

①京台、章华:皆楚国高台。云梦:古代楚地的大泽,是楚王游猎的主要场所。沙丘:楚国的一座高山。②《九韶》:古乐名,相传为舜所作。《六莹》:相传是颛顼时的乐曲。③味:品尝。煎、熬:皆烹调方法。煎熬芬芳:指精心烹调的美味食品。④夷:平坦。⑤鹔鹴(sù shuāng):一种水鸟,羽毛可以制裘。⑥子夏:孔子弟子,姓卜名商。心战:内心冲突。臞(qú):瘦。《精神训》:"故子夏见曾子,一臞一肥。曾子问其故。曰:出见富贵之乐而欲之,入见先王之道又说之,两者心战,故臞。先王之道胜,故肥。"⑦役物:被物役使。滑(gǔ):乱。⑧忻(xīn)忻:得意忘形的样子。⑨惙(chuò)惙:忧郁失意的样子。⑩方:类。消摇:动荡不定。⑪遗物:放弃外物,指不受外物限制。⑫适情:心情舒适。⑬无乐:此乐,指世俗的乐趣。无不乐:此乐,指内心的愉悦。

[译文]

所谓快乐,难道一定要登临京台、章华台,到云梦、沙丘游玩,耳听《九韶》、《六莹》的乐曲,口尝精心烹调的美味,在平坦的大道上放马奔驰,钓射水鸟飞禽,这样才叫快乐吗?我所说的快乐,是指人实现了自己的本性。人实现自己的本性,就不会以奢侈为快乐,不会以清廉为悲哀,而是与阴气一同闭合,与阳气一同敞开。所以子夏因为内心冲突而消瘦,因为想通了道理而丰满。圣人不让自己被外物役使,不让欲望扰乱内心。所以,高兴时不会得意忘形,悲伤时不会失意消沉。各种事物千变万化,动荡而不安定,我独自毅然抛开外物,与道同行。所以啊,能够实现自己的本性,即使身处大树底下、山洞之中,也可以心情舒畅。不能够实现自己的本性,即使拥有整个天下,统治天下万民,也不能保养身心。能够不被世俗的乐趣引诱,就无不快乐;无不快乐,就达到了最大的快乐。

夫建钟鼓,①列管弦,②席旃茵,③傅旄象,④耳听朝歌北鄙靡靡之乐,⑤齐靡曼之色,⑥陈酒行觞,⑦夜以继日,强弩弋高鸟,⑧走犬逐狡兔,⑨此其为乐也,炎炎赫赫,⑩怵然若有所诱慕。⑪解车休马,罢酒彻乐,⑫而心忽然若有所丧,怅然若有所亡也。是何则?不以内乐外,而以外乐内。乐作而喜,曲终而悲。悲喜转而相生,精神乱营,⑬不得须臾平。⑭察其所以不得其形,⑮而日以伤生,失其得者也。

[注释]

①建:设置。钟鼓:编钟和皮鼓,古代贵族使用的乐器。②列:排列。管:管乐,如箫、笛之类。弦:弦乐,如琴、瑟之类。③席:铺设。旃(zhān):毡,一种毛织物。茵:坐褥,垫子。④傅:傅着,装饰。旄(máo):牦牛尾。古代挂牦牛尾于旗杆顶部,作为装饰。象:象牙。⑤朝歌:商朝都城。鄙:郊外。靡靡之乐:轻柔放荡的乐曲。⑥齐:排列。靡曼:柔美。色:女色。⑦陈:陈列。觞:酒杯。行觞:依次敬酒。⑧弩:古代用机械发射的弓。弋(yì):用绳系箭而射,可以收回箭。⑨走:跑。走犬:善于奔跑的猎狗。⑩炎:热。赫:盛大。炎炎赫赫:形容盛大热闹的场面。⑪怵:通"诱"(xù),诱惑。⑫彻:通"撤",撤除。⑬营:谋求。⑭须臾:片刻。⑮形:外现的样子。这里指乐的含义。

[译文]

设置钟鼓,排列管弦,安放毡毯座垫,用牦牛尾象牙装饰器物,耳听朝歌北郊轻曼放荡的乐曲,眼观成群成队的柔媚女色,摆酒设宴，夜以继日，用强劲的弓射高飞的鸟，放飞奔的狗追逃窜的兔，这样追求快乐，轰轰烈烈，热热闹闹，心被牵引，似乎在追逐。一旦停下马车，放马休息，结束酒宴，撤去音乐，心就失落了，好像缺少了什么，忧郁惆怅，好像丢掉了什么。这是什么原因呢？原因就在于这样的快乐不是以内心的快乐来感受外物的可爱，而是以外物的刺激来引起快感。奏乐就兴奋，曲终就失落。兴奋和失落轮番产生，精神混乱，没有片刻宁静。这样的人之所以不理解乐的含义，成天伤害自己的身心，就在于他们丧失了自己的本性。

是故内不得于中，禀授于外而以自饰也，不浸于肌肤，不浃于骨髓，不留于心志，不滞于五藏。①故从外入者，无主于中，②不止；从中出者，无应于外，不行。……天下之要，不在于彼而在于我，不在于人而在于我身，身得则万物备矣。……夫有天下者，岂必摄权持势，③操杀生之柄，而以行其号令邪？吾所谓有天下者，非谓此也，自得而已。……所谓自得者，全其身者也。全其身则与道为一矣。……

[注释]

①浸：浸润。浃：透。滞：停止。②主于中：内心有定见。③摄：拿，取。

[译文]

所以，内心没有持守，只凭外物来修饰自己，不能滋润到皮肤，不能渗透到骨髓，不能停留在心中，不能蕴含在五脏。所以，外物的影响如果不能在内心发生作用，便不能留存下来；心里的想法如果不能与外物呼应，便不能推行。……天下的关键，不在于他人而在于自己，不在于旁人而在于本身，自身有所得，一切皆齐备。……拥有天下，难道一定要依仗权势，掌握生杀大权，推行自己的号令吗？我所说的拥有天下，不是这个意思，而是指自得罢了。……所谓自得，是指保全自己的身心。保全身心，就与道合一了。……

夫形者，生之舍也；①气者，生之充也；神者，生之制也。一失位则三者伤矣。是故圣人使人各处其位，守其职，而不得相干也。②故夫形者非其所安也而处之则废，③气不当其所充而用之则泄，神非其所宜而行之则昧。此三者，不可不慎守也。……

夫精神气志者，静而日充者以壮，④躁而日耗者以老。⑤是故圣人将养其神，⑥和弱其气，⑦平夷其形，⑧而与道沈浮俛仰。恬然则纵之，迫则用之。⑨其纵之也，若委衣；⑩其用之也，若发机。⑪如是，则万物之化无不遇，而百事之变无不应。

[注释]

①生：生命。舍：住宿的空间，这里指人的躯壳。②干：抵触。③形者非其所安也而处之则废：指形体在不合适的地方停留会造成损害。例如形体不能接触火，如果在火里停留，就会烧伤。④静而日充：恬静而一天天充盈。⑤老：衰老，朽坏。⑥将养：调养。⑦和弱：平和，柔弱。⑧平夷：平和，安定。夷：平。⑨迫：逼。⑩委：下垂。委衣：衣服自然下垂。⑪机：弩机。发机：用弩机发箭，形容迅猛。

[译文]

形体，是生命的外壳；精气，是生命的内容；精神，是生命的主宰。任何一个不正常，三者都会受到损害。所以，圣人让人们各自安于自己的位置，履行各自的职责，互不干扰。所以，形体如果去接触不能接触的东西，就会残废；精气并不充盈的时候就使用，就会泄漏；精神在不恰当的地方应用，就会蒙昧。这三条，不能不谨慎对待啊。……

精神和气志，恬静并且一天天充实就强健，躁动而一天天消耗就衰竭。所以圣人调养自己的精神，让自己的气志平和，身体安定,与道一起升降沉浮。精神恬适就放松,外物逼近就回应。放松的时候像下垂的衣服一样自然,回应的时候像击发的弓弩一样迅猛。这样,万物的变化就都能配合了,百事的变迁就皆能应对了。

卷二　俶真训

[题解]

《俶真训》是《淮南子》的第二篇。俶，溯源。真，本真。本篇提出了一个宇宙生成的学说，描述宇宙如何从最初的寂寞虚无演变成后来的纷繁杂多。又以此演变过程对应于人类社会的演化和人性的迁变，认为人和社会都有一个从纯朴到巧伪的改变。《俶真训》认为，"初"才是指宇宙、人和万物的"本真"，而"今"则是人为的复杂和巧伪，在古今的对比之下，它呼吁返朴归真，同时也表现出欲归而不能的惆怅。

有始者，有未始有有始者，有未始有夫未始有有始者。有有者，有无者，有未始有有无者，有未始有夫未始有有无者。①

[注释]

①这段话见于《庄子·齐物论》，庄子的本意是，如果沿时间向前追溯，会陷入无穷尽的追溯，找不到所谓的开始，但是《淮南子》把这几句话发挥成宇宙生成的不同阶段。以下七段是对这段话的逐句解释。

[译文]

有"开始"的时候，就有"还没有开始"的时候，就还有"尚没有那还没有开始"的时候。有"有"，就有"无"，就有"还没有有和无"的时候，就还有"尚没有那还没有有和无"的时候。

所谓有始者,繁愤未发,①萌兆牙蘖,②未有形埒垠㘿,③无无蠕蠕,④将欲生兴而未成物类。⑤

有未始有有始者,天气始下,地气始上,阴阳错合,相与优游竞畅于宇宙之间。⑥被德含和,⑦缤纷茏苁,⑧欲与物接而未成兆朕。⑨

有未始有夫未始有有始者,天含和而未降,地怀气而未扬,虚无寂寞,萧条霄雿,⑩无有仿佛,⑪气遂而大通冥冥者也。⑫

[注释]

①繁愤未发:苞蕾充盈而尚未破芽的样子,形容宇宙即将生成的状态。繁,众多。愤,饱满。②萌、牙:草木初生。牙:芽。兆:事物开始。蘖:树木砍后萌发的新芽。③埒(liè):矮墙,这里转义为界域。垠(yín):边界。㘿(è):边际,界线。④无无:万物将成而未成的样子。蠕蠕:蠕动。⑤生兴:产生和出现。⑥优游:自然而自在的样子。竞畅:竞相畅游的样子。⑦被、含:都是蕴含的意思。⑧茏苁(lóng cōng):草木繁盛。这里形容阴阳二气充盈弥漫的样子。⑨兆朕:事物的征兆。兆,占卜时火灼龟甲产生的裂纹,占卜者据此断定吉凶。朕,预兆。⑩萧条:冷落寂静。霄雿:虚无高渺。⑪无有仿佛:似有似无的样子。⑫遂:顺。冥冥:宇宙未生成的混沌状态。

[译文]

所谓有"开始"的时候,是说生命充盈,尚未迸发,芽蘖萌动,尚未绽放,如同新芽萌发还没有清晰形体,生命之质蠢蠢蠕动,快要生长出来,但还没有形成不同的物类。

所谓有"还没有开始"的时候,是说天之气刚刚开始下降,地之气刚刚开始上扬,阴阳之气交错混合,互相涵泳,自由地飘动在宇宙之间。孕育着生命,蕴涵着和谐,缤纷丰富,将要进入生命的具体形态但还没有明显的征兆。

所谓有"尚没有那还没有开始"的时候,是说天蕴涵着气还没有下降,地怀抱着气还没有上扬,虚无寂寞,冷冷清清,空空荡荡，似有似无，已经有气生成，通畅在冥冥之中。

有有者，言万物掺落，①根茎枝叶，青葱苓茏，②萑蒦炫煌；③蠉飞蠕动，④蚑行喙息，⑤可切循把握而有数量。⑥

有无者，视之不见其形，听之不闻其声，扪之不可得也，⑦望之不可极也，儲与扈冶，⑧浩浩瀚瀚，不可隐仪揆度而通光耀者。⑨

有未始有有无者，包裹天地，陶冶万物，大通混冥。深闳广大，⑩不可为外，析毫剖芒，⑪不可为内。无环堵之宇，⑫而生有无之根。

有未始有夫未始有有无者，天地未剖，阴阳未判，四时未分，万物未生，汪然平静，⑬寂然清澄，莫见其形。……

[注释]

①掺落：纷纷飘落。②苓茏：繁盛的样子。③萑蒦（huán hù）：色彩绚烂。炫煌：光彩明亮。④蠉（xuān）：虫飞动的样子。蠕（rú）：虫爬行的样子。⑤蚑行喙息：泛指生物的生命活动。蚑，一种小虫。喙，鸟嘴。⑥切：触摸。循：抚摩。⑦扪（mén）：摸，按。⑧儲与扈冶：广大而涵泳丰富。⑨隐仪揆度：量度的意思。⑩闳（hóng）：宏大。⑪毫：毫毛。芒：草尖。⑫环堵：四周有墙的空间。堵，土墙。⑬汪然：宽阔而平静。

[译文]

所谓有"有"，是说万物繁茂，错落杂处，根茎枝叶，郁郁葱葱，色彩斑斓；昆虫或飞行或蠕动，鸟兽用足行走，用嘴呼吸，这些都可以感触把握，有数量可以计算。

所谓有"无"，是说看却看不到形体，听却听不见声音，触摸却触摸不到东西，张望却张望不见尽头，广大而丰富，浩渺而宽阔，不可能丈量计算，没有光亮。

所谓有"还没有有和无"的时候，是说包裹天地，陶冶万物，畅通于混沌与黑暗之中。深厚广大，一切都在它之中；细如毫毛，它在一切之中。没有边界，却是产生有和无的根源。

所谓有"尚没有那还没有有和无"的时候，是说天地还没有分开，阴阳还没有区别，四时还没有分明，万物还没有产生，广阔而宁静，寂寞而清澈，没有形体。……

夫大块载我以形，①劳我以生，逸我以老，休我以死。善我生者，乃所以善我死也。②夫藏舟于壑，藏山于泽，人谓之固矣，虽然，夜半有力者负而趋，寐者不知，犹有所遁。③若藏天下于天下，则无所遁其形矣。物岂可谓无大扬攉乎？④一范人之形而犹喜，⑤若人者，千变万化而未始有极也。弊而复新，其为乐也，可胜计邪？⑥譬若梦为鸟而飞于天，梦为鱼而没于渊，方其梦也，不知其梦也，觉而后知其梦也。今将有大觉，然后知今此之为大梦也。⑦始吾未生之时，焉知生之乐也，今吾未死，又焉知死之不乐也？……夫圣人用心杖性，依神相扶而得终始。是故其寐不梦，其觉不忧。

[注释]

①大块：大地。这里泛指天地。②善：完善，成全。③遁：逃走。④扬攉：粗略。攉，通"榷"。⑤范：冶铸用的模具。范人之形：指造化成人，如同进入人的模具而具有了人的样子。⑥胜：尽。⑦"譬若梦"七句：出自《庄子》，拼合《大宗师》和《齐物论》的文字而成。

[译文]

大地承载我的身体，让我年轻时操劳，年老时清闲，死亡后休息。成就我生命的，就是导致我死亡的。把船藏在山沟里，把山藏在水泽中，人们说稳妥了。虽然这样藏了，半夜里有力士把它背跑，熟睡的人们还不知道，这是因为还有可以逃跑的地方。如果把天下藏在天下，那就没有地方可以隐遁了。难道事物就没有它的基本形态吗？一旦被造化成人的模样就高兴，天地间像人一样的东西千千万万，哪里数得完。破旧了再更新，如果要快乐，哪里算得清？就像梦中变成鸟便飞在天上，变成鱼便潜游深渊，做梦时并不知道是在梦中，醒来后才知道是一个梦。现在也需要一个彻底的觉醒，才能知道现在的一切都在一场大梦之中。当初我没有出生，哪里知道生的快乐？现在我还没死，又怎能知道死的不快乐呢？……圣人用心坚守本性，用精神扶持本性，从生到死都这样，所以睡觉不做梦，醒来不烦忧。

古之人有处混冥之中，①神气不荡于外，万物恬漠以愉静。挠抢衡杓之气，②莫不弥靡，③而不能为害。当此之时，万民猖狂，④不知东西，⑤含哺而游，鼓腹而熙。⑥交被天和，食于地德，⑦不以曲故、是非相尤，⑧茫茫沉沉，⑨是谓大治。于是在上位者，左右而使之，毋淫其性；⑩镇抚而有之，毋迁其德。⑪是故仁义不布，而万物蕃殖；⑫赏罚不施，而天下宾服。⑬其道可以大美兴，而难以算计举也。……

[注释]

①混冥：分不清彼此。②挠抢：彗星的别名。迷信者以为彗星为妖星。衡：通"横"，贯也。杓：北斗第五、六、七颗星的名称，又称斗柄。彗星贯北斗，被认为是不祥之兆。③弥靡：弥漫，充满。④猖狂：任意作为，不受规矩约束。⑤东西：方位。亦指规范。⑥哺：嘴里嚼着的食物。鼓腹：挺着肚子。熙：通"嬉"。⑦交：俱，都。地德：大地的出产。⑧曲故：不正当的智巧。尤：怨恨。⑨茫茫沉沉：茫然而不分彼此。⑩左右：使之向左或者向右，支配的意思。淫：惑乱。⑪镇抚：压制和安抚。有：拥有。迁：改变。⑫蕃：茂盛，比喻繁多。蕃殖：大量繁殖。⑬宾：服从，归顺。

[译文]

古代的人，处于混沌状态，精神气志不向外飘散，面对外物恬淡而安静。彗星贯北斗的妖气时有弥漫，但不会造成危害。那时候，人们任意行动，不分东南西北，含着食物游戏，挺着肚子欢歌。人人承受上天的和气，食用大地的出产，不因巧诈的心计、彼此的对错而相互怨恨，混混沌沌，这就叫做大治。那时候，在上的人指使他们，却不扰乱他们的本性；用压制和安抚来管理他们，却不改变他们的天德。所以，并没有宣传仁义，而万物自然繁衍；并没有实施赏罚，而天下无不归顺。这种道德像天地生养万物那样美好，很难用具体的计算来说明。……

古之真人，①立于天地之本，中至优游，②抱德炀和，③而万物杂累焉，④孰肯解构人间之事，以物烦其性命乎！⑤……是故目观玉辂琬象之状，⑥耳听《白雪》、《清角》之声，⑦不能以乱其神；登千仞之谿，临猿眩之岸，⑧不足以滑其和。譬若钟山之玉，炊以炉炭，三日三夜而色泽不变。则至德天地之精也。是故生不足以使之，利何足以动之；死不足以禁之，害何足以恐之！明于死生之分，达于利害之变，虽以天下之大，易骭之一毛，⑨无所概于志也。⑩……是故与至人居，⑪使家忘贫，使王公简其富贵而乐卑贱，勇者衰其气，贪者消其欲。坐而不教，立而不议，虚而往者实而归。故不言而能饮人以和。⑫是故至道无为，一龙一蛇，⑬盈缩卷舒，与时变化。外从其风，⑭内守其性，耳目不耀，思虑不营。⑮……

[注释]

①真人：得道的人。得道的人被认为体现了人的真实本性，所以称为真人。②中至：中和。优游：逍遥自在。③炀（yáng）：火旺，比喻温暖。④杂累：积累混合。⑤烦：乱。⑥辂（lù）：天子用的大车。琬（wǎn）：琬圭，一种玉制礼器。⑦《白雪》、《清角》：古乐曲，被认为是高雅的乐曲。⑧猿眩之岸：形容险峻陡峭，善于攀援的猿都会头昏眼花。⑨骭（gàn）：小腿。⑩概：

激动。⑪至人：达到了做人的极致，指具有最高道德修养的人。⑫饮：给人饮食。饮人以和：使人和顺。⑬一龙一蛇：龙飞在天，蛇行于地，一龙一蛇形容随处变化。⑭风：风俗，指外部环境。⑮耀、营：都是惑乱的意思。

[译文]

古代的真人，立身于天地的根本，平和而逍遥，德厚而温暖，见万物繁乱混杂，怎么肯去纠结于世俗之事，以外物来烦扰自己的本性呢！……所以，眼睛看见玉辂、琬象的形状，耳朵听到《白雪》、《清角》的乐曲，并不会使他的精神惑乱；登上千仞悬崖，立足陡峭绝壁，并不能干扰他的平和。就像钟山的玉石，用炭火来烧，三天三夜色泽也不会改变，最高的品质就是天地的精华啊。所以，生的诱惑不足以驱使他，利欲怎么能够动摇他；死的威胁不足以禁止他，危险哪里能够恐吓他！明了生和死的区别，通达利与害的转变，即使以整个天下来换取小腿的一根毫毛，也不会动心。……所以和至人相处，可以使家里的人忘记贫穷，使王公看轻富贵而赞赏卑贱，使刚勇的人减弱气概，使贪婪的人消除欲望。他坐着不教诲，站着不议论，人们空虚地走向他，却充实地回来。他不说话，却把平和赋予别人。所以啊，最高的道无所作为，变化无穷，充满、减缩、收卷、展开，随顺时势而变化。外表随从环境，内心却持守本性，耳目不迷惑，思虑不混乱。……

道出一原，通九门，散六衢，①设于无垓坫之宇，②寂漠以虚无，非有为于物也，物以有为于己也。是故举事而顺于道者，非道之所为也，道之所施也。③夫天之所覆，地之所载，六合所包，阴阳所呴，雨露所濡，④道德所扶，此皆生一父母而阅一和也。⑤是故槐榆与橘柚合而为兄弟，有苗与三危通为一家。⑥夫目视鸿鹄之飞，耳听琴瑟之声，而心在雁门之间，一身之中，神之分离剖判，六合之内，一举而千万里。是故自其异者视之，肝胆胡越;⑦自其同者视之，万物一圈也。⑧

[注释]

①一原：一个源头。九门：传说天门有九重，故称九门。六衢：指四面八方。衢，四通八达的大路。②设：分布。垓（gāi）坫（diàn）：指边际。垓，界线、边际。坫，屏障。宇：空间。③施：作用。④呴（xǔ）：吐气。濡：滋润。⑤生一父母：产生于一个根源。阅：总汇。和：和气。⑥有苗：即三苗，古代部落。三危：古代部落，在西方，具体位置说法不一。其地有三危山，故名。⑦胡：古代北方民族的泛称。胡越：胡地和越国，比喻相距遥远。⑧一圈：同一范围。

[译文]

道出自一个源头，通达九天，离散各处，分布于无边无际的空间，寂漠而虚无，没有对万物做什么，万物却感到了它的作用。所以做事依据道，并不是道在做什么，而是道在发挥作用。天所覆盖的，地所承载的，天地四方所容纳的，阴阳抚育的，雨露滋养的，道德扶持的，都出自同一个来源，都归属同样的和气。所以槐树和榆树、橘树和柚树可以结合为兄弟，有苗和三危可以相通成一家。如果眼睛看鸿鹄飞过，耳朵听琴瑟演奏，心思却在远方，一个身体之内，精神都分散了，在天地四方遨游，甚至飞到千万里外。所以，着眼于不同之处，肝和胆就像胡地和越国那么遥远；着眼于相同之处，万物都在一个整体之中。

百家异说，各有所出。若夫墨、杨、申、商之于治道，①犹盖之无一橑，②而轮之无一辐，③有之可以备数，无之未有害于用也。已自以为独擅之，不通之于天地之情也。今夫冶工之铸器，金踊跃于炉中，必有波溢而播弃者，④其中地而凝滞，⑤亦有以象于物者矣。其形虽有所小用哉，然未可以保于周室之九鼎也，⑥又况比于规形者乎！⑦其与道相去亦远矣。……

[注释]

①墨：墨子，墨家学派创始人。杨：杨朱，战国初期思想家。申：申不害，战国中期思想家。商：商鞅，战国法家代表人物。②橑（liáo）：车盖上的弓木。一个车盖有二十八根橑。③辐：古代车轮中连接轴心和轮圈的直木条。一个车轮有三十根辐条。④波溢：金属液体沸腾而漫溢出来。播弃：洒落地上。⑤中地：掉在地上。凝滞：冷却成形。⑥保：同"宝"。九鼎：相传夏禹收天下之金铸造了九只大鼎，九鼎后来成为国家政权的象征。⑦比：对照于。规：范。规形者：使形成为形的，这里指道。

[译文]

百家不同的学说，各有出现的缘由。像墨翟、杨朱、申不害、商鞅的学说，对于治理国家来说，就像车盖少一根橑条，车轮少一根辐条，有了可以备数，没有也不影响使用。以为只有自己把握了关键，完全不了解天地间的实际状况啊。冶炼的工匠在铸造器物的时候，金属溶液在炉中翻滚，一定有漫溢抛洒出来的，溅落地上凝固了，也有形状，像个什么。这样的东西虽然也有点用处，但是不可能像周王朝的九鼎那样宝贵，更不用说与创造万物的造物者相比了！它们与道的距离太远了。……

是故圣人托其神于灵府，而归于万物之初。①视于冥冥，听于无声。冥冥之中，独见晓焉；寂漠之中，独有照焉。②其用之也以不用，其不用也而后能用之。其知也乃不知，其不知也而后能知之也。夫天不定，日月无所载；地不定，草木无所植；所立于身者不宁，是非无所形。③是故有真人然后有真知。其所持者不明，庸讵知吾所谓知之非不知欤？④

[注释]

①灵府：心。万物之初：万物初生时混沌的状态。②晓：明。照：观照，看清楚，这里转义为听清楚。③形：显现。④庸讵（jù）：何以。

[译文]

所以圣人将精神寄托在内心,复归万物本来的淳朴。在无光的地方看,在无声的地方听。黑暗之中,只有他看到了光明;寂静之中,只有他听到了声音。他使用了,就在于不用;他不使用,因此能够使用。他的知就在于不知;他不知,因此能够知晓。天不稳定,日月就没有依托;地不稳定,草木就无处生长;立身的根本不安定,就形不成对是非的判断。所以,有真人然后才有真知。应该守持什么都不清楚,怎么能知道我所说的"知"不是"不知"呢?

今夫积惠重厚,累爱袭恩,①以声华呕符、姁掩万民百姓,②使知之欣欣然人乐其性者,仁也。举大功,立显名,体君臣,③正上下,明亲疏,等贵贱,存危国,继绝世,④决挐治烦,⑤兴毁宗,⑥立无后者,义也。闭九窍,藏心志,弃聪明,反无识,⑦芒然仿佯于尘埃之外,而消摇于无事之业,⑧含阴吐阳,而万物和同者,德也。是故道散而为德,德溢而为仁义,仁义立而道德废矣。……是故圣人内修道术,而不外饰仁义。不知耳目之宜,而游于精神之和。若然者,下揆三泉,⑨上寻九天,⑩横廓六合,⑪揲贯万物,⑫此圣人之游也。……

[注释]

①积惠:积累恩惠。重:累积。厚:好处。袭:重。②声华:声誉荣耀。呕符:抚养。姁掩:爱抚养育。③体:体制,这里做动词,建立体制。④绝世:没有继承人。⑤挐(rú):纷乱。⑥宗:祖庙。⑦反:返回。无识:没有知识的纯朴。⑧仿佯:徜徉。业:所从事的工作,这里指事务、范围。⑨揆(kuí):度量。⑩寻:长度单位,这里指达到。⑪横廓:在广度上拓展。⑫揲(shé):抽取成批的数目。揲贯:积累。

[译文]

如今,积累恩惠,不断地给予好处,用声誉荣耀来关怀培养百姓,使他们身心愉悦,这就叫仁。建立宏伟功业,树立显赫名声,确定君臣之规,端正上下之矩,明确亲疏远近,区别等级贵贱,保存危难中的国家,恢复断绝了的祭祀,决断纷乱,条理烦扰,重建坍塌的宗庙,延续断绝的香火,这就叫义。封闭人的感官,收敛内心活动,放弃聪明智慧,返回无知无识的状态,漫无目的,游荡在世俗之外,逍遥在没有事情的领域,呼吸阴阳之气,不与万物相区别,这就叫德。所以,道弥散则成为德,德漫溢则成为仁义,仁义确立,道德就废止了。……所以圣人向内修养道德,而不用仁义装饰外表。不知道耳目的用处,而用心于精神的平和。做到这一点,就能够下探三泉,上达九天,拓展到上下四方,贯彻到天下万物,这是圣人的逍遥啊。……

至德之世,甘瞑于溷澜之域,①而徙倚于汗漫之宇,②提挈天地而委万物,③以鸿蒙为景柱,④而浮扬乎无畛崖之际。⑤是故圣人呼吸阴阳之气,而群生莫不颙颙然仰其德以和顺。⑥当此之时,莫之领理决离,⑦隐密而自成。⑧浑浑苍苍,纯朴未散,旁薄为一,⑨而万物大优。⑩是故虽有羿之知,⑪而无所用之。

[注释]

①瞑,通"眠"。甘瞑:甜睡。溷:"混"的异体字。澜:无边无际。溷澜(xián):弥漫而无边际。②徙倚:或走或停。汗漫:浑茫无边的样子。③委:弃。④鸿蒙:宇宙形成前的混沌状态。景柱:测日影用的圭表。景:同"影"。这句的意思是,任由时间流逝,不人为地测定划分。⑤浮扬:漂浮。畛(zhěn)崖:界线。⑥颙(yóng)颙:景仰的样子。⑦领理:治理。决离:断开。⑧隐密:不显现。⑨旁薄:混同。⑩优:美好。⑪羿:传说中的古人名,善射。

[译文]

道德最纯粹的时代,人们在混沌中甜睡,在空旷中随走随停,保持自然本性而不在意外物，任时光流逝，漫游在没有界线的区域。所以圣人呼吸阴阳之气，一般百姓仰慕他的道德，平和而逊顺。这个时候，没有人治理，没有人分辨，暗中成就了一切。浑浑苍苍，纯朴没有分散，万物混同一体，万物都十分美好。因此，虽有后羿的智慧，却没有使用的地方。

及世之衰也，至伏羲氏，其道昧昧芒芒，①然吟德怀和，被施颇烈，而知乃始。②昧昧琳琳，③皆欲离其童蒙之心，而觉视于天地之间，④是故其德烦而不能一。

[注释]

①伏羲氏：传说中上古部落首领，汉代画像砖多有其刻像。昧昧芒芒：朴厚不识的样子。②吟：通"含"。被：蒙受。施：施予。颇烈：力度很大。③琳琳（lín）：想要知道的样子。④觉视：睁开眼睛看。

[译文]

后来世道衰落，到了伏羲氏之时，人们仍然朴厚，但是怀抱着道德和和气，承受和施予都很丰厚，知觉开始萌动了。蒙昧却想要知道，都想离开童蒙的状态，看清天地之间的事物，所以内心杂乱，不能专一。

乃至神农黄帝，①剖判大宗，窍领天地，②袭九窾，重九垠，③提挈阴阳，嫥捖刚柔，④枝解叶贯，万物百族，⑤使各有经纪条贯。于此，万民睢睢盱盱，⑥然莫不竦身而载听视，⑦是故治而不能和下。栖迟至于昆吾、夏后之世，⑧嗜欲连于物，聪明诱于外，而性命失其得。

[注释]

①神农：传说中的古帝王，又称炎帝，是农耕文明的创造者。黄帝：传说中的古帝王，又称轩辕氏，是人文规制的创始人。②大宗：事物的本源。

窍：通。领：治理。③窾（kuǎn）：空隙。垠：界域。④提挈：扶助。捭挽（zhuān wán）：调和。⑤解：分散。百族：众多种类。⑥睢（huī）睢：仰视的样子。盱（xū）盱：直视的样子。⑦竦（sǒng）：恭敬，肃静。载：通"戴"，尊奉。载听视：听从神农、黄帝。⑧栖迟：延续。昆吾：古部落名。夏后：夏后氏，古部落名，相传大禹为其首领，大禹的儿子启建立夏朝。

[译文]

到了神农、黄帝时，事物从根本上被分割，天地被纳入管理，设置了众多规则，划定出各种界域，扶助阴阳，调和刚柔，像树枝分杈，树叶各在其枝，各种各样的事物，各有秩序规律。这时，万民或向上仰视，或左顾右盼，都规规矩矩，听从神农、黄帝的安排，所以能够治理天下但不能和顺民众。发展到了昆吾和夏后的时代，嗜欲被外物牵引，聪明被外界引诱，从而丧失了性命的根本。

施及周室之衰，浇淳散朴，①杂道以伪，俭德以行，而巧故萌生。②周室衰而王道废，儒墨乃始列道而议，分徒而讼。③于是博学以疑圣，④华诬以胁众。⑤弦歌鼓舞，缘饰诗书，以买名誉于天下。繁登降之礼，⑥饰绂冕之服。⑦聚众不足以极其变，积财不足以赡其费。⑧于是万民乃始慲觟离跂，⑨各欲行其知伪，以求凿枘于世，⑩而错择名利。⑪是故百姓曼衍于淫荒之陂，⑫而失其大宗之本。夫世之所以丧性命，有衰渐以然，所由来者久矣。

[注释]

①浇：淡薄。②杂道以伪：在纯朴的道中混入诡诈。俭：通"险"。巧：有算计。故：有目的。③列：裂。列道：分裂大道。讼：争辩是非。④疑：假借为"拟"。疑圣：假装圣人。⑤华诬：华丽不实。胁：胁迫。⑥登：登上台阶。这里指上堂觐见。降：走下台阶，这里指觐见后退下来。这里泛指礼节。⑦绂（fú）：古代祭服的装饰。冕：古代的礼帽。这里泛指礼服。⑧赡：供给。⑨慲（mán）：糊涂，不明事理。觟（huà）：有角的母羊。这里的意思是顶角冲突。跂：通"歧"。⑩凿：榫卯。枘：榫头。凿枘：形容彼此投合。⑪错：

更迭。错择：一再选择。⑫曼衍：连绵不绝。陂（bēi）：山坡。

[译文]

渐渐走到周王朝衰落的时候，淳厚的淡薄了，质朴的破碎了，诡诈混进了纯朴的道，邪恶危害着淳厚的德，有算计有目的的做事方式渐渐通行。周王朝衰亡，王道废弃，儒家、墨家各持己见，议论纷纷，分别党徒，争辩不休。于是以博学来伪装圣人，用华而不实的言辞来裹挟大众，弹琴、唱歌、击鼓、舞蹈，用《诗》、《书》来装饰自己，在天下沽名钓誉。礼节越来越复杂，礼服越来越繁琐，聚集众人也不足以极尽其变化，积累财富也不足以满足其开销。这时候，百姓开始乱争，各使各的手段，个个都想以机巧和伪饰来迎合世俗，追逐种种名利。所以，百姓蜂拥到了荒淫的地方，丧失了立身的根本。世人之所以丧失性命，是道德逐渐衰落造成的，是长时间形成的啊。

是故圣人之学也，欲以反性于初，而游心于虚也。①达人之学也，欲以通性于辽廓，②而觉于寂漠也。若夫俗世之学也则不然，擢德搴性，③内愁五藏，外劳耳目。乃始招蛲振缱物之毫芒，④摇消掉捎仁义礼乐，⑤暴行越智于天下，⑥以招号名声于世。⑦此我所羞而不为也。是故与其有天下也，不若有说也；与其有说也，不若尚羊物之终始也，⑧而条达有无之际。是故举世而誉之不加劝，举世而非之不加沮。⑨定于死生之境，而通于荣辱之理。虽有炎火洪水弥靡于天下，神无亏缺于胸臆之中矣。若然者，视天下之间，犹飞羽浮芥也，⑩孰肯分分然以物为事也！⑪

[注释]

①反性：使性返回本源。初：本性没有被文明扰乱的时候。虚：心灵没有欲望的状态。②达人：通达道德的人。辽廓：混一无形。③擢（zhuó）：拔。搴（qiān）：拔取。④蛲（náo）：虫类动物。招蛲：皆有所动作的意思。

振缱：积极活动的意思。⑤摇消、掉捎：都是振奋激动的意思。⑥暴：表露。越：显扬。⑦招号：求得某种称号。⑧说：通"悦"。尚羊：通"徜徉"，徘徊。⑨劝：勉励。沮：沮丧。⑩飞羽浮芥：被风扬起的羽毛，漂浮水面的芥子，形容微不足道。⑪分分：通"纷纷"，忙乱的样子。

[译文]

所以，圣人之学，是要让本性返回本源，让心境保持空灵。达人之学，是要使本性通达混一的状态，在虚无寂寥中觉悟。世俗之学则不是这样，（世俗之学让人）拔高德性，在内烦扰五脏，在外劳累耳目。这样又开始热衷追求外物的细微末节，积极鼓吹仁义礼乐，在世上装模作样，显露聪明，以求得世俗的名声。这正是我感到羞耻而不屑于做的事情啊！所以，与其拥有天下，不如心境愉悦；与其心境愉悦，不如流连于虚无，通达于有无之际。所以，举世赞誉，也不会因此受到鼓励；举世非议，也不会因此感到沮丧。安然面对死生，明白荣辱的道理。即使烈火、洪水泛滥于天下，精神在胸臆中毫无亏损。做到了这一点，再来看人间事务，就像飞扬的羽毛、浮游的芥子一样微不足道。谁愿意忙忙乱乱，从事于世间的杂务呢！

水之性真清，而土汨之；①人性安静，而嗜欲乱之。夫人之所受于天者，耳目之于声色也，口鼻之于芳臭也，②肌肤之于寒燠，③其情一也。或通于神明，或不免于痴狂者，何也？其所为制者异也。④是故神者智之渊也，渊清则智明矣；智者心之府也，⑤智公则心平矣。⑥人莫鉴于流沫，而鉴于止水者，以其静也；莫窥形于生铁，而窥于明镜者，以睹其易也。⑦夫唯易且静，形物之性也。⑧由此观之，用也必假之于弗用也。是故虚室生白，⑨吉祥止止。⑩……

[注释]

①汨：扰乱。②臭（xiù）：气味。③燠（yù）：暖。④所为制者：所施加

的控制。⑤渊：深渊。府：古代国家收藏财物和文书的地方。这里指心的安放之处。⑥公：平正。⑦鉴：镜子。这里指照镜。易：平。⑧形：使显形。⑨虚室：清明的心境。白：光明。⑩止止：第一个"止"，停止，留驻。第二个"止"，静止。指吉祥在安静的地方留驻。

[译文]

水的本性纯净清澈，而泥土搅浑了它；人的本性安静平和，而嗜欲扰乱了它。人从天那里获得的本能，耳目对于声音、颜色，口鼻对于芬芳气味，肌肤对于寒热冷暖，从感受上是一样的。但有的人神明气爽，有的人不免于痴狂，是什么原因呢？是因为他们对本能的控制不同。所以，精神是智慧的池塘，池塘清澈，智慧就明朗；智慧是心灵的府库，智慧平正，心灵就平和了。人不会把流动的水沫当成镜子来照，而照于静止的水面，就是因为它静；不会对着生铁看自己的身影，而对着明镜看，就是因为它平。只有平和静，才能表现出事物的本性。由此看来，用，一定要凭借不用。所以清明的心产生光明，吉祥在安静的地方留驻。……

静漠恬澹，所以养性也；和愉虚无，所以养德也。外不滑内，则性得其宜；性不动和，则德安其位。养生以经世，①抱德以终年，可谓能体道矣。若然者，血脉无郁滞，五藏无蔚气，②祸福弗能挠滑，③非誉弗能尘垢，故能致其极。非有其世，孰能济焉？④有其人，不遇其时，身犹不能脱，又况无道乎？

[注释]

①经世：经过一生。②蔚气：病气。③挠滑：扰乱。④世：时代。济：渡，过河。

[译文]

静漠恬淡，是为了保养本性；和愉虚无，是为了涵养道德。外物不惑乱内心，本性就得到了恰当的保养；本性和顺不动摇，德性就能够安处自身的位置。保养生命度过一生，持守道德颐养天年，可以说体会了道。这样的话，血脉不会郁滞，五脏没有病气，祸福不能扰乱，非誉不能蒙蔽，所以能够达到最高的道德。但是，如果不是在有道德的时代，哪里能够做到呢？即使有这样的人，不遇这样的时代，本身还不能逃脱，何况遭遇没有道德的时代呢？

且人之情，耳目应感动，①心志知忧乐，手足之攒疾痒，②辟寒暑，所以于物接也。蜂虿螫指而神不能憺，③蚊虻噆肤而知不能平。④夫忧患之来撄人心也，⑤非直蜂虿之螫毒，而蚊虻之惨怛也，⑥而欲静漠虚无，奈之何哉！夫目察秋毫之末，耳不闻雷霆之声；耳调玉石之声，⑦目不见太山之高。何则？小有所志，而大有所忘也。今万物之来擢拔吾性，攓取吾情，有若泉源，虽欲勿禀，⑧其可得邪！今夫树木者，灌以潦水，畴以肥壤，⑨一人养之，十人拔之，则必无余蘖，又况与一国同伐之哉！虽欲久生，岂可得乎！今盆水在庭，清之终日，未能见眉睫，浊之不过一挠，而不察方员。⑩人神易浊而难清，犹盆水之类也。况一世而挠滑之，曷得须臾平乎！

[注释]

①应感动：回应外界的触动。②攒（fèi）：搔，挠。攒疾痒：挠伤痛痒处。③虿（chài）：蝎子一类的毒虫。螫：有毒腺的虫子刺人或牲畜。憺：安适，愉悦。④噆（zǎn）：噬，指蚊子吸血。知：感觉。⑤撄：扰乱。⑥惨怛：伤痛。⑦玉石：指磬一类的乐器。⑧禀：受。⑨潦水：水暴溢。指地面的积水。畴：培土。⑩员：同"圆"。

[译文]

况且，从人的本能而言，耳目会感受外物的影响，心志能知道忧愁和欢乐，手足会触摸疼痒，躲避凉热，就这样与外物接触。被蜜蜂、蝎子刺了指头，精神都不安宁；被蚊虫叮咬皮肤，感觉都不舒服。忧患对人心的搅扰，哪里是蜂蝎毒刺、蚊虫叮咬的伤痛可以相比，想要静漠虚无，哪里做得到！眼睛盯着秋毫之末，耳朵就听不见雷霆的声音；耳朵在调试玉磬的音高，眼睛就看不见巍峨的大山。为什么呢？在小的地方用心，在大的地方就会有遗忘。现在，各种事物来攫拔我的本性，损害我的真情，如同泉水涌流，虽然想不受干扰，能做到吗？现在有种树的人，用积水浇灌，用肥土培植，一人养护，十人拔苗，那一定连一枝新芽都留不下，又何况一国的人都在砍伐它呢！想活得长久，能做到吗？现在，有一盆水在庭院里，用一整天时间来澄清它，还未必能照清楚眉毛眼睛，搅浑它只需要搅动一下，就看不清是方是圆了。人的精神容易浑浊而难以清明，就如同这一盆水。何况整个世俗社会都来搅扰它，哪里有片刻的宁静啊！

古者至德之世，贾便其肆，①农乐其业，大夫安其职，而处士修其道。②当此之时，风雨不毁折，草木不夭死，③九鼎重，④珠玉润泽，洛出丹书，河出绿图。⑤故许由、方回、善卷、披衣得达其道。⑥何则？世之主有欲利天下之心，是以人得自乐其间。四子之才，非能尽善，盖今之世也，⑦然莫能与之同光者，遇唐、虞之时。⑧

[注释]

①便：利。肆：店铺。②处士：隐居不仕的士人。③夭死：没有长成就死掉。④九鼎重：传说王者有德，鼎会加重。⑤洛：洛水。丹书：传说禹时洛水有神龟出现，背上刻有一至九的数字，排列成纵横斜相加皆成十五的图案，称丹书，也叫洛书。河：黄河。绿图：传说古时在黄河发现的排列有一至九数字的图形，叫河图。⑥许由、方回、善卷、披衣：都是传说中的隐士。⑦盖：盖过，超过。⑧同光：获得相同的荣耀。唐：陶唐氏，即尧。虞：有虞氏，即舜。

[译文]

远古道德最纯粹的时代,商贾在店铺获利,农人乐于耕种,大夫各安其职,处士修养道德。那时候,风雨不毁折林木,草木不会早死,九鼎分量加重,珠玉更有光泽,洛水出现丹书,黄河显现绿图。所以许由、方回、善卷、披衣能够成就他们的道德。为什么?人世的领导者有为天下谋利益的心,所以人们都能够在世间自得其乐。许由、方回、善卷、披衣的才能并非尽善尽美,超过今世的人,而今人不能与他们相媲美,就因为他们生在唐、虞的时代。

逮至夏桀、殷纣,①燔生人,辜谏者,②为炮烙,铸金柱,③剖贤人之心,析才士之胫,④醢鬼侯之女,菹梅伯之骸。⑤当此之时,崤山崩,三川涸,⑥飞鸟铩翼,走兽挤脚。⑦当此之时,岂独无圣人哉?然而不能通其道者,不遇其世。夫鸟飞千仞之上,兽走丛薄之中,⑧祸犹及之,又况编户齐民乎!⑨由此观之,体道者不专在于我,亦有系于世矣。……

[注释]

①夏桀:夏代最后一位君主,被汤推翻。殷纣:商代最后一位君主,为周武王所败,自焚而死。②燔:烧。生人:活人。辜:一种分裂肢体的酷刑。谏者:提意见的人。③炮烙:殷纣所用的酷刑,用火烧铜柱,令犯人爬行其上,被烤死或坠入炭火中烧死。金柱:即炮烙所用的铜柱。④剖贤人之心:《史记》记载,比干谏纣,"纣怒曰:'吾闻圣人心有七窍。'剖比干,观其心"。析:劈开。胫:小腿。⑤醢(hǎi)、菹:肉酱,这里用作动词。鬼侯、梅伯:商纣王时诸侯。据说,梅伯说鬼侯之女美好,让纣娶她为妻。纣见到鬼侯之女,认为不好,所以把鬼侯之女和梅伯剁成肉酱。⑥崤(yáo)山:山名,在今陕西。崩:崩塌。三川:泾水、渭水和汧(qiān)水,皆在今陕西境内。⑦铩(shā):摧残,伤害。挤:折。⑧丛薄:聚木曰丛,草深曰薄。⑨编户:编入户籍的人家,指普通百姓。齐民:平民。

[译文]

到了夏桀、殷纣之时,烧活人,肢解进谏者,造炮烙,铸铜柱,剖取贤人的心脏,劈开才士的小腿,把鬼侯之女和梅伯剁成肉酱。当时,峣山崩塌,三川干涸,飞鸟折断翅膀,走兽折断腿足。那个时候,怎么可能没有圣人呢?然而不能推行他们的道德,是因为没有遇上有道德的时代啊!鸟儿飞翔在千仞的高空,野兽奔跑在深草密林之中,还会遭遇祸害,何况有户籍的普通平民呢!由此看来,体道不仅在于我自己,也与时世有关啊!……

故世治则愚者不得独乱,世乱则智者不能独治。身蹈于浊世之中,①而责道之不行也,是犹两绊骐骥,②而求其致千里也。置猿槛中,则与豚同。③非不巧捷也,无所肆其能也。舜之耕陶也,④不能利其里,南面王,则德施乎四海。仁非能益也,处便而势利也。古之圣人其和愉宁静,性也;其志得道行,命也。是故性遭命而后能行,命得性而后能明。……今矰缴机而在上,⑤网罟张而在下,⑥虽欲翱翔,其势焉得?故诗曰:"采采卷耳,不盈倾筐,嗟我怀人,置彼周行。"⑦以言慕远世也。⑧

[注释]

①蹈:踩踏。本句意谓在浊世中生活。②两绊:绞绊。两,借用为纲。纲,绞。③槛:关牲畜的栅栏。豚:小猪,也泛指猪。④陶:制作陶器。传说舜曾耕于历山,陶于河滨。⑤矰缴(zēng zhuó):猎取飞鸟的射具。引申为迫害人的手段。缴,系在箭上的丝绳。机:发射。⑥网罟(gǔ):捕鱼及鸟兽的工具,捕兽的叫网,捕鱼的叫罟。⑦"采采卷耳"四句:引自《诗经·周南·卷耳》。卷耳:植物名。倾筐:浅底的筐。置:放下。周行:大道。⑧慕远世:思慕远古时代。

[译文]

所以,世道清平,愚昧的人不可能独自捣乱;世道动乱,明智的人不可能独自安定。身陷浑浊的世道，却责备他不能推行道德，就像用绳索绊住骏马却要求它日行千里一样。把猿猴关在栅栏里，它跟猪差不多，并不是它不敏捷，而是无法施展才能。舜在耕田、制陶的时候，不能给他的乡亲带来利益；等到南面为王，能把德泽推广到四海。他的仁爱并没有增加，是他所处的地位和形势有利了。古代的圣人，能够和愉宁静，是因为他的本性；能否得志行道，则要看他的命运了。所以，本性依靠命运才能施行，命运通过本性才能表现。……现在，矰缴在上面布置等待发射，网罟在下面张开等待捕捉，虽然想翱翔，形势哪里允许呢？所以《诗经》这样唱道："采呀采呀卷耳菜，不满小小一浅筐，思念我那心上人，浅筐丢在大道上。"这是说思慕那久远的清平时代啊！

卷 三 天文训

[题解]

《天文训》是《淮南子》的第三篇。文,色彩交错,引申指形形色色的现象。天文,天体运行的轨迹。但本文的论述不限于天体运行,而是以日月星辰的运行为纲,广泛探讨天人以及万物之间彼此感应的道理和原则,涉及天文、历法、音律、度量衡、数学计算以及地表测量等各方面知识。尽管混淆着神话与传说,但总的说来,这是一篇包含了中国古代科技史料的重要文献。

天地未形,冯冯翼翼,①洞洞灟灟,②故曰大昭。③道始于虚廓,④虚廓生宇宙,宇宙生气。气有涯垠,⑤清阳者薄靡而为天,⑥重浊者凝滞而为地。⑦清妙之合专易,⑧重浊之凝竭难,故天先成而地后定。天地之袭精为阴阳,⑨阴阳之专精为四时,⑩四时之散精为万物。⑪积阳之热气生火,⑫火气之精者为日。积阴之寒气为水,水气之精者为月。日月之淫为精者为星辰。⑬天受日月星辰,⑭地受水潦尘埃。⑮

[注释]

①冯(píng)冯:众盛貌。翼翼:繁盛貌。指天地未形成之时饱满充盈、混沌不分的样子。②洞:无底为洞。灟:同"属",连绵不尽。洞洞灟灟:指天地未形成之时无边无际的样子。③昭:明亮。大昭:宇宙生成前的混沌阶段。以大昭命名这个阶段,或许是想表明,混沌从暗到明,即将生成为宇宙的

意思。④廓：空旷。虚廓：空旷清虚的状态。⑤涯、垠：都是边际、界线的意思。⑥清阳者：指气的轻清部分。薄靡：轻气飘飞的样子。⑦重浊者：指气的重浊部分。⑧清妙：即轻清之气。专：通"抟"。合专：抟合成一个整体。⑨袭：和，合和。天地之袭精：天地合和产生的精气。⑩专精：抟精。阴阳二气混合产生的精气。⑪散精：与专精相对而言，指四时各自的精气。⑫积：积累。⑬淫：盛多漫溢。淫为精者：溢出之气中的精华。⑭受：接受，承受。⑮潦：积水。

[译文]

　　天地还没有形成的时候，饱满充盈而又空濛无边，所以叫做大昭。道从清虚空旷中开始，清虚空旷的状态产生了时间和空间，时间和空间中又渐渐生出气来。气是有分别的，轻清的部分飘逸飞升，形成天；重浊的部分聚集凝结，形成地。轻清之气抟集容易，重浊之气凝结困难，所以天先形成而地后稳定。天地的精气抟合起来，产生了阴和阳；阴阳的精气抟合起来，产生了四时；四时的精气分散开来，形成各种事物。积累阳气中的热气，生成了火，火气的精华是太阳。积累阴气中的寒气，生成了水，水气的精华是月亮。日月漫溢出来的气，其中的精华部分成为星辰。天承载着日月星辰，地容纳了水流尘土。

　　昔者共工与颛顼争为帝，①怒而触不周之山。②天柱折，地维绝，③天倾西北，故日月星辰移焉；④地不满东南，故水潦尘埃归焉。⑤天道曰圆，地道曰方。方者主幽，圆者主明。明者吐气者也，是故火曰外景；幽者含气者也，是故水曰内景。⑥吐气者施，含气者化，是故阳施阴化。⑦

[注释]

　　①共工：神话传说中的天神。颛顼：传说中的古帝。②触：以角顶撞。不周山：神话传说中的山名，在西北方。③天柱：支撑天的柱子。盖天说认为，天像一个锅盖，笼罩大地，天盖由八根柱子支撑，称天柱。地维：盖天说

卷三　天文训　55

认为天圆地方，地的四角用大绳维系，维系大地的绳子，称地维。④"天倾西北"二句：因为西北的天柱被撞断了，西北的天就倾斜了，所以日月星辰都向西方移动。⑤"地不满东南"二句：东南的地势低矮，所以水都向东流。⑥外景：向外放光。含气：蕴涵能量。内景：吸纳光线。⑦施：给予。化：生。

[译文]

从前共工与颛顼争当天帝，愤怒中一头撞向不周山。撑天的柱子折了，系地的绳子断了。天向西北倾斜，所以日月星辰都向西方移动；地在东南塌陷，所以水流尘土都向东南移动。天道是圆的，地道是方的。方正的大地掌管幽，圆通的天宇主管明。明向外释放气，所以火叫做外光；幽向内收敛气，所以水叫内光。释放气的给予，收敛气的化育，所以阳性给予，阴性化育。

天之偏气，怒者为风；①地之含气，和者为雨。②阴阳相薄，感而为雷，激而为霆，乱而为雾。③阳气胜则散而为雨露，阴气胜则凝而为霜雪。毛羽者，飞行之类也，故属于阳。④介鳞者，蛰伏之类也，故属于阴。⑤日者阳之主也，是故春夏则群兽除，⑥日至而麋鹿解。⑦月者阴之宗也，是以月亏而鱼脑减，⑧月死而蠃蚌膲。⑨火上荨，⑩水下流，故鸟飞而高，鱼动而下，物类相动，本标相应。⑪故阳燧见日，则燃而为火，⑫方诸见月，则津而为水。⑬虎啸而谷风至，龙举而景云属，⑭麒麟斗而日月食，⑮鲸鱼死而彗星出，⑯蚕珥丝而商弦绝，⑰贲星坠而勃海决。⑱

[注释]

①偏气：主流之外旁逸的气。怒者：被鼓动起来的。②含气：大地蕴涵的水气。和者：与天气合和的。③相薄：相迫，相撞击。感：彼此影响。激：猛撞。霆：挟带闪电的迅雷。乱：弥漫。④"毛羽者"三句：鸟类向上飞翔，所以属于天而归类为阳。⑤介：甲。介鳞：长甲鳞的龟类鱼类，龟鱼钻地游

水,所以归类为阴。⑥蜕:春夏季节兽类旧毛脱落,长出新毛。⑦日至:夏至和冬至。麋:麋鹿。解:脱落。古人认为,夏至时鹿脱去旧角,冬至时麋脱去旧角。⑧宗:主。月亏:月亮由圆变缺,逐渐亏损。鱼脑减:古人认为鱼脑会随着月亮变缺而减少。⑨月死:没有月亮出现的时候。蠃(luó):通"螺"。蚌:蚌蛤。膲(jiāo):肉不满,指蠃蚌瘪缩。⑩燖(tán):火势上腾。⑪本:树干。标:树梢。⑫阳燧:聚日光取火的凹面金属镜。见:现。见日:放置在阳光下。⑬方诸:在月光下承露取水的器具。津:湿润。⑭谷风:山谷之风。举:飞升。景云:祥云。属(zhǔ):跟随。⑮麒麟:古代传说中的祥瑞动物,形状似鹿。一说雄为麒,雌为麟。传说麒麟是天庭的使者,如有争斗,是上天失序的表现,所以出现日食和月食。⑯鲸鱼:古人认为鲸鱼是海中之王,认为彗星出现是除旧布新之兆,所以鲸鱼死是会有彗星出现的先兆。⑰珥(ěr)丝:吐丝。商:五音之一。五音,宫、商、角、徵、羽。商弦:演奏商音的弦。古人以商音属秋。蚕在秋天吐丝,商弦在秋天易断,二者被认为有同类相应的关系。⑱贲(bēn)星:流星。流星坠地则为陨星,此处即指陨星。决:海水漫溢。

[译文]

天的旁逸之气,鼓动起来就成为风;地所含蓄之气,与天气合和就成为雨。阴阳撞击,感应而形成雷,猛撞就形成霆,散乱开来,就成为雾。阳气旺盛,雾散开成为雨露;阴气旺盛,雾凝结成为霜雪。长羽毛的在空中飞翔,所以属于阳。长鳞甲的在泥水里潜伏,所以属于阴。太阳是阳气的根本,所以春夏时各种野兽都脱落旧毛,夏至和冬至时麋和鹿都脱落旧角。月亮是阴气的根本,所以月亮亏缺的时候,鱼脑会缩小;月亮不出来的时候,螺蚌的肉会瘪缩。火往上蹿,水往下流,所以鸟往高处飞,鱼往水下游。事物彼此影响,树干和树梢彼此呼应。所以阳燧放在阳光下会燃烧生火,方诸放在月光下会湿润生水。虎吼叫,就有山风刮起;龙飞升,就有景云伴随;麒麟相斗会出现日食月食;鲸鱼死亡会有彗星出现;秋蚕吐丝,商弦断绝了;流星坠落,渤海会漫溢。

人主之情，上通于天。故诛暴则多飘风，①枉法令则多虫螟，②杀不辜则国赤地，③令不收则多淫雨。④……

[注释]

①诛暴：刑法严酷。飘风：狂风。②枉法令：曲解法令，或不遵守法令。螟（míng）：一种蛀食稻心的害虫。③赤地：不毛之地。多指严重旱灾造成遍地草木不生。④令不收：即不合时节的号令，例如农忙时调用民力等。

[译文]

帝王的活动，与上天相通。所以严刑峻法则多狂风，歪曲法令则多虫害，诛杀无辜则有旱灾，政令不合时宜则多雨灾。……

天有九野，九千九百九十九隅，①去地五亿万里，②五星，③八风，④二十八宿，⑤五官，⑥六府，⑦紫宫、太微、轩辕、咸池、四守、天阿。⑧……

[注释]

①九野：九个区域。隅：角。②去地：距离地面。③五星：木、火、土、金、水五大行星。④八风：八种风，指条风、明庶风、清明风、景风、凉风、阊阖风、不周风、广莫风。冬至后四十五日，开始刮条风，此后，每四十五日换一种风。⑤二十八宿（xiù）：古代天文学家将黄道（想象中太阳周年运行的轨道）附近的恒星分为二十八个星座，称二十八宿。⑥五官：五方之官，东方为田，南方为司马，西方为理，北方为司空，中央为都。⑦六府：指子午、丑未、寅申、卯酉、辰戌、巳亥，一年十二辰中互相呼应配合的六组时令。⑧紫宫、太微、轩辕、咸池、四守、天阿：皆星名。星象家认为，紫宫、太微是太一的居所，是上天的皇宫；轩辕是上天的后宫；咸池是上天的鱼池；四守，在上天管理赏罚；天阿，是群神宫殿的阙门。

[译文]

天分成九个区域，有九千九百九十九角，离地五亿万里，还有五星，八风，二十八宿，五官，六府，以及紫宫、太微、轩辕、咸池、四守、天阿等星座。……

日冬至则斗北中绳，阴气极，阳气萌，故曰冬至为德。①日夏至则斗南中绳，阳气极，阴气萌，故曰夏至为刑。②……阴阳相德，则刑德合门。③八月、二月，阴阳气均，日夜分平，故曰刑德合门。德南则生，刑南则杀。④故曰二月会而万物生，⑤八月会而草木死。⑥

[注释]

①德：恩惠。阴气在冬至达到极致，然后阴气衰退，阳气萌生，万物生长，所以以冬至为德。②刑：肃杀。阳气在夏至达到极致，然后阳气减弱，阴气萌生，万物肃杀，所以以夏至为刑。③相德：相合。④德南则生，刑南则杀：阳气向南则生，阴气向南则杀。⑤二月会：刑德在二月合门。⑥八月会：刑德在八月合门。

[译文]

冬至时，北斗北指，与子午绳相合，阴气达到极点，阳气开始萌动，所以说冬至为德。夏至时，北斗南指，与子午绳相合，阳气达到极点，阴气开始萌动，所以说夏至为刑。……阴阳平衡，则刑德相合。八月和二月，阴气和阳气相等，白天和黑夜平分，所以叫做刑德相合。德向南发展则生长，刑向南发展则肃杀。所以说刑德在二月相合，则万物开始生长；刑德在八月相合，则草木开始枯死。

两维之间，九十一度十六分度之五，①而斗日行一度，十五日为一节，以生二十四时之变。②斗指子，则冬至，音比黄钟。③加十五日指癸，则小寒，音比应钟。加十五日指丑，则大寒，音比无射。加十五日指报德之维，④则越阴在地。⑤故曰距日冬至四十六日而立春，阳气冻解，音比南吕。加十五日指寅，则雨水，音比夷则。加十五日指甲，则雷惊蛰，音比林钟。加十五日指卯中绳，故曰春分则雷行，音比蕤宾。加十五日指乙，则清明，风至，音比仲吕。加十五日指辰，则谷雨，音比姑洗。加十五日指常羊之维，⑥则春分尽。故曰有四十六日而立夏，大风济，音比夹钟。加十五日指巳，则小满，音比太簇。加十五日指丙，则芒种，音比大吕。加十五日指午，则阳气极。故曰有四十六日而夏至，音比黄钟。加十五日指丁，则小暑，音比大吕。加十五日指未，则大暑，音比太簇。加十五日指背阳之维，⑦则夏分尽。故曰有四十六日而立秋，凉风至，音比夹钟。加十五日指申，则处暑，音比姑洗。加十五日指庚，则白露降，音比仲吕。加十五日指酉，中绳。故曰秋分，雷戒，蛰虫北乡，⑧音比蕤宾。加十五日指辛，则寒露，音比林钟。加十五日指戌，则霜降，音比夷则。加十五日指蹄通之维，⑨则秋分尽。故曰有四十六日而立冬，草木毕死，音比南吕。加十五日指亥，则小雪，音比无射。加十五日指壬，则大雪，音比应钟。加十五日指子。故曰阳生于子，阴生于午。阳生于子，故十一月日冬至，鹊始加巢，人气钟首。⑩阴生于午，故五月为小刑，荠、麦、亭历枯，冬生草木必死。⑪……

[注释]

①"两维之间"二句：周天分为四维，两维之间即四分之一周天。周天365.25度，两维之间为91.3125度。②"十五日为一节"二句：以每十五天为一节气，一年共二十四节气。③比：从属。黄钟：十二律指第一律。十二律是古代乐律，其名称从最长管算起，依次是：黄钟、大吕、太簇、夹钟、姑洗、仲吕、蕤（ruí）宾、林钟、夷则、南吕、无射、应钟。古人将乐律与阴阳五行、历法等相配合，这里是将二十四节气与十二律相配比。④报德之维：即东北方位。报，复。北是阴气之极，东是阳气始发处，东北位于由阴复为阳的转折处，所以称为报德之维。⑤越阴在地：大地度过阴气控制期，由阴转

阳。⑥常羊之维：即东南方位。常羊，通"徜徉"，徘徊。五行说认为东南为纯阳发挥作用，不盛不衰，所以叫常羊之维。⑦背阳之维：西南方位。南为阳气之极，西为阴气始发处，西南乃自南而西，背离阳气而去，所以称为背阳之维。⑧戒：禁。雷戒：雷声禁匿。乡：向。蛰虫北乡：蛰虫北向钻穴伏藏。⑨蹄通之维：西北方位。蹄：通"号"。五行说认为西北为纯阴发挥作用，但阳气即将萌发，需要阳气的呼号才能打通阴气的闭结，所以称为蹄通之维。⑩加巢：筑巢。人气：气在人体内的运行。钟首：人体之气会于头部。⑪荠：荠菜。亭历：一年生草本植物名。冬生草木：冬天生长的草木。

[译文]

周天两维之间是91.3125度，北斗每天运行一度，十五天为一节，产生出二十四个节气的变化。斗柄指向子，就是冬至，音律属黄钟。经过十五天指向癸，就是小寒，音律属应钟。经过十五天指向丑，就是大寒，音律属无射。经过十五天指向东北，大地越过了阴气的控制。所以冬至后四十六天是立春，阳气融化冰冻，音律属南吕。经过十五天指向寅，就是雨水，音律属夷则。经过十五天指向甲，就是春雨惊蛰，音律属林钟。经过十五天指向卯，与卯酉绳相合。所以说春分到，雷声响，音律属蕤宾。经过十五天指向乙，就是清明，开始刮风，音律属仲吕。经过十五天指向辰，就是谷雨，音律属姑洗。经过十五天指向东南，春季结束。所以春分后四十六天是立夏，大风停止，音律属夹钟。经过十五天指向巳，就是小满，音律属太簇。经过十五天指向丙，就是芒种，音律属大吕。经过十五天指向午，这是阳气的极点。所以立夏后四十六天就是夏至，音律属黄钟。经过十五天指向丁，就是小暑，音律属大吕。经过十五天指向未，就是大暑，音律属太簇。经过十五天指向西南，夏季结束。所以夏至后四十六天就是立秋，凉风刮起，音律属夹钟。经过十五天指向申，就是处暑，音律属姑洗。经过十五天指向庚，就是白露到来，音律属仲吕。经过十五天指向酉，又与卯酉绳相合。所以说秋分到，雷声收，蛰虫北向钻洞冬眠，音律属蕤宾。

经过十五天指向辛,就是寒露,音律属林钟。经过十五天指向戌,就是霜降,音律属夷则。经过十五天指向西北,秋季结束。所以秋分后四十六天就是立冬,草木都枯死了,音律属南吕。经过十五天指向亥,就是小雪,音律属无射。经过十五天指向壬,就是大雪,音律属应钟。经过十五天指向子。所以阳生于子,阴生于午。阳生于子,所以十一月是冬至,鸟鹊开始筑巢,人体运行的气汇集在头部。阴生于午,所以五月叫小刑,荠菜、麦子、亭历干枯了,冬天长出的草木在这时一定死去。……

道始于一,①一而不生,故分而为阴阳,阴阳合和而万物生,故曰"一生二,二生三,三生万物"。②……天地以设,分而为阴阳,阳生于阴,阴生于阳。阴阳相错,四维乃通。③或死或生,万物乃成。蚑行喙息,④莫贵于人,孔窍肢体,皆通于天。天有九重,人亦有九窍。天有四时以制十二月,人亦有四肢以使十二节。⑤天有十二月以制三百六十日,人亦有十二肢以使三百六十节。⑥故举事而不顺天者,逆其生者也。……

[注释]

①一:宇宙生成之前的混沌状态。道始于一:即开篇的"道始于虚廓"之义。②"一生二"三句:见《老子》第四十二章。③四维:一周天。这里泛指天地。④蚑行:虫行貌,这里指用足行走。喙:鸟嘴。喙息:用嘴呼吸。蚑行喙息:泛指一切生物。⑤十二节:古人认为人有十二条经脉。⑥三百六十节:古人认为人有三百六十个关节。

[译文]

道从"一"开始,但是"一"不能生育,所以又分别为阴阳二气,阴阳二气交合,这才产生出万物,所以说"一生二,二生三,三生万物"。……天地设立,才区分为阴阳,阳生于阴,阴也生于阳。阴阳相互交错,天地才通畅。有死有生,万物才成形。一切生物，没有比人更尊贵的，人的孔窍肢体，都与天相通。天有九重，人就有九窍。天有四季控制着十二个月，人就有四肢来支使十二经脉。天有十二月控制着三百六十日，人就有十二经脉支使三百六十关节。所以，做事不遵循天的原则，就违背了生命的规律。……

卷四 地形训

[题解]

《地形训》是《淮南子》的第四篇。地形,大地表面的形貌。本篇除了描述大地的山脉、水道、关隘、风向等,还以方位划分九州区域,并以方位为序描绘各地出产和人品特征。作者还想象了九州之外的人群,想象了人和动物、植物的起源。本篇既包含丰富的古代地理知识,也充满了神奇想象。

地之所载,六合之间,四极之内,①照之以日月,经之以星辰,纪之以四时,要之以太岁。②天地之间,九州八极,土有九山,山有九塞,泽有九薮,③风有八等,水有六品。④

[注释]

①六合:天地四方。四极:四方。②经:纵线为经。这里指天宇的分区。古人认为,天宇分区对应着地上的分野。纪:条理。要:约束。太岁:古代天文学家假设的与岁星做反方向运动的星宿。③塞:要塞,地势险要处。薮:大泽。④等、品:都是种类的意思。

[译文]

大地所承载的范围,天地四方之间,东南西北远极之内,有日月照耀大地,有星辰标志分野,有四时指示节律,有太岁制约运行。天地之间,有九州八极,地面有九座大山,山上有九座要塞,水泽有九大湖泊,风有八种,水有六类。

何谓九州?①东南神州曰农土,正南次州曰沃土,西南戎州曰滔土,正西弇州曰并土,正中冀州曰中土,西北台州曰肥土,正北济州曰成土,东北薄州曰隐土,正东阳州曰申土。

[注释]

①九州:《地形训》把整个中国分为九个区域,称九州。以神州、次州等不同名称标志不同方位的区域。例如神州表示东南方,次州表示正南方,等等。

[译文]

什么叫九州? 东南区域是神州,也叫农土;正南区域是次州,也叫沃土;西南区域是戎州,也叫滔土;正西区域是弇州,也叫并土;正中区域是冀州,也叫中土;西北区域是台州,也叫肥土;正北区域是济州,也叫成土;东北区域是薄州,也叫隐土;正东区域是阳州,也叫申土。

何谓九山? 会稽、①泰山、②王屋、③首山、④太华、⑤岐山、⑥太行、⑦羊肠、⑧孟门。⑨

[注释]

①会(kuài)稽:山名,在今浙江省绍兴县东南,相传大禹在此大会诸侯,故名。②泰山:山名,在今山东省泰安市。为古代五岳之一,称东岳。③王屋:山名,在今山西省垣曲与河南济源之间。④首山:山名,在今山西省永济南。⑤太华:山名,即华山,在今陕西省华阴县南。为古代五岳之一,称西岳。⑥岐山:山名,在今陕西省岐山县东北,山形状如柱,故又称天柱山。⑦太行:山名,位于陕西、河南、河北交界处。⑧羊肠:阪名,其地说法不一,高诱注认为在太原晋阳西北。⑨孟门:山名,在今山西吉县西,绵亘黄河两岸。

[译文]

什么叫九山? 就是会稽山、泰山、王屋山、首山、太华山、岐山、太行山、羊肠阪、孟门山。

何谓九塞？曰太汾、①渑阨、②荆阮、③方城、④肴阪、⑤井陉、⑥令疵、⑦句注、⑧居庸。⑨

[注释]

①太汾：古要塞名，位置不详，大约在今山西境内。②渑阨：古要塞名，其地一说在今河南渑池附近，一说即河南信阳西南平靖关。③荆阮：古要塞名，在古楚国。④方城：春秋时楚国所筑长城，在今河南邓州北至泌阳一带。⑤肴阪：古代著名要塞，即肴山，在今陕西潼关至河南新安一带，常与函谷关并称肴函。⑥井陉：古要塞名，在今河北省井陉西北井陉山上。⑦令疵：古要塞名，在今河北省迁安西南。⑧句注：古要塞名，也叫句望，在今山西省代县西北。⑨居庸：古要塞名，亦称居庸关，在今北京昌平西北。

[译文]

什么叫九塞？说的是太汾、渑阨、荆阮、方城、肴阪、井陉、令疵、句注和居庸关。

何谓九薮？曰：越之具区、①楚之云梦、②秦之阳纡、③晋之大陆、④郑之圃田、⑤宋之孟诸、⑥齐之海隅、⑦赵之巨鹿、⑧燕之昭余。⑨

[注释]

①具区：古泽薮名，又名震泽，即今江苏太湖。②云梦：古代楚地著名大泽，其地大致在今湖北江陵至武汉一带。③阳纡：古泽薮名，地在今陕西境内。④大陆：古泽薮名，也叫巨鹿泽、广阿泽，地在今河北巨鹿一带。⑤圃田：古泽薮名，地在今河南中牟县西。⑥孟诸：古泽薮名，又名孟猪、望诸，地在今河南商丘东北。⑦海隅：古泽薮名，在古齐地，位置不详。⑧巨鹿：古泽薮名，即上文的大陆。⑨昭余：古泽薮名，在今山西祁县西南。

[译文]

什么叫九薮？说的是越国的具区、楚国的云梦、秦国的阳纡、晋国的大陆、郑国的圃田、宋国的孟诸、齐国的海隅、赵国的巨鹿、燕国的昭余。

何谓八风？东北曰炎风，东方曰条风，东南曰景风，南方曰巨风，西南曰凉风，西方曰飂风，①西北曰丽风，北方曰寒风。

何谓六水？曰：河水、②赤水、③辽水、④黑水、⑤江水、⑥淮水。⑦

[注释]

①飂：音 liú。②河水：即黄河。③赤水：古水流名，所指不明。④辽水：古分大辽水、小辽水。大辽水即今辽河，小辽水即今浑河。⑤黑水：古水流名，所指众说纷纭，唐以前多以昆仑山东北地区河流为黑水，唐以后多以西南地区河流为黑水。⑥江水：即长江。⑦淮水：即淮河。

[译文]

什么叫八风？东北风叫炎风，东方风叫条风，东南风叫景风，南方风叫巨风，西南风叫凉风，西方风叫飂风，西北风叫丽风，北方风叫寒风。

什么叫六水？说的是黄河、赤水、辽水、黑水、长江和淮河。

阖四海之内，东西二万八千里，南北二万六千里。①水道八千里，通谷六，名川六百，陆径三千里。②禹乃使太章，③步自东极，至于西极，二亿三万三千五百里七十五步。使竖亥步自北极，至于南极，二亿三万三千五百里七十五步。……

[注释]

①阖：总，全。东西、南北：指大地的东西直径和南北直径。②水道：河流。通谷：河流流过的峡谷。陆径：陆路。③太章：与下文的"竖亥"，都是传说中的大禹之臣，善走。

[译文]

四海之内的整个范围，从东到西是二万八千里，从南到北是二万六千里。有水路八千里，峡谷六条，大河六百，陆路三千里。禹于是派遣太章从最东走到最西,一共二亿零三万三千五百里七十五步。派竖亥从最北走到最南,一共二亿零三万三千五百里七十五步。……

九州之大,纯方千里。①九州之外,乃有八殥,②亦方千里。……八殥之外,而有八纮,③亦方千里。……八纮之外,乃有八极。④……凡八极之云,是雨天下。八门之风,是节寒暑。八纮、八殥、八泽之云,以雨九州而和中土。⑤

东方之美者,有医母闾之珣玗琪焉;⑥

东南方之美者,有会稽之竹箭焉;⑦

南方之美者,有梁山之犀象焉;⑧

西南方之美者,有华山之金石焉;⑨

西方之美者,有霍山之珠玉焉;⑩

西北方之美者,有昆仑之球琳、琅玕焉;⑪

北方之美者,有幽都之筋角焉;⑫

东北方之美者,有斥山之文皮焉;⑬

中央之美者,有岱岳,以生五谷、桑麻、鱼盐出焉。⑭

[注释]

①纯:全。②殥(yín):荒远之地。八殥:八个方位的远地。③纮:大绳。八纮:传说中维系大地的八根大绳,这里转义为大地边缘。④八极:八方的最远处。⑤和:使和谐。中土:中国之土。⑥医母闾:山名,在今辽宁省西部。珣玗琪(xún yú qí):玉石名。⑦竹箭:即箭竹。⑧梁山:大约指四川的梁山。犀象:犀牛和大象。⑨金石:黄金、玉石之类。⑩霍山:山名,在今山西霍县东南。珠玉:宝珠、玉石之类。⑪球琳、琅玕:皆指美玉。⑫幽都:北方匈奴的活动区域。筋角:牛马等牲畜的筋角,可以制弓弩。⑬斥山:山名,所在不详。文皮:有花纹的毛皮。⑭岱岳:即泰山。

[译文]

九州的大小,方圆约千里。九州之外,还有八殥,方圆也大约千里。……八殥之外,又有八纮,也是方圆千里。……八纮之外,更有八极。……八极之内的云,凝结为雨,滋润整个天下。八方吹来的风,调节着寒暑的变化。八纮、八殥、八泽之内的云,凝结为雨滋润九州,使中土风调雨顺。

东方出产的美物,有医母闾山上的玉石;

东南方出产的美物,有会稽山的箭竹;

南方出产的美物,有梁山的犀象;

西南方出产的美物,有华山的金石;

西方出产的美物,有霍山的珠玉;

西北方出产的美物,有昆仑山的各种美玉;

北方出产的美物,有幽都的筋角;

东北方出产的美物,有斥山的虎豹之皮;

中央地区的美好事物是泰山,那里出产五谷、桑麻,还有鱼和盐。

凡地形,东西为纬,南北为经。山为积德,川为积刑。① 高者为生,下者为死。② 丘陵为牡,溪谷为牝。③ 水圆折者有珠,方折者有玉。④ 清水有黄金,龙渊有玉英。⑤ 土地各以其类生。⑥ 是故山气多男,泽气多女。⑦……皆象其气,皆应其类。⑧……万物之生而各异类。……

[注释]

①"山为积德"二句:按照阴阳理论,山为阳,水为阴,阳为德,阴为刑,所以说山为积德,川为积刑。②"高者为生"二句:按照阴阳理论,高为阳,下为阴,阳主生,阴主死,所以说高者为生,下者为死。③牡:雄。牝:雌。雄为阳,雌为阴。④圆折、方折:指水波浪的形状。圆折指波峰呈圆状之浪,方折指波峰呈锐状之浪。圆者主阳,珠是阴中之阳,按照同类相应的道理,圆折浪水下有珠;方者主阴,玉是阳中之阴,方折浪下有玉。⑤龙渊:

潜龙所在的深渊。玉英：玉石中的精华。⑥土地各以其类生：指不同类型的土地有不同类型的出产，下文即以方位划分土地的类别，并解释不同地方的人所具有的不同特点，以及各地的不同出产。⑦"山气多男"二句：山为阳，水为阴，所以说山气重的地方多生男孩，水气重的地方多生女孩。⑧象：相似。出产与各地之气相似，有同类的关系。

[译文]

大地的形貌，东西为纬，南北为经。山积累阳气，水积累阴气。高处有利于生，矮处会导致死。山峰属于阳性，溪谷属于阴性。水波圆形的地方有珠，水波方形的地方有玉。水清澈的地方有黄金，龙潜藏的地方有美玉。土地按照不同的类型，有不同的出产。所以山气重的地方多男子，水气重的地方多女子。……都与地气相似，与土地的类别相应。……万物的生命，各有形态，类别不同。……

东方：川谷之所注，①日月之所出。其人兑形小头，隆鼻大口，②鸢肩企行。③窍通于目。④筋气属焉，⑤苍色主肝。⑥长大早知而不寿。⑦其地宜麦，多虎豹。

[注释]

①"东方"二句：中国的河流多东流，故以东方为川谷之所注。②兑：同"锐"。隆：高。③鸢肩：肩膀高耸，如鸢鸟高耸翅膀。企行：踮着脚走路。④窍：九窍。这里以九窍配五方，以目属木，属东方。⑤筋气，以及下文的血脉、肤肉、皮革、骨干，为人之五体，五行说将之分属五行，筋气属木，属东方。⑥苍色：青色，五行说以五色配五方，青色属东。肝：五行说以五脏配五方，肝属东。⑦长大：身材高大。知：同"智"。

[译文]

东方：是江河流入、日月升起的地方。那里的人瘦高，头小，高鼻子，大嘴巴，耸肩膀，踮着脚走路。孔窍的通道是眼睛。五体中的筋气，五色中的青色，五脏中的肝都属于东方。东方人身材高大，智力早熟，但是寿命不长。那个地方适宜种植麦子，多虎豹。

南方：阳气之所积，暑湿居之。其人修形兑上，^①大口决眦。^②窍通于耳。^③血脉属焉，^④赤色主心。^⑤早壮而夭。其地宜稻，多兕象。

[注释]

①修形：身材修长。兑上：头尖。②决眦（zì）：眼角开裂。决，开裂。眦，眼眶。③窍通于耳：以耳属火，属南方。④血脉：人的五体之一，按照五行配比，血脉属火，属南方。⑤赤色：属火，属南方。心：五行说以五脏配五方，心属南。

[译文]

南方：是阳气蓄积、暑热潮湿之气停留的地方。那里的人身材修长，头尖，大嘴巴，眼角开裂。孔窍的通道是耳朵。五体中的血脉，五色中的赤色，五脏中的心都属于南方。南方人身体早熟，但是命短。那个地方适宜种植稻子，多犀牛、大象。

西方：高土川谷出焉，日月入焉。其人毛面末偻，^①修颈卬行。^②窍通于鼻。^③皮革属焉，^④白色主肺。^⑤勇敢不仁。其地宜黍，多旄犀。

[注释]

①末：背脊。偻：曲背。②卬行：昂头走路。卬，同"仰"。③窍通于鼻：以鼻属金，属西方。④皮革：人的五体之一，按照五行配比，皮革属金，属西方。⑤白色：属金，属西方。肺：五行说以五脏配五方，肺属西。

[译文]

西方：是高原河流发源、太阳月亮落下的地方。那里的人脸上多毛，曲背，长颈项，仰着脸走路。孔窍的通道是鼻子。五体中的皮革，五色中的白色，五脏中的肺都属于西方。西方人勇敢，但不仁慈。那个地方适宜种黍，多牦牛、犀牛。

北方：幽晦不明，天之所闭也，寒水之所积也，蛰虫之所伏也。其人翕形短颈，①大肩下尻，②窍通于阴，③骨干属焉，④黑色主肾，⑤其人蠢愚，禽兽而寿。⑥其地宜菽，多犬马。

[注释]

①翕形：形体矮小。翕，收敛。②下尻（kāo）：屁股下坠。尻，屁股。③窍通于阴：九窍配五行，二阴属水，属北方。④骨干：人的五体之一，按照五行配比，骨干属水，属北方。⑤黑色：属水，属北方。肾：五行说以五脏配五方，肾属北。⑥禽兽：像禽兽一样蠢笨。

[译文]

北方：是幽暗不明、天气闭合、寒冰积累、蛰虫潜伏的地方。那里的人个子矮小，颈项短，肩膀宽，屁股下坠。孔窍的通道是阴部。五体中的骨干，五色中的黑色，五脏中的肾都属于北方。北方人蠢笨像禽兽，但是长寿。那个地方适宜种豆，多狗马。

中央：四达，风气之所通，雨露之所会也。其人大面短颐，①美须恶肥，②窍通于口，③肤肉属焉，④黄色主胃，⑤慧圣而好治。其地宜禾，多牛羊及六畜。……

[注释]

①颐：面颊，腮。②恶肥：体胖。恶，多。③窍通于口：九窍配五行，口属土，属中央。④肤肉：人的五体之一，按照五行配比，肤肉属土，属中央。⑤黄色：属土，属中央。胃：五行说以五脏配五方，胃属中央。

[译文]

中央：是四通八达、风气流通、雨露汇集的地方。那里的人脸大腮短，胡须漂亮，体态肥胖。孔窍的通道是嘴巴。五体中的肤肉，五色中的黄色，五脏中的胃都属于中央。居住中央的人聪慧贤明，喜欢秩序井然的生活。那个地方适宜种禾，多牛羊和各种牲畜。……

音有五声，宫其主也。①色有五章，黄其主也。②味有五变，甘其主也。③位有五材，土其主也。④

是故炼土生木，炼木生火，炼火生云，炼云生水，炼水反土。⑤

炼甘生酸，炼酸生辛，炼辛生苦，炼苦生咸，炼咸反甘。⑥

变宫生徵，变徵生商，变商生羽，变羽生角，变角生宫。⑦

是故以水和土，以土和火，以火化金，以金治木，木复反土。五行相治，所以成器用。⑧

[注释]

①五声：即宫商角徵羽五音。宫其主也：古人认为宫统率五音，故称宫为五音之主。②五章：青红黄白黑五色。黄其主也：古人认为黄色为五色的统帅。③五变：酸苦甘辛咸五味的变化。甘其主也：古人认为甘是五味的统帅。④位：方位。五材：金木水火土五行。五方配五行，故曰位有五材。土其主也：古人认为土是五行的统帅。⑤"是故"五句：这几句，表达了五行相生的观念。⑥"炼甘生酸"五句：这几句，表达五行相生观念在五味关系上的应用。⑦"变宫生徵"五句：这几句，表达五行相生观念在五音关系上的应用。⑧"是故"七句：这几句，表达五行相胜的观念，认为五行的配合和克制可以成就器物的应用。

[译文]

声音有五个调，宫音是主音。颜色有五彩，黄色是主色。味道有五种变化，甘甜是主味。方位有五行，土是主材。

所以耕作土，可以长出木；焚烧木，可以生出火；火燃烧，可以生出云；云凝聚，可以形成水；澄清水，可以生出土。

提炼甜，可以生出酸；提炼酸，可以生出辛；提炼辛，可以生出苦；提炼苦，可以生出咸；提炼咸，可以返回甜。

变化宫音，可以生成徵音；变化徵音，可以生成商音；变化商音，可以生成羽音；变化羽音，可以生成角音；变化角音，可以生成宫音。

所以，用水来调和土，用土来调和火，用火来熔化金，用金来砍伐木，由木再返回土。五行相互克制，就可以制作各种器物。

凡海外三十六国，①自西北至西南方，有修股民、②天民、③肃慎民、④白民、⑤沃民、⑥女子民、⑦丈夫民、⑧奇股民、⑨一臂民、⑩三身民。⑪

[注释]

①三十六国：《地形训》叙述的海外三十六国，是传闻或想象中在中国九州之外的国家。叙述以方位为顺序，主要描述其人的外形特征，内容多来自《山海经》。②修股民：传说中的西方国名，其民腿长。《山海经·海外西经》："长股之国在雄常北，被发。一曰长脚。"③天民：传说中的西方国名。《山海经·大荒西经》："西北海之外，赤水之西，有先民之国，食谷，使四鸟。"先民即天民。④肃慎民：古部族名，在北方。⑤白民：传说中的西方国名。《山海经·海外西经》："白民之国在龙鱼北，白身，被发。"⑥沃民：传说中的西方国名。《山海经·大荒西经》："西有王母之山，壑山、海山，有沃之国，沃民是处。"⑦女子民：传说中的西方国名，其国皆女无男。《山海经·海外西经》："女子国在巫咸北。"⑧丈夫民：传说中的西方国名，其国皆男无女。《山海经·海外西经》："丈夫国在维鸟北，其为人衣冠带剑。"⑨奇：单。奇股民：传说中的西方国名，其国人皆单脚。⑩一臂民：传说中的西方国名，其民皆单臂。《山海经·海外西经》："盖山之国……有一臂民……一臂，一目，一鼻孔。"⑪三身民：传说中的西方国名。《山海经·海外西经》："三身国在夏后启北，一首而三身。"

[译文]

海外共有三十六国，从西北到西南方，有修股民、天民、肃慎民、白民、沃民、女子民、丈夫民、奇股民、一臂民、三身民。

自西南至东南方，结胸民、①羽民、②讙头国民、③裸国民、④三苗民、⑤交股民、⑥不死民、⑦穿胸民、⑧反舌民、⑨豕喙民、⑩凿齿民、⑪三头民、⑫修臂民。⑬

[注释]

①结胸民：传说中的南方国名，其民皆鸡胸。《山海经·海外南经》："结匈国在其西南，其为人结匈。"②羽民：传说中的南方国名。《山海经·海外南经》："羽民之国，其民皆生毛羽。"③讙（huān）头国民：传说中的南方国名。《山海经·海外南经》："讙头国在其南，其为人，人面有翼，鸟喙，方捕鱼。"④裸国民：传说中的国名，其人皆裸体。《原道训》有禹到裸国，解衣而入，衣带而出的说法。⑤三苗：古代部族名，地在今长江中游以南一带。《山海经·海外南经》："三苗国在赤水东，其为人相随。"⑥交股民：传说中的南方国名，其民皆两脚相交。《山海经·海外南经》："交胫国在其东，其为人交胫。"⑦不死民：传说中的南方国名，其民长生不死。《山海经·海外南经》："不死民在其东，其为人黑色，寿，不死。"⑧穿胸民：传说中的南方国名。《山海经·海外南经》："贯匈国在其东，其为人匈有窍。"⑨反舌民：传说中的南方国名。其人舌根在外，舌尖在喉，故曰反舌。《山海经·海外南经》有歧舌国，即指反舌。⑩豕喙民：传说中的南方国名，其民嘴似猪嘴。《山海经·海内经》："流沙之东，黑水之西，有朝云之国……人面，豕喙，麟身，渠股。"⑪凿齿民：传说中的南方国名。《山海经·海外南经》："大荒之中有山，名曰融天，海水南入焉。有人曰凿齿，羿杀之。"文化学者认为，凿齿可能表现了南方部族打掉门牙的习俗。⑫三头民：传说中的南方国名，其民一身而三头。《山海经·海外南经》："三首国在其东，其为人一身三首。"⑬修臂民：传说中的南方国名，其民臂长。《山海经·海外南经》："长臂国在其东，捕鱼水中，两手各操一鱼。"

[译文]

从西南到东南方，有结胸民、羽民、讙头国民、裸国民、三苗民、交股民、不死民、穿胸民、反舌民、豕喙民、凿齿民、三头民、修臂民。

自东南至东北方，有大人国、①君子国、②黑齿民、③玄股民、④毛民、⑤劳民。⑥

[注释]

①大人国：传说中的东方国名，其民身材高大。《山海经·海外东经》、《大荒东经》、《大荒北经》都有关于大人国的描写。②君子国：传说中的东方国名，其民礼让不争。《山海经·海外东经》："君子国在其北，衣冠带剑……其人好让不争。"③黑齿民：传说中的东方国名。《山海经·海外东经》："黑齿国在其北，为人黑，食稻，啖蛇。"④玄股民：传说中的东方国名。《山海经·海外东经》："玄股之国在其北，其为人衣鱼。"指穿鱼皮衣服。⑤毛民：传说中的东方国名。《山海经·海外东经》："毛民之国在其北，为人身生毛。"《山海经·大荒北经》："毛民之国，依姓，食黍，使四鸟，其人面体皆生毛。"⑥劳民：传说中的东方国名。《山海经·海外东经》："劳民国在其北，其为人黑。或曰教民。"

[译文]

从东南到东北方，有大人国、君子国、黑齿民、玄股民、毛民、劳民。

自东北至西北方，有跂踵民、①句婴民、②深目民、③无肠民、④柔利民、⑤一目民、⑥无继民。⑦……

[注释]

①跂踵民：传说中的北方国名，其民走路脚跟不着地。《山海经·海外北经》："跂踵国在拘缨东，其为人大，两足亦大。一曰大踵。"②句：曲。婴：通"瘿（yǐng）"，颈部长瘤子。句婴民：传说中的北方国名，其民颈部弯曲，长瘤子。《山海经·海外北经》："拘缨之国在其东，一手把缨。"③深目民：传说中的北方国名，其民眼窝深陷。《山海经·海外北经》："深目国在其东，

为人举,一手一目。"④无肠民:传说中的北方国名,其民腹内无肠。《山海经·海外北经》:"无肠之国在深目东,其为人长而无肠。"⑤柔利民:传说中的北方国名,其民身体柔软。《山海经·海外北经》:"柔利国在一目东,为人一手一足反膝,曲足居上。"⑥一目民:传说中的北方国名,其民只有一只眼睛。《山海经·海外北经》:"一目国在其东,一目,中其面而居。一曰有手足。"⑦无继民:传说中的北方国名,其民不能生育。

[译文]

从东北到西北方,有跂踵民、句婴民、深目民、无肠民、柔利民、一目民、无继民。……

容生海人,①海人生若菌,若菌生圣人,圣人生庶人,凡容者生于庶人。②

羽嘉生飞龙,③飞龙生凤凰,凤凰生鸾鸟,鸾鸟生庶鸟,凡羽者生于庶鸟。④

毛犊生应龙,⑤应龙生建马,建马生麒麟,麒麟生庶兽,凡毛者生于庶兽。⑥

介鳞生蛟龙,⑦蛟龙生鲲鲠,鲲鲠生建邪,建邪生庶鱼,凡鳞者生于庶鱼。⑧

介潭生先龙,⑨先龙生玄鼋,玄鼋生灵龟,灵龟生庶龟,凡介者生于庶龟。⑩

暖湿生容,⑪暖湿生于毛风,毛风生于湿玄,湿玄生羽风,羽风生暖介,暖介生鳞薄,鳞薄生暖介。五类杂种兴乎外,肖形而蕃。⑫

[注释]

①容:形貌。这里指人的最初形态。海人及下文的若菌,都是作者想象中的早期人类。作者的想象并无根据,但是,在作者的想象中,已经有了一种演化的观念。②容者:指一切具有人之形貌的人。③羽嘉:想象中的鸟类最早

形态。飞龙：鸟类中的神异者。④羽者：一切鸟类。⑤毛犊：想象中的兽类最早形态。应龙以及下文的建马、麒麟，都是作者想象的一般兽类之前的早期兽类。⑥毛者：一切兽类。⑦介鳞：想象中鳞类生物的最早形态。蛟龙以及下文的鲲鲠、建邪，都是作者想象的一般鳞类生物之前的早期鳞类生物。⑧鳞者：一切鳞类生物。⑨介潭：有甲壳生物的早期形态。先龙以及下文的玄鼋、灵龟，都是作者想象的一般甲类生物之前的早期甲壳类生物。⑩介者：一切甲壳类生物。⑪暖湿：作者想象的产生人的温暖湿润的气。下文作者想象兽类、羽类、甲壳类、鳞类都有来源，并且，它们的来源彼此相关。这只是想象，并没有知识上的意义。⑫杂种：各色物种。肖：外形的相似。蕃：繁殖。

[译文]

容产生海人，海人生育若菌，若菌生育圣人，圣人生育普通人，凡是有人类容貌的，都是普通人生育的。

羽嘉产生飞龙，飞龙生育凤凰，凤凰生育鸾鸟，鸾鸟生育普通鸟，凡是长羽毛的，都是普通鸟生育的。

毛犊产生应龙，应龙生育建马，建马生育麒麟，麒麟生育普通兽，凡是长毛的，都是普通兽类生育的。

介鳞产生蛟龙，蛟龙生育鲲鲠，鲲鲠生育建邪，建邪生育普通鱼，凡是长鳞的，都是普通的鱼生育的。

介潭产生先龙，先龙生育玄鼋，玄鼋生育灵龟，灵龟生育普通龟，凡是长甲壳的，都是普通的龟生育的。

暖湿之气孕育了最初的人类，暖湿又是从毛风中产生的，毛风从湿玄中产生，湿玄生育羽风，羽风生育暖介，暖介生育鳞薄，鳞薄生育暖介。这五类各有变种，在外面兴盛起来，各自长得像前辈，不断繁衍。

日冯生阳阏，①阳阏生乔如，乔如生干木，干木生庶木，凡根拔木者生于庶木。②

根拔生程若，③程若生玄玉，玄玉生醴泉，醴泉生皇辜，皇辠生庶草，凡根茇草者生于庶草。④

海闾生屈龙，⑤屈龙生容华，容华生蔈，蔈生萍藻，萍藻生浮草，凡浮生不根茇者生于萍藻。⑥

……

[注释]

①日冯：作者想象的最早的树木。阳阏（è）以及下文的乔如、干木，都是作者想象的一般树木之前的早期木类。②根拔木者：根里长出木的，泛指一切树木。③根拔：作者想象的最早草类。程若以及下文的玄玉、醴泉、皇辠，都是作者想象的一般草之前的早期草类。④根茇草者：根里长出草的，泛指一切草类。⑤海闾：作者想象的最早萍类。屈龙以及下文的容华、蔈、萍藻、浮草，都是作者想象的不同的水浮植物。⑥浮生不根茇者：浮生水面，根不扎地的植物的总称。

[译文]

日冯生出阳阏，阳阏生出乔如，乔如生出干木，干木生出庶木，凡是有根的树木都是由庶木繁衍出来的。

根拔生出程若，程若生出玄玉，玄玉生出醴泉，醴泉生出皇辠，皇辠生出庶草，凡是有根的草类都是由庶草繁衍出来的。

海闾生出屈龙，屈龙生出容华，容华生出蔈，蔈生出萍藻，萍藻生出浮草，凡是浮生水面的植物都是由萍藻繁衍出来的。

……

卷 五 时则训

[题解]

《时则训》是《淮南子》的第五篇。时，时令；则，规则。本篇以一年四季十二个月为次序和统领，逐月描述星象、物候、音律、数位等各种现象，把它们纳入到一个四季五行的配伍系统中，以此作为统治者行政原则的依据。

孟春之月，①招摇指寅。②昏参中，③旦尾中。④其位东方，⑤其日甲乙。⑥盛德在木。其虫鳞，⑦其音角，⑧律中太蔟。⑨其数八。⑩其味酸。⑪其臭膻。⑫其祀户，⑬祭先脾。⑭东风解冻，蛰虫始振苏，⑮鱼上负冰。⑯獭祭鱼。⑰候雁北。⑱

[注释]

①孟春：春季的第一个月。《时则训》分一年为春夏秋冬四季，一季又分为孟、仲、季三个月，逐月讲解月令。这里选孟春这一个月的内容，以为说明。②招摇：星名，即牧夫座γ星。③昏：黄昏时刻。参：参宿。中：古代天文学术语，指星宿出现在观测者子午圈的位置。④旦：清晨时刻。尾：尾宿。⑤位：东南西北中与五行相配的方位。⑥其日甲乙：五行说将十天干分为甲乙、丙丁、戊己、庚辛、壬癸五组，与五行相配。⑦虫：泛指动物。古代有五虫说，即《天文训》所说的鳞、羽、人（称裸虫）、毛、介五类，五行说以五虫与五行相配。⑧角：五行说将宫、商、角、徵、羽五音与五行相配。⑨太蔟：十二律之一。中国古代将十二律与一昼夜的十二个时辰、一周年的十二个

月相配，太蔟配寅，正月。⑩五行说以五、六、七、八、九五个数字为五数，与五行相配。⑪五行说将酸、苦、甘、辛、咸五味与五行相配。⑫臭（xiù）：气味的总称。五行说以膻、焦、香、腥、朽五种气味为五臭，与五行相配。⑬户：堂室之门，这里指户神。中国古代有五祀说，春祀户，夏祀灶，季夏祀中霤（liù，屋檐），秋祀井。⑭祭先脾：古人将动物的脾、肺、心、肝、肾五脏与五行、四时相配，以脾属春属木，故春季祭祀时第一道祭品就是脾脏。⑮苏：苏生。振苏：冬眠昆虫振动翅膀开始活动。⑯鱼上负冰：初春水解冻，鱼从深层上游到浅层，故云鱼上负冰。⑰獭（tǎ）：水獭，一种生活在水中、捕鱼为食的小兽。水獭有将捕到的鱼陈列在岸边的习性，古人以为这是水獭的祭祀活动，称之为獭祭鱼。春季水解冻，鱼上游，水獭开始活跃捕鱼，故以獭祭鱼为春季的一种现象。⑱候雁北：大雁是候鸟，秋天飞往南方过冬，春天又飞回北方繁殖后代，故以大雁北飞为春季的一种现象。

[译文]

孟春之月，招摇星指寅。黄昏时，参宿位于正南方中天；清晨时，尾宿位于正南方中天。这个月，方位是东方，日数是甲乙。旺气在木。这个月，当月的虫是鳞，当月的音是角，律是太蔟。这个月，当月的数是八，当月的滋味是酸，当月的气味是膻。这个月，祭祀户神，第一道祭品是脾。东风吹来，冰融化，冬眠的虫振动翅膀开始活动，鱼游到水面的浮冰之下。水獭祭鱼。大雁向北飞。

天子衣青衣，乘苍龙，①服苍玉，②建青旗，③食麦与羊，④服八风水，⑤爨其燧火。⑥东宫御女青色，衣青采，鼓琴瑟。⑦其兵矛。⑧其畜羊。朝于青阳左个，⑨以出春令。布德施惠，行庆赏，省徭赋。

[注释]

①苍龙：青色骏马。古代马长八尺以上称为龙。春季色青，所以天子所用皆青色，以顺时宜。②服：穿戴。这里指佩用。③建：树立，插。④麦、羊：五行说以五谷（麦菽稷麻黍）、五畜（羊鸡牛犬猪）配五行。麦、羊属

木、菽、鸡属火，稷、牛属土，麻、犬属金，黍、猪属水。所以春季食麦与羊。⑤服：服食。八风水：用方诸承接的露水。古人认为露水自天而降，受八风所吹，故称为八风水。⑥爨（cuàn）：炊。萁（jī）：木名。爨萁：烧萁木做饭。燧火：用阳燧取火。⑦御女：宫中侍女。衣：穿。青采：绣青色花纹。鼓：弹奏。⑧兵：兵器。⑨朝：天子行政。青阳：古皇宫东宫的别名。个：正堂两旁的侧室。此言天子春季在东宫的左侧室行政。

[译文]

天子穿青色衣裳，骑苍龙马，佩戴青色玉饰，树立青色旗帜，食用麦和羊，饮用露水，烧萁木做饭，用阳燧取火。东宫侍女穿戴青色，衣裳绣青色文彩，弹奏琴瑟。这个月，兵器是矛，牲畜是羊。天子在青阳宫左侧室上朝，发布春季政令。广布德泽，施予恩惠，推行奖赏，减少徭役赋税。

立春之日，天子亲率三公九卿大夫以迎岁于东郊。①修除祠位，②币祷鬼神。③牺牲用牡。④禁伐木，毋覆巢、杀胎夭，⑤毋麛毋卵，⑥毋聚众、置城郭。⑦掩骼埋骴。⑧

[注释]

①岁：时。迎岁：迎接时令、季节。古时以立春、立夏、立秋、立冬之日分别到东南西北郊举行迎岁仪式。②修除：整治。祠：春祭为祠，后泛指祭祀。位：受祭鬼神的灵位。③币：祭祀时献给鬼神的玉帛等物。④牺牲：祭祀用的纯色牲畜。牡：雄性牲畜。⑤覆巢：捣毁禽兽的巢穴。胎：怀孕。夭：初生幼弱的动物。⑥麛（mí）：幼鹿，泛指幼兽。毋麛毋卵：不猎取幼兽，不拾取禽卵。⑦置：修建。这句的意思是，不得在春季集合民众修建城郭。⑧骼：枯骨。骴（cī）：肉未烂尽的残骨。

[译文]

立春那天，天子亲自率领三公九卿和大夫到东郊迎接春天的到来。修整祭坛，摆好灵位，献上玉帛向鬼神祈祷福佑。祭祀用公畜。禁止砍伐树木，不得捣毁禽兽的巢穴，不得杀害怀孕的母兽和幼弱的小兽，不得猎取幼兽、拾取禽卵，不得汇聚民众修建城郭。掩埋荒野上的各种残骨。

孟春行夏令，则风雨不时，①草木旱落，国乃有恐。②行秋令，则其民大疫，③飘风暴雨总至，④黎莠蓬蒿并兴。⑤行冬令，则水潦为败，⑥雨霜大雹，首稼不入。⑦

正月，官司空。⑧其树杨。⑨……

[注释]

①孟春行夏令：指孟春时节，气候却像夏天。不时：不按时节。②旱落：因缺水而落叶。有恐：有恐慌气氛。③疫：瘟疫流行。④总至：一并到来。⑤黎：众多。莠（yǒu）：恶草的通称。蓬、蒿：杂草名。⑥潦（lào）：同"涝"，雨水过多，淹没庄稼。为败：造成庄稼失收。⑦首稼：一年中最早收获的庄稼。入：收成。⑧司空：古代官名。《时则训》每月有不同的当值官，正月的当值官为司空。⑨按：《时则训》每月有不同的当值树，大体与树木的生长繁茂有关，也有许多牵强之处。其树杨：指正月的当值树是杨树。

[译文]

孟春行夏季时令，就会风雨不调，草木受旱枯落，国家因此恐慌。行秋季时令，会有瘟疫流行，狂风暴雨一起袭来，各种野草四处丛生。行冬季时令，有洪水为害，霜雪冰雹大降，早熟的庄稼没有收成。

正月，当值的官是司空，当值的树是杨树。……

五位：东方之极，①自碣石山过朝鲜，②贯大人之国，③东至日出之次、榑木之地，青土树木之野，④太皞、句芒之所司者万二千里。⑤其令曰：挺群禁，开闭阖，⑥通穷窒，达障塞。⑦行优游，弃怨恶。⑧解役罪，免刑罚。⑨开关梁，宣出财。⑩和外怨，抚四方。⑪行柔惠，止刚强。⑫

[注释]

①极：远。东方之极：指整个东方范围。②碣石山：山名，在今河北省昌黎县西北。朝鲜：今朝鲜半岛，西汉在朝鲜半岛北部设有乐浪郡。③贯：通过。大人之国：即《地形训》中所谓的大人国。④日出之次：太阳升起的地方。榑（fú）木：即扶桑，传说中的东方神木。榑木之地：扶桑生长的东方。青土：东方边远处的地名。树木之野：树木繁盛的地方。⑤太皞（hào）：即伏羲氏，传说中的古帝王，后人以之为东方之帝。句（gōu）芒：相传是古时主管树木之官，死后为木神。司：掌管。⑥挺：举起，此处指放开。阖（hé）：门扇。⑦穷窒：堵塞不通。障塞：阻碍。⑧优游：悠然自得。怨恶：怨恨讨厌的情感。⑨解：解除。役：劳役。古代有以罪人充役抵罪的处罚方式，故称役罪。⑩宣出财：此句不通。旧考以为是"出库财"的误文。⑪和：调和。抚：安抚。⑫刚强：指强悍的行为。

[译文]

五个方位：东方的范围，从碣石山到朝鲜，再穿过大人之国，向东到达太阳升起、扶桑生长的地方，那里的土地上，树木丛生，郁郁葱葱，太皞、句芒管理的范围有一万二千里。政令是：解除各种禁忌，打开闭合的门户，清理堵塞的杂物，使道路畅通。推行优游自得的态度，放弃怨恨厌恶的情感。解除劳役处罚，免除刑罚。开放关塞桥梁，发放府库财物。调和外族怨恨，安抚四方民众。实施柔惠政策，禁止凶悍行为。

南方之极，自北户孙之外，①贯颛顼之国，南至委火炎风之野，②赤帝、祝融之所司者万二千里。③其令曰：爵有德，④赏有功，惠贤良，救饥渴，举力农，⑤赈贫穷，⑥惠孤寡，忧罢疾。⑦出大禄，行大赏，起毁宗，⑧立无后，封建侯，立贤辅。⑨

[注释]

①北户孙：传说中南方边远处的国名。②颛顼之国：传说中的南方国名。《山海经·大荒南经》："有国曰颛顼。"委：堆积。委火炎风之野：火气集聚、

热风吹袭的地方。③赤帝：即炎帝，传说中的古帝王，后人以之为南方之帝。祝融：相传是上古管火之官，死后成为火神。④爵有德：封赐爵位给有德的人。⑤举：推举，这里指表彰。力农：勤于农事。⑥赈（zhèn）：救济。⑦罢（pí）：通"疲"。⑧起：建立。宗：宗庙。毁宗：被毁掉的宗庙。宗庙是立国的象征，毁坏宗庙，意味着灭国。而建立宗庙，意味着重建灭亡之国。⑨封建侯：分封诸侯。辅：辅佐。

[译文]

南方的范围，从北户孙之外，穿过颛顼之国，向南到达火气聚集、热风吹袭的地方，赤帝、祝融管理的范围有一万二千里。政令是：封赐爵位给有德的人，奖赏有功之臣，施恩惠给贤良的人，解救没吃没喝的人，表彰致力农业的人，救济贫穷的人，优待孤儿寡母，关怀疲惫病弱的人。聘任高官，施行重赏，重建毁灭的宗庙，为绝嗣的人户立后裔，分封诸侯，选定贤能的宰辅。

中央之极，自昆仑东绝两恒山，①日月之所道，江汉之所出，②众民之野，五谷之所宜，龙门河济相贯，③以息壤堙洪水之州。④东至于碣石，黄帝、后土之所司者万二千里。⑤其令曰：平而不阿，明而不苛。包裹覆露，无不囊怀。⑥溥泛无私，⑦正静以和。行秠鬻，⑧养老衰，吊死问疾，⑨以送万物之归。

[注释]

①昆仑：山名。绝：穿越。恒山：即常山，在今山西曲阳西北，而非今山西浑源的恒山。两：旧考认为是衍文。②江：长江。汉：汉水。③龙门：山名。河：黄河。济：济水。④息壤：神话传说中一种能够生生不息的土壤。堙（yīn）：堵塞。⑤黄帝：传说中的古帝王，后人以之为中央之帝。后土：相传是上古管土之官，死后成为土神。⑥覆：笼罩。露：滋润。囊：包罗。囊怀：拥抱在怀中。⑦溥（pǔ）：广大普遍。⑧秠（fū）：同"稃"，即麸。鬻（zhù）："粥"的本字。⑨吊：吊唁。

卷五 时则训 85

[译文]

中央的范围，从昆仑山向东跨越恒山，是太阳月亮运行的路线，也是长江和汉水的发源地，那里人民众多，适宜五谷生长，龙门、黄河、济水从那里穿过，鲧在那里用息壤堵塞洪水。向东一直到达碣石山，黄帝、后土治理的范围有一万二千里。政令是：公平而不迎合，明智而不苛刻。包容庇护，无不关怀。普遍而没有偏私，以和谐达到平静安宁。送米面给穷人，赡养年老衰弱的人，哀悼死者，慰问病人，这样送万物回归。

西方之极，自昆仑绝流沙沈羽，①西至三危之国，②石城金室，③饮气之民，不死之野。少皞、蓐收之所司者万二千里。④其令曰：审用法，⑤诛必辜。备盗贼，禁奸邪。饬群牧，⑥谨著聚。⑦修城郭，补决窦，⑧塞蹊径。遏沟渎，⑨止流水，雍谿谷。⑩守门闾，陈兵甲，选百官，诛不法。

[注释]

①流沙：即沙漠。沙漠之沙被风刮而流动，故称流沙。沈羽：传说中不能浮起羽毛的流水。②三危：山名，在今甘肃敦煌东南，属祁连山脉。三危之国：因三危山而得名之国。③金室：大概因为西方属金，故附会为以金修建房屋。④少皞：传说中的部落首领名，后人以之为西方之帝。蓐收：西方神名。⑤审：小心谨慎。⑥饬：通"饬"，整治。群牧：泛指各级官吏。⑦著：通"贮（zhù）"，储存。⑧窦：孔。决窦：崩溃、开决的堤防。⑨遏：阻断。⑩雍：通"壅"，堵塞。

[译文]

西方的范围，从昆仑跨越流沙、沈羽，向西到达三危之国，那里以石为城、以金为屋，人民食气，长生不死。少皞、蓐收治理的范围达到一万二千里。法令是：用法谨慎，诛杀确实有罪的人。防备盗贼，严禁奸邪。整顿各级官吏，谨慎地储存积蓄。修缮城墙，填补堤防的漏洞，堵塞旁道小路。遏止沟渠的缺口，阻断泛流的水，堵塞溪谷的流水。防守城门，陈列兵器铠甲，选任百官，诛杀不守法的人。

北方之极，自九泽穷夏晦之极，①北至令正之谷，②有冻寒积冰，雪雹霜霰，漂润群水之野，颛顼、玄冥之所司者万二千里。③其令曰：申群禁，④固闭藏，修障塞，缮关梁，禁外徙。断罚刑，杀当罪。闭关闾，大搜客。⑤止交游，禁夜乐。⑥蚤闭晏开，以索奸人。⑦已德，执之必固。⑧天节已几，刑杀无赦。⑨虽有盛尊之亲，断以法度。毋行水，⑩毋发藏，毋释罪。……

[注释]

①九泽：泽薮众多。夏：大。晦："海"字之误。②令正：传说中的北方地名。③颛顼：传说中的古帝王，后人以之为北方之帝。玄冥：神话中的水神名，配于北方，为北方之神。④申：申明。⑤客：客居的外来者。⑥禁夜乐：禁止在夜间宴乐。⑦晏：晚。索：搜索。⑧德：通"得"。已德：抓住，捕获。执：拘囚。⑨天节：天的节气时令。几：终。⑩行水：放水。

[译文]

北方的范围，从九泽直到大海的尽头，向北达到令正的低地，那里冰天雪地，多雪雹霜霰，是雨急水多的地方，颛顼、玄冥所治理的范围一万二千里。政令是：重新申明各种禁忌，牢固封闭库房，修缮关口桥梁，禁止向外迁徙。判决刑罚，处死该杀的人。关闭城门，全面搜查外来人员。停止交往游玩，禁止夜间宴乐。城门早关晚开，以便搜索奸邪的人。抓获奸邪之人，一定严密拘押。时令已近终结，刑杀必定严厉，不能赦免。即使是地位很高的亲人，也要依照法律判决。不要放水，不要打开库房，不要释放罪犯。……

制度。阴阳大制有六度：①天为绳，地为准，春为规，夏为衡，秋为矩，冬为权。②绳者所以绳万物也，准者所以准万物也，规者所以员万物也，衡者所以平万物也，矩者所以方万物也，权者所以权万物也。

[注释]

①阴阳大制有六度：阴阳制约万物的基本规则有六种。②绳：测量物体的曲直。准：测量物体是否水平。规：测量物体是否圆。衡：测量物体是否平衡。矩：测量物体是否方正。权：称重。

[译文]

制度。阴阳二气制约万物的基本法则有六种：天为绳，地为准，春为规，夏为衡，秋为矩，冬为权。绳是用来衡量万物曲直的，准是用来衡量万物水平的，规是用来衡量万物圆周的，衡是用来衡量万物平衡的，矩是用来衡量万物方正的，权是用来衡量万物轻重的。

绳之为度也，直而不争，①修而不穷，久而不弊，远而不忘。与天合德，与神合明。所欲则得，所恶则亡。自古及今，不可移匡。②厥德孔密，③广大以容，是故上帝以为物宗。④

[注释]

①争：通"铮（zhēng）"，屈曲。②移：改变。匡：弯曲。③厥：其。德：品质，这里是说绳的品格和功能。孔：甚。密：严谨缜密。④容：包容。宗：根本。

[译文]

绳作为一种基本法则，正直而不弯曲，延长而没有穷尽，恒久而不会朽坏，永远而没有遗漏。品格与天相同，圣明与神相同。它所赞许的，一定成功；它所厌恶的，一定灭亡。从古到今，都不会改变。它的功能非常缜密，广大而能够兼容，所以上帝把它作为万物的根本。

准之为度也，平而不险，巧而不阿，①广大以容，宽裕以和。柔而不刚，锐而不挫。②流而不滞，易而不秽。③发通而有纪，④周密而不泄。准平而不失，万物皆平。民无险谋，⑤怨恶不生，是故上帝以为物平。

[注释]

①险：险要。阿：偏袒。②锐：尖锐。挫：折断。③易：简易。秽：杂芜。④发通：开畅而通达。纪：规范。⑤险谋：危险的谋划。

[译文]

准作为一种基本法则，平稳而不危险，灵巧而不偏袒，广大而能兼容，宽裕而且平和。柔韧而不刚硬，尖锐而不折断。流动而不壅滞，简易而不复杂。开通而有原则，周密而不泄漏。准没有偏差，万物都得平正。人民没有危险的谋划，也就没有怨恨产生，所以上帝把它作为事物平正的标准。

规之为度也，转而不复，员而不垸，①优而不纵，②广大以宽。感动有理，③发通有纪，优优简简，④百怨不起。规度不失，生气乃理。⑤

[注释]

①复：回复原貌。员：通"圆"。垸（huán）：转。②优：优裕。纵：放纵。③感动有理：被感而动，但不是乱动，而是遵循一定的规则而动。④优优简简：优裕而从容。⑤生气：万物生长之气。理：有条理。

[译文]

规作为一种基本法则，转动而不静止，周圆而不乱转，优裕而不放纵，广阔而能包容。感而动，却遵循着道理，畅而达，却有一定之规，优裕从容，没有怨愤产生。规度没有偏差，万物生长之气就有条理。

衡之为度也,缓而不后,平而不怨。施而不德,吊而不责。①常平民禄,以继不足。②勃勃阳阳,③唯德是行。养长化育,万物蕃昌。以成五谷,以实封疆。④其政不失,天地乃明。

[注释]

①施:给予。不德:不自以为对人有恩惠。吊:通"淑",善。责:要求。②禄:福。继:接济,救济。③勃勃:旺盛的样子。阳阳:明媚的样子。④封疆:疆界,这里指全国范围。

[译文]

衡作为一种基本的法则,和缓却不落后,公平不招怨恨。施予不思报答,行善不求索取。公平地分配人民的收入,救济食用不足的人。有勃勃生机,有明媚阳光,只遵循道德的原则。生长繁殖,万物昌盛,使五谷丰登,使国家富足。它的功用没有偏差,天地也因此光明。

矩之为度也,肃而不悖,刚而不愤。①取而无怨,内而无害。②威厉而不慑,③令行而不废。杀伐既得,仇敌乃克。④矩正不失,百诛乃服。⑤

[注释]

①肃:严肃。悖(bèi):谬乱。刚:刚强。愤:昏乱。②内:纳。③慑:恐惧。④克:战胜。⑤百诛:泛指各种惩罚。

[译文]

矩作为一种基本法则,严肃而不荒谬,刚正而不昏乱。收取却不引起怨恨,纳入却不造成危害。严厉却不令人恐惧,法令实施而不会废止。执行了杀戮征伐,就能战胜仇敌。矩度平正而不缺失,实施各种惩罚都会使人服从。

权之为度也,急而不赢,杀而不割。①充满以实,周密而不泄。败物而弗取,②罪杀而不赦。诚信以必,坚悫以固。③粪除苛慝,④不可以曲。故冬正将行,⑤必弱以强,必柔以刚。权正而不失,万物乃藏。

[注释]

①赢:过度。杀:诛杀。割:用刀截断,指残害。②败物:使物毁坏。③必:一定做到。悫(què):朴实。④粪:扫除。慝(tè):邪恶。⑤冬正:冬季政令。

[译文]

权作为一种基本法则,果决而不过度,诛杀而不残害。完全遵照事实,周密而不疏漏。摧毁事物,但不从中掠取;有罪必诛,决不轻易赦免。说到做到,坚定而稳沉。清除暴虐邪恶,不许歪曲。所以冬季政令将要施行的时候,万物一定从文弱趋向坚硬,从柔和趋向刚强。权度公平而无偏私,万物就能闭藏。

明堂之制,①静而法准,动而法绳,②春治以规,秋治以矩,冬治以权,夏治以衡。是故燥湿寒暑以节至,甘雨膏露以时降。

[注释]

①明堂之制:古代学者理想的政治体制,各家说法不同。《淮南子》的明堂之制就是《时则训》所说的这一套。②"静而法准"二句:前文说"地为准,天为绳",而天动地静,所以,"静而法准,动而法绳",是静而法地,动而法天的另一种表达。

[译文]

明堂之制,静则以准为法则,动则以绳为法则,春季用规来治理,秋季用矩来治理,冬季以权来治理,夏季以衡来治理。因此,燥湿寒暑按时节到来,甘雨膏露按时节下降。

卷六 览冥训

[题解]

《览冥训》是《淮南子》的第六篇。览,观览、察知。冥,幽暗、微妙。览冥即对幽微境况的察知。本篇所要察知的幽微,是超越了同类相动的"精通",所以,它一方面讲物类如何按照阴阳五行的类别相互影响,另一方面又强调超越类别的"精通"更加高妙。同理,它认为秩序井然的黄帝时代固然美好,但是,伏羲时代超越了人为秩序,安宁而自然,所以更加宝贵,更值得追求。

昔者师旷奏《白雪》之音,①而神物为之下降,风雨暴至,平公癃病,晋国赤地。②庶女叫天,雷电下击,景公台陨,支体伤折,海水大出。③夫瞽师庶女,位贱尚蒌,权轻飞羽,④然而专精厉意,委务积神,⑤上通九天,激厉至精。⑥由此观之,上天之诛也,虽在圹虚幽闲,辽远隐匿,重袭石室,⑦界障险阻,其无所逃之,亦明矣。

[注释]

①师旷:春秋时晋国著名盲乐师。《韩非子·十过》载:晋平公要求师旷演奏清角之音。师旷说:"昔者黄帝合鬼神于泰山之上……作为清角,今主君德薄,不足听之,听之将恐有败。"平公曰:"寡人老矣,所好者音也,愿遂听之。"师旷不得已而鼓之,一奏而有玄云从西北方起,再奏之,大风至,

92 淮南子

大雨随之，裂帷幕，破俎豆，隳廊瓦，坐者散走，平公恐惧，伏于廊室之间。晋国大旱，赤地三年，平公之身遂癃病。②癃（lóng）：手足不灵活之病。赤地：旱灾。③庶女：平民妇女。叫：呼。高诱注解"庶女叫天"说："齐之寡妇，无子，不嫁，事姑谨敬。姑无男，有女，女利母财，令母嫁妇。妇益不肯，女杀母以诬寡妇。妇不能自明，冤结叫天。天为作雷电下击，景公之台陨，坏也，毁景公之支体，海水为之大溢出也。"景公：齐景公，公元前547至前490年在位。④尚：掌管。枲（xǐ）：麻的一种。这句话的意思是，瞽师地位低下，庶女不过管理麻草之类的事务，地位也很低下。飞羽：飞扬的羽毛，极言其轻。⑤厉：专。厉意：心意专一。委：积。务：事情。⑥九天：这里指最高的主宰。至精：这里指神物。⑦袭：量词，一套衣服称一袭。重袭：指多层衣服。

[译文]

从前师旷演奏《白雪》乐曲，神异之物受感召而降临，狂风大作，暴雨骤降，晋平公患病，晋国大旱。齐国的平民妇女含冤呼天，招来雷电下击，齐景公的台阁倒塌，景公的肢体受伤，海水漫溢。盲乐师地位不高，小寡妇只会渍麻，他们的权力比飞扬的羽毛还轻，然而他们心志专一，精神集中，也能够上通九天，感动神物。由此看来，对于上天的诛罚，即使躲在空旷无人的地方，逃到辽远隐蔽的地方，用层层石室、道道关隘来阻碍，也是逃不过的，这一点是很清楚的啊。

武王伐纣，渡于孟津，①阳侯之波，②逆流而击，疾风晦冥，人马不相见。于是武王左操黄钺，右秉白旄，③瞋目而挥之曰：④"余任天下，⑤谁敢害吾意者！"于是风济而波罢。⑥鲁阳公与韩构难，⑦战酣，日暮，援戈而挥之，日为之反三舍。⑧夫全性保真，不亏其身，遭急迫难，精通于天，若乃未始出其宗者，⑨何为而不成！夫死生同域，不可胁陵。⑩勇武一人，为三军雄。彼直求名耳，而能自要者尚犹若此，⑪又况夫宫天地，怀万物，⑫而友造化，含至和，⑬直偶于人形，⑭观九钻一，⑮知之所不知，而心未尝死者乎！

[注释]

①孟津：古黄河津渡名。在今河南孟津县东北、孟州西南。②阳侯：传说中的波涛之神，原为陵阳国侯，溺水而死，遂为神。③钺（yuè）：古兵器名，状如大斧。黄钺：黄金装饰的钺。黄钺、白旄是古代王者使用的仪仗，这里指王者的权力。④瞋（chēn）目：瞪大眼睛。扔：同"挥"。⑤任：担负。任天下：以治理天下为任。⑥济、罢：皆停止之义。⑦鲁阳公：楚平王之孙，受封为鲁阳县公，即《国语·楚语》提到的鲁阳文子。构难：交战。⑧反：返，倒退。舍：天体在天空运行停留的位置。三舍：三个不同的停留位置。⑨出：离开。宗：本，指人受之于天的本性。⑩死生同域：死生在同一个领域，意为生死不可分开。胁陵：强迫。⑪自要：自我要求。⑫宫：圈围。宫天地：包裹天地。怀万物：怀抱万物。⑬友造化：与造化为友，指与造化在一起。至和：最和顺的状态，没有任何人事的隔阂障碍。⑭偶：相同。⑮九：泛指其多，指世间纷繁的事物。钻：推究。一：指纯粹之道。

[译文]

周武王讨伐商纣，在孟津渡河，波浪之神卷起大浪，迎头打来，狂风大作，昏天黑地，人马彼此看不清楚。这时，武王左手举着黄钺，右手挥动白旄，瞪大眼睛喝道："我承担天下重任，谁敢阻挡我的决心！"于是风停止了，浪平静了。鲁阳公与韩国交战，战斗正激烈，太阳下山了，鲁阳公挥戈大喝，太阳竟后退三个位次。那些全性保真、身神不亏的人，危难之时，精诚可以感通上天，更何况没有离开生命本源的人，什么事不能成功！生和死在同一个领域，如何可能胁迫人？（如果不畏生死，即使只是）一个勇士，也可以成为三军的豪杰。他不过是追求名誉，就能够这样要求自己，又何况能够包裹天地，胸怀万物，与造化为友，含至和之气的人呢？这样的人虽然也有人的形貌，却能够博览细究，知晓难以知晓的事物，心灵保持勃勃生机。

昔雍门子以哭见于孟尝君,①已而陈辞通意,抚心发声,孟尝君为之增欷歍唈,流涕狼戾不可止。②精神形于内,而外谕哀于人心,③此不传之道。使俗人不得其君形者而效其容,④必为人笑。故蒲且子之连鸟于百仞之上,⑤而詹何之鹜鱼于大渊之中,⑥此皆得清净之道,太浩之和也。

[注释]

①雍门子:战国时齐人,名周,住在雍门,故名。孟尝君:即田文,战国时齐国贵族,被齐湣王任命为相国,门下有食客数千,号孟尝君。他与楚国春申君、魏国信陵君、赵国平原君被认为是战国四大公子。②欷(xī):抽泣。歍(wū):同"呜",呜咽。唈(yì):呼吸不畅。狼戾:纵横。③形于内:在内心凝聚。谕:使理解。④君形者:形体的主宰,指精神。⑤蒲且(jū)子:楚人,传说中的善射者。连鸟:指射猎飞鸟。⑥詹何:传说中的善钓者。鹜:追求。

[译文]

从前,雍门子以哭求见孟尝君,然后,他陈说心意,手抚着胸口,嘶哑着嗓音,孟尝君为之抽泣失声,泪水纵横,流个不停。精神凝聚于内心,又能够表现出来,引动人的悲情,这是教不会的。假如世俗之人没有学到其中的精髓,只模仿外表,一定会被人取笑。所以,蒲且子能够射下百仞之高的飞鸟,詹何能够钓得深渊中的游鱼,都是得到了清净的道,达到了最广博的和。

夫物类之相应,玄妙深微,知不能论,①辩不能解。……故山云草莽,水云鱼鳞,旱云烟火,涔云波水,②各像其形类所以感之。夫阳燧取火于日,方诸取露于月……引类于太极之上,③而水火可立致者,阴阳同气相动也。……

[注释]

①物类之相应:汉代普遍流行同类相动的思想,而类别的划分以阴阳五

行为框架。知：智。②涔：连续下雨，积雨成涝。③引类：招引同类。太极：最根本处，最本源处。

[译文]

物类的相互感应，道理非常玄妙深刻，再聪明也说不清，再善辩也辩不明。……所以山间升起的云像草丛，水面升起的云像鱼鳞，旱地的云像烟火，涝地的云像波纹，它们都与发生地有形类的相似，是互相感应的结果。阳燧从太阳取火，方诸从月亮取水……从最本源的地方招引同类，立刻得到了水火，这是因为阴阳同气，彼此感动。……

今夫调弦者，叩宫宫应，弹角角动。①此同声相和者也。夫有改调一弦，其于五音无所比，②鼓之而二十五弦皆应，此未始异于声，而音之君已形也。③故通于太和者，④惛若纯醉，⑤而甘卧以游其中，而不知其所由也。纯温以沦，⑥钝闷以终，⑦若未始出其宗，是谓大通。

[注释]

①调弦：当是调瑟，瑟二十五弦。《庄子·徐无鬼》："鼓宫宫动，鼓角角动，音律同矣。"当为《淮南子》所本，这是用同声相和来表达同类相动的道理。②五音：宫、商、角、徵、羽。比：合。无所比：与五音皆不同类。③音之君：音乐的主宰。④太和：至和，指没有分别的大全，即道。⑤惛(hūn)：神志不清。纯醉：大醉。⑥纯温：淳厚温和。沦：沉没，这里指生命终结。⑦钝闷：昏蒙纯朴。终：亦指生命终结。

[译文]

调瑟的时候，拨动大宫，少宫就应，弹奏大角，少角就动，这是因为同类的声音彼此应和啊。如果重新调一根弦，它的声音不同于五音的任何一个音，弹拨它却能够使二十五根弦都发出共鸣，作为声音是一样的，但这个音作为音乐的主宰，已经显现出来了。所以，与太和相通的人，昏蒙若大醉，甜美深睡，漫游于太和之中，不知道一切是如何到来的。淳厚而温和，随波逐流，昏蒙而纯朴，任其终了，就像从来没有离开生命的本源，这就叫大通。

今夫赤螭、青虬之游冀州也，①天清地定，毒兽不作，飞鸟不骇……蛇鳝轻之，以为不能与之争于江海之中。若乃至于……扶摇而登之，威动天地，声震海内，蛇鳝著泥百仞之中，②熊罴匍匐丘山磛岩，③虎豹袭穴而不敢咆，④猨狖颠蹶而失木枝，⑤又况直蛇鳝之类乎！

[注释]

①螭（chī）、虬（qiú）：都是传说中的无角龙。冀州：九州之一，这里作中原的泛称。②著泥：钻入泥中。③罴（pí）：熊的一种。磛（chán）：同"巉（chán）"，山势高险貌。④袭：衣上加衣为袭。袭穴：层层洞穴，指深藏洞穴之中。⑤狖（yòu）：黑色的长尾猴。颠蹶：从高处跌落。

[译文]

赤螭、青虬在冀州遨游，天空清宁，大地安定，猛兽不乱跑，飞鸟不惊骇……蛇鳝轻视它，以为不能与自己在江海中争高低。等到赤螭、青虬……卷起大风，盘旋飞升，威动天地，声震海内，蛇鳝深深钻入地下，熊罴趴伏高岗石岩边，虎豹藏身洞穴不敢咆叫，猿猴惊恐，从高枝上跌落下来，又何况只是蛇鳝之类呢！

凤凰之翔至德也，①雷霆不作，风雨不兴，川谷不澹，②草木不摇。而燕雀佼之，③以为不能与之争于宇宙之间。还至其曾逝万仞之上，④翱翔四海之外……当此之时，鸿鹄鸧鹤莫不惮惊伏窜，⑤注喙江裔，⑥又况直燕雀之类乎！……

[注释]

①至德：这里指至德之世，也就是实现了最高道德的时代。②澹

(dàn)：水波起伏。③佼："姣"的借字。《广雅》："姣，侮也。"④曾(zēng)：高举貌。⑤鸧(cāng)：鸟名。惮惊：惧怕受惊。⑥注喙：鸟把嘴贴在地上不敢动。江裔：江边。

[译文]

凤凰在至德之世飞翔，雷霆不发生，风雨不为害，川谷不起浪，草木不摇动。燕雀轻视它，以为不能与自己在空中争高低。等到凤凰高飞万仞之上，翱翔四海之外……这个时候，鸿鹄鸧鹤无不惊恐逃窜，趴在江边不敢动弹，又何况只是燕雀之类呢！……

昔者黄帝治天下，而力牧、太山稽辅之，①以治日月之行律，②治阴阳之气，节四时之度，正律历之数；别男女，异雌雄，明上下，等贵贱；使强不掩弱，众不暴寡，③人民保命而不夭，岁时熟而不凶；④百官正而无私，上下调而无尤；⑤法令明而不暗，辅佐公而不阿；⑥田者不侵畔，渔者不争隈；⑦道不拾遗，市不豫贾；⑧城郭不关，邑无盗贼，鄙旅之人，⑨相让以财；狗彘吐菽粟于路，⑩而无忿争之心。于是日月精明，星辰不失其行，风雨时节，五谷登熟⑪……诸北儋耳之国，莫不献其贡职。⑫

[注释]

①力牧：传说是黄帝臣。太山稽：传说也是黄帝臣，黄帝尊他为师。②治：理。行律：运行的规律。③掩：袭击，攻取。暴：损害，糟蹋。④岁：一年的收成。时熟：按季节成熟。凶：饥荒。⑤调：协调，调和。尤：怨恨，归咎。⑥阿：向某方倾斜，不正。⑦畔：田界。隈(wēi)：水流拐弯多鱼处。⑧豫：欺骗。贾(jià)：同"价"。豫贾：虚定高价以欺骗顾客。⑨鄙：边远之处。旅：众人。⑩狗彘吐菽粟于路：猪狗的吃食丰足，随便就把嘴里的菽粟吐在地上。⑪时：按时。节：节气。时节：风雨按照时令到来。登：成熟。⑫诸北：北方各国。儋(dān)耳：古代北方国名。贡职：方国贡奉天子物品。

[译文]

从前黄帝治理天下,力牧和太山稽辅佐他,理顺日月运行的规律,协调阴阳合和的气运,分别四时节气的变化,调正音律历法的节度;使男女有别,雌雄有异,上下分明,贵贱有等;使强的不欺凌弱的,势众的不损害人少的,人民保全性命而不夭折,收成按时成熟而无灾荒;各级官吏公正而不偏私,上下阶层调和而不怨恨;法令严明而不偏私,辅佐公平而不偏袒;耕田的不侵犯他人的田界,捕鱼的不抢争鱼多的水域;道路上不捡拾别人遗失的东西,市场上不虚报价钱欺骗买主;城门不用关闭,城镇没有盗贼,边远地区的人民也能够谦让钱财;猪狗在路上吐出嘴里的粮食,没有争食之心。于是,日月特别明亮,星辰正常运行,风雨按时到来,五谷丰登……儋耳等北方诸国,纷纷献出他们的贡品。

然犹未及虙戏氏之道也。① 往古之时,四极废,② 九州裂,天不兼覆,地不周载,③ 火爁炎而不灭,④ 水浩洋而不息,猛兽食颛民,鸷鸟攫老弱。⑤ 于是女娲炼五色石以补苍天,⑥ 断鳌足以立四极,杀黑龙以济冀州,积芦灰以止淫水。⑦ 苍天补,四极正,淫水涸,冀州平。狡虫死,颛民生。……当此之时,卧倨倨,兴眄眄,⑧ 一自以为马,一自以为牛。其行蹎蹎,其视瞑瞑,⑨ 侗然皆得其和,⑩ 莫知所由生。浮游不知所求,魍魉不知所往。⑪ 当此之时……不彰其功,不扬其声,隐真人之道,以从天地之固然。⑫ 何则?道德上通,而智故消灭也。⑬

[注释]

①虙戏氏:即伏羲氏,传说中的上古帝王。②四极废:四方天柱折断。③兼、周:全部,完整。④爁(làn):火延烧貌。⑤颛(zhuān):善良。鸷(zhì):凶猛的鸟。攫(jué):用爪抓取。⑥女娲(wā):传说中的女神,其事迹除了炼石补天,还有抟土造人。⑦鳌(áo):传说中海里的大龟。济:救

助,这里指使泛滥的洪水消退。淫水:泛滥的洪水。⑧倨(jù)倨:无思无虑的样子。眠眠(miàn):斜着眼睛看。形容不用智巧的神情。⑨蹎(diān)蹎:安详缓慢貌。瞑(míng)瞑:昏花迷乱。⑩侗(tóng)然:幼稚无知。⑪魍魉:渺茫无所依的样子。⑫真人:指得道的人。固然:本来有的样子。⑬智:有心机。故:有目的。

[译文]

　　但是,这还比不上伏羲氏的道德。上古时候,四极折毁,九州分裂,天不能完全覆盖,地不能全部承载,大火蔓延不熄,洪水浩荡不退,猛兽扑食善良的人们,凶鸟攫掠老人和小孩。于是,女娲冶炼五色的石头来修补苍天,砍下鳌足来支撑四极,杀死黑龙来拯救冀州,堆积芦灰来遏止洪水。苍天补好了,四极平正了,洪水消退了,冀州太平了。狡诈的禽兽被消灭了,善良的人们活了下来。……那时候,(人们)睡觉时平平静静,醒来时木木讷讷,自以为是马,自以为是牛。走路慢慢吞吞,看物迷迷蒙蒙,天真幼稚,愉悦和乐,不知道自己从哪里来。四处漫游,不知道为了什么目的;到处晃荡,不知道要去什么地方。在那个时候……(伏羲)不显示自己的功绩,不张扬自己的声誉,隐藏真人的道德,顺从天地的自然。为什么呢?因为道德与自然相通,人为的心机和目的并不存在。

　　逮至夏桀之时,主暗晦而不明,道澜漫而不修,①弃捐五帝之恩刑,推蹶三王之法籍。②是以至德灭而不扬,帝道掩而不兴。③举事戾苍天,④发号逆四时。春秋缩其和,天地除其德。⑤仁君处位而不安,大夫隐道而不言。群臣准上意而怀当,⑥疏骨肉而自容。邪人参耦比周而阴谋,⑦居君臣父子之间而竞载。⑧骄主而像其意,乱人以成其事。⑨是故君臣乖而不亲,骨肉疏而不附。……

[注释]

①夏桀:夏代最后一位王。澜漫:纷繁杂乱的样子。②五帝:传说中上古的五位帝王,说法不一,通常认为是黄帝、颛顼、帝喾、尧、舜。恩刑:恩典和刑法。蹶(jué):倒,颠仆。三王:传说中上古的三位部落首领,说法不一,通常认为是伏羲氏、神农氏、轩辕氏。法籍:法典,法则。③掩:遮蔽。④戾:乖张,暴戾。⑤春秋:指四时节气。缩:减缩。除:去掉。⑥准:揣测。当:合。⑦耦:同"偶"。比周:紧密连接。参耦比周:结伙营私。⑧竞:争斗。载:生事。⑨骄主:对君主傲慢。像:合。乱人:使人乱。

[译文]

到了夏桀的时代,人主昏暗不英明,政道杂乱不整治,抛弃了五帝的恩德和刑法,推翻了三王的法令和制度,所以,至德泯灭,无人宣扬;帝道隐蔽,不能推行。做事违反天意,政令违背天时。时令减少了和气,天地放弃了庇护。仁慈的君王在位,却得不到安宁;辅佐的大夫有治国之道,却不敢论说。群臣揣测主上的心意,来决定自己的立场,疏远亲人骨肉以保全自己。奸邪的人结伙营私,暗中策划,在君臣父子之间竞相生事。藐视君主以满足自己的心意,搅乱别人以成就自己的事情。所以君臣离心而不亲和,骨肉疏远而不依附。……

晚世之时,七国异族,①诸侯制法,各殊习俗。纵横间之,举兵而相角。②攻城滥杀,覆高危安。③掘坟墓,扬人骸。大冲车,高重京。④除战道,便死路。⑤犯严敌,残不义。⑥百往一反,名声苟盛也。⑦是故质壮轻足者,为甲卒千里之外,家老羸弱凄怆于内。厮徒马圉,䡅车奉饷,⑧道路辽远,霜雪亟集,短褐不完,人羸车弊,泥涂至膝,相携于道,奋首于路,⑨身枕格而死。⑩所谓兼国有地者,伏尸数十万,破车以千百数,伤弓弩矛戟矢石之创者,扶举于路。⑪故世至于枕人头,食人肉,菹人肝,⑫饮人血,甘之刍豢。⑬

[注释]

①晚世：指战国时代。七国：战国时期的七个大诸侯国：齐、楚、燕、秦、赵、魏、韩。异族：不同氏族。②纵横：合纵连横，战国时纵横家的两种对立的政治主张。合纵派以苏秦为代表，主张六国联合抗秦。连横派以张仪为代表，主张秦分别与六国结盟，使之尊秦。间：离间。相角：相斗。③覆高危安：使处于高位的人倾覆，使安全的人危险。④大、高：使动用法。冲车：古代用来冲撞城墙的战车。重京：当作重垒。⑤除：修整。便：使方便。⑥严敌：劲敌。义：宜。残不义：残害不应该被害的人。⑦百往一反：一百个人前往打仗，只有一个人回来。苟盛：用不正当的手段谋求名声。⑧厮徒：服劳役的人。马圉（yǔ）：养马的人。輮（rǒng）：推。⑨褐（hè）：兽毛或粗麻制成的短衣。奋首：拉车时向前伸头用力的模样。⑩格：同"辂"，安装在车辕上用以拉车的横木。⑪弓弩矛戟矢石：皆指交战的武器。举：抬。⑫菹（zū）：剁成肉酱。⑬刍豢：指牛羊猪狗等牲畜。

[译文]

晚近时代，七国不同族，诸侯制定的法令，各有各的习俗。纵横家从中离间，于是兴兵相斗。攻陷城池，滥杀无辜；位高的丧失了地位，平安的遭到了危险。挖掘坟墓，抛弃遗骸。冲车越造越大，重垒越筑越高。修整交战的通道，死亡的道路也因此畅通。进攻强大的敌人，残杀无罪的人。百人参战，只有一人生还，换取了虚假的盛名。所以，体质强壮、步履矫健的，在千里之外当兵，老弱病残留在家里，凄凉悲惨。役卒马夫，推车运粮，道路辽远，霜降雪飞，身上的粗毛短衣破破烂烂（难以御寒），人疲惫不堪，车朽坏难动，道路泥泞，泥浆没膝，他们彼此扶持，奋力向前拉车，最终倒在车辂上死去。所谓兼并他国，拥有土地，就是伏尸数十万，损失成百上千辆战车，受弓弩、矛戟、箭石创伤的人，搀扶着、抬运着，沿路可见。所以，那个时代竟然达到这种程度：拿人头做枕头，拿人肉做食品，把人的肝脏剁成肉酱，喝人血，比吃牛羊肉还要甘甜!

故自三代以后者,^①天下未尝得安其情性,而乐其习俗,保其修命,天而不夭于人虐也。^②所以然者何也? 诸侯力征,天下不合而为一家。^③

[注释]

①三代:指夏、商、周三代。②修:美。天:天赐的寿数。夭:短命。人虐:人为的伤害。③力征:以武力彼此征伐。

[译文]

所以,夏、商、周三代以后,天下的人不再能安顿自己的本性,享受自己的生活,修养美好的生命,保全天年而不至于被人虐待而夭折。这是什么原因呢? 就因为诸侯依仗武力彼此征伐,天下不能融合为一家啊。

逮至当今之时,^①天子在上位,持以道德,辅以仁义。近者献其智,远者怀其德。拱揖指麾,^②而四海宾服。春秋冬夏,皆献其贡职。天下混而为一,子孙相代。^③此五帝之所以迎天德也。^④夫圣人者,不能生时,时至而弗失也。……使万物各复归其根,则是所修伏牺氏之迹,而反五帝之道也。

[注释]

①当今之时:指刘安所处的时代。②拱:抱拳。揖:拱手礼。指麾:指挥。拱揖指麾:形容悠闲安适,从容而指挥若定。③相代:指帝位传承。④迎天德:指接受天命。

[译文]

到了当今之世,天子在上位,以道德为原则,以仁义为辅佐。身边的人贡献他们的智慧,远方的人缅怀天子的恩德。(天子)从容指挥,而四海臣服。(四海之人)春秋冬夏,按时奉献他们的贡品。天下融合成为一个整体，子孙传承天子的位置。这正是五帝能够接受天命的原因啊。圣人不能制造机会，但机遇到来却不会放过。……使万物回复各自的本原，就是恢复伏羲氏的事迹、重建五帝盛世的途径啊！

夫钳且、大丙不施辔衔，而以善御闻于天下；伏戏、女娲不设法度，而以至德遗于后世。何则？至虚无纯一，而不喋喋苛事也。①《周书》曰："掩雉不得，②更顺其风。"今若夫申、韩、商鞅之为治也，③挬拔其根，芜弃其本，④而不穷究其所由生。何以至此也？凿五刑，为刻削，⑤乃背道德之本，而争于锥刀之末。⑥……譬若羿请不死之药于西王母，姮娥窃以奔月，⑦怅然有丧，无以续之。⑧何则？不知不死之药所由生也。是故乞火不若取燧，寄汲不若凿井。⑨

[注释]

①喋喋（zá dié）：水鸟或者鱼成群抢食的样子。②掩：捕捉。③申：申不害，战国时郑国人。韩：韩非，战国末韩国人。商：商鞅，战国时卫国人。这三个人是战国时法家的代表人物。④挬（bó）：拔。根、本：指治国的基本原则。⑤凿：造。五刑：五种刑罚，说法不一，或以墨（面部刺字）、劓（割鼻）、剕（fèi，断足）、宫（男子去势，女子幽闭）、大辟（死刑）为五刑。刻削：刻薄，残忍。⑥锥刀之末：小利益。⑦羿：神话中的善射者。西王母：神话传说中的女神，在昆仑山。姮娥：即嫦娥。⑧续：跟随。羿没有办法跟随嫦娥去往月亮。⑨寄汲：在别人的水井打水。

[译文]

钳且、大丙不用缰绳、络头，却以善于驾驭闻名天下；伏羲、女娲不设法度，却以最高道德流传后世。为什么呢？因为他们虚无、纯粹、专一，不关心繁琐的小事。《周书》说："野鸡抓不到，换到顺风处。"现在申不害、韩非、商鞅的治国方法，是拔根弃本，却不问杂草生长的原因。为什么达到这个地步？（因为他们）强调刑罚，施政残忍，背离道德的根本，竞争微小的利益。……就像后羿从西王母那里求来不死之药，嫦娥偷吃后奔上月亮，后羿怅然失落，却没有办法跟上去。为什么？因为他不知道不死之药如何制成。所以啊，与其借火，不如自己钻燧；与其在别人井里打水，不如自己挖一口井。

卷七 精神训

[题解]

《精神训》是《淮南子》的第七篇。精，精气。神，精神。本篇论述人的形体和精神的产生，认为精神来自天，骨骸来自地，人死精神不灭，而形体将复归无形之气。所以，人应该内养精神，而不是外养形体。修养精神的关键，就是节省精气，爱惜精神，不使精神向外追逐过分的嗜欲。

古未有天地之时，惟像无形，①窈窈冥冥，芒芠漠闵，澒濛鸿洞，②莫知其门。有二神混生，③经天营地，孔乎莫知其所终极，滔乎莫知其所止息。④于是乃别为阴阳，离为八极。刚柔相成，万物乃形。烦气为虫，精气为人。⑤是故精神天之有也，而骨骸者地之有也。⑥精神入其门，而骨骸反其根，⑦我尚何存？……

[注释]

①惟像无形：只有朦胧影像而没有具体的形体。②窈窈、冥冥：都是晦暗的样子。芒芠（wén）、漠闵、澒（hòng）濛、鸿洞：都是形容天地未成之时混沌不分的状态。③二神：开天辟地的神力，指阴阳二气。④孔：深。滔：广阔。⑤烦气：杂芜之气。精气：精粹之气。⑥"是故"二句：人由精粹之气构成，但是就人本身而言，又分为轻清的精神和重浊的形体（即骨骸），分别来自天和地。⑦"精神"二句：指人死后精神和骨骸分别回归天地。

[译文]

上古天地还没有形成的时候,只有影像,没有形体,昏昏暗暗,迷迷茫茫,混混沌沌,空空漠漠,不知道为什么是这样。有两种神力一同产生了,运造天地,深远啊,不知尽头在哪里;广阔啊,不知止歇在何方。于是分别为阴阳二气,离析为四方八极。刚柔相互作用,万物渐渐成形。杂乱之气变成虫兽,精纯之气变成人类。所以,(人出生的时候,)精神来源于天,骨骸来源于地。(死的时候,)精神回归天,骨骸返回地,"我"还剩下什么呢?……

夫精神者,所受于天也;而形体者,所禀于地也。故曰:"一生二,二生三,三生万物。万物背阴而抱阳,冲气以为和。"① 故曰一月而膏,二月而胅,② 三月而胎,四月而肌,五月而筋,六月而骨,七月而成,八月而动,九月而躁,十月而生。形体以成,③ 五脏乃形。是故肺主目,肾主鼻,胆主口,肝主耳。④ 外为表而内为里。开闭张歙,各有经纪。⑤ 故头之圆也象天,足之方也象地。天有四时、五行、九解、三百六十六日,⑥ 人亦有四肢、五脏、九窍、三百六十六节。⑦ 天有风雨寒暑,人亦有取与喜怒。故胆为云,肺为气,肝为风,肾为雨,脾为雷,以与天地相参也,⑧ 而心为之主。

[注释]

① "一生二"五句:语出《老子》第四十二章。《精神训》把这段话发挥成宇宙生成的次序,一指混沌元气,二指阴阳二气,三指阴阳合和而生成的和气。同时,这个次序又是胎儿逐渐长成的依据。冲:混合。② 胅(dié):隆肿。这里的一月、二月,都指怀胎的月份。③ 以:已。④ "是故"四句:五行说以五脏配五官,具体配法不同,这里是《淮南子》的配法。⑤ 歙(xī):收缩。经纪:有管理且有条理。⑥ 九解:把天分为九个区域,与《天文训》的九野同义。⑦ 三百六十六节:古人误以为人有366个骨节,以此与一年366

日的日数相配。⑧"故胆为云"六句：五行说以五脏配天气。参：参验。古人认为人体是一个小宇宙，五脏六腑皆可以与天的现象相参验。

[译文]

人的精神，来自于天；人的形体，禀受于地。所以说："混沌产生阴阳二气，阴阳混合产生和气，和气产生万物。万物背阴抱阳，阴阳在那里混同，成为和气。"所以，怀胎一个月像膏体，两个月像肿块，三个月成为胚胎，四个月生出肌肉，五个月生成经络，六个月生出骨骼，七个月具备人形，八个月会动弹，九个月频繁胎动，十个月出生。形体成形后，五脏开始形成。所以，肺主管眼睛，肾主管鼻子，胆主管嘴巴，肝主管耳朵。在外的，称为表；在内的，称为里。打开，闭合，舒张，收缩，各有主宰，各有条理。所以头是圆的，像天；脚是方的，像地。天有四时、五行、九个区域、三百六十六天，人亦有四肢、五脏、九窍、三百六十六个关节。天会刮风、下雨，有冷有热；人会获取、给予，有欣喜和愤怒。所以，胆是云，肺是气，肝是风，肾是雨，脾是雷，这样与天地彼此参验，而心脏是主宰。

是故耳目者，日月也；血气者，风雨也。……日月失其行，薄蚀无光。①风雨非其时，毁折生灾。五星失其行，州国受殃。夫天地之道，至纮以大，②尚犹节其章光，爱其神明，③人之耳目，曷能久熏劳而不息乎？④精神何能久驰骋而不既乎？⑤

[注释]

①薄：日月暗淡无光。薄蚀：日食或者月食。②纮（hóng）：通"宏"，大。③章光、神明：皆指灿烂光明。④熏：火灼为熏。熏劳：辛劳。⑤驰骋：策马快跑，这里形容精神动荡不宁。既：停止。

[译文]

所以，耳目如同日月，血气如同风雨。……日月背离运行次序，就有日食月食，失去光辉。风雨不合时令，就会摧折万物，导致灾害。五星离开运行轨道，相应的州国就有灾祸。天地之道如此辽阔广大，还需要节省光辉，珍惜灵明，人的耳目怎么能长久辛劳而不休息？精神怎么能长久奔驰而不停歇呢？

是故血气者，人之华也，①而五藏者，人之精也。夫血气能专于五藏而不外越，②则胸腹充而嗜欲省矣。胸腹充而嗜欲省，则耳目清，听视达矣。耳目清，听视达谓之明。五藏能属于心而无乖，则勃志胜而行不僻矣。③勃志胜而行之不僻，则精神盛而气不散矣。精神盛而气不散则理，④理则均，⑤均则通，通则神。神则以视无不见，以听无不闻也，以为无不成也。……

[注释]

①华：外在表现，与内在的精相对。②专：抟。③乖：悖逆。勃（bèi）：通"悖"，惑乱。勃志：惑乱之心。胜：克制。僻：邪。④理：顺畅。⑤均：均衡。

[译文]

所以，血气是人的外在表现，五脏是人的内在精髓。血气能抟聚在五脏之内，不向外散逸，就能胸腹充实，嗜欲减少。胸腹充实而嗜欲减少，就会耳目清明，听觉和视觉都通达无碍。耳目清明、听视通达，这就叫做"明"。五脏能从属于心而不背离，惑乱的念头就能被克服，行为也就不偏邪了。没有惑乱的念头，行为也不偏邪，就会精神旺盛，内气不散。精神旺盛而内气不散，就顺畅了。顺畅就均衡，均衡就通达，通达就神明。达到了神明，就没有什么看不见，没有什么听不见，没有什么做不成。……

夫孔窍者，精神之户牖也。而气志者，五藏之使候也。①耳目淫于声色之乐，则五藏摇动而不定矣。五藏摇动而不定，则血气滔荡而不休矣。②血气滔荡而不休,则精神驰骋于外而不守矣。精神驰骋于外而不守,则祸福之至,虽如丘山,无由识之矣。使耳目精明玄达而无诱慕,③气志虚静恬愉而省嗜欲,五藏定宁充盈而不泄,精神内守形骸而不外越,则望于往世之前,而视于来事之后,犹未足为也,岂直祸福之间哉?故曰其出弥远者,其知弥少。以言夫精神之不可使外淫也。④

[注释]

①使候:使者。②滔荡:形容血气像波浪一样动荡不安。③玄达:通达。诱慕:被外物引动而产生羡慕之心。④淫:过度。这里指精神过度外倾。

[译文]

人的孔窍是精神的门窗,气志是五脏的使者。耳目沉溺于声色之乐,五脏就会摇动不安。五脏摇动不安,血气就会激荡而不停歇。血气激荡而不停歇,精神就会向外奔驰而不能持守自身。精神向外奔驰而不持守自身,那么,即使大如山冈的祸福到来,也无法看清。如果耳目清明通达而不受诱惑,气志虚静恬愉而欲望消减,五脏定宁充实而不向外散逸,精神内守形骸而不向外漫溢,那么,就是洞察往古、预知未来也不在话下,更何况只是看清祸福呢?所以说,跑得越远,知道得越少。这是说精神不能向外散乱啊。

是故五色乱目,①使目不明;五声哗耳,②使耳不聪;五味乱口,使口爽伤;③趣舍滑心,使行飞扬。④此四者,天下之所养性也,然皆人累也。故曰:嗜欲者,使人之气越;⑤而好憎者,使人之心劳,弗疾去,则志气日耗。夫人之所以不能终其寿命,而中道夭于形戮者,⑥何也?以其生生之厚。夫惟能无以生为者,则所以修得生也。⑦

[注释]

①五色:青、赤、黄、白、黑五种颜色。泛指各种色彩。②五声:即宫、

商、角、徵、羽五音。泛指各种音响。③五味：酸、苦、甘、辛、咸五种味道。泛指各种味道。爽：伤败。④趣舍：取舍，追求和放弃。滑：乱。飞扬：形容行为轻薄，不在正道。⑤越：散失。⑥形戮：这里不是指刑罚，而是指违反养生之道，而受到自然规律的惩罚。⑦修：长。修得生：得长生。

[译文]

所以，色彩迷乱眼睛，使眼睛看不清；声响吵闹耳朵，使耳朵听不清；滋味破坏口味，使味觉损伤；取舍搅乱心性，使行为放荡。这四个方面，是天下人用来滋养性命的，然而也是人的负担。所以说：嗜欲使人的精气散失，好憎使人的心累，不迅速去掉，人的志气就一天天消耗。人之所以不能终其寿命，半途遭受惩罚而夭折，是什么原因呢？就是因为过分追求生活享受。只有那些不刻意养生的人，才可以长久地拥有生命。

夫天地运而相通，万物总而为一。①能知一，则无一之不知也。不能知一，则无一之能知也。譬吾处于天下也，亦为一物矣，不识天下之以我备其物与？且惟无我而物无不备者乎？②然则我亦物也，物亦物也，物之与物也，又何以相物也？③……或者生乃徭役也，而死乃休息也。天下茫茫，孰知之哉！其生我也，不强求已；④其杀我也，不强求止。欲生而不事，⑤憎死而不辞。贱之而弗憎，贵之而弗喜。随其天资而安之不极。⑥吾生也有七尺之形，吾死也有一棺之土。吾生之比于有形之类，犹吾死之沦于无形之中也。⑦然则吾生也物不以益众，⑧吾死也土不以加厚。吾又安知所喜憎利害其间者乎！……

[注释]

①运：运行，运转。总：合。一：整体。②惟：虽然。③相物：互相视对方为物。④已：止。⑤事：谋求。⑥极：急。⑦"吾生也"四句：中国古代以气聚成形为生，气散为死，所以这里说人活着的时候，像万物一样具有形

貌,人死之后则返回无形的元气。⑧益:增加。益众:加多。

[译文]

天地运行而彼此相通,万物总合成一个整体。能够知道整体,那么,没有哪个事物不能知道。不能知道整体,哪一个事物也不能够知道。比如我在天下,也是一个事物,不知道天下要加上我才完备地具有所有事物呢,还是没有我而一切事物无不具备?然而我是物,物也是物,物与物之间,凭什么操控对方?……也许,活着不过是服劳役,那么,死亡就等于休息。天下茫茫,谁知道呢!它要生出我,我不强求停;它要杀死我,我也不强求止。如果想活,不去刻意谋求;如果不想死,也不竭力避免。轻视生命,也不憎恨活着;崇尚生命,并不为之欢欣。任随天资,悠然自得。我活着有七尺身躯,死去有一个坟冢。我活着与其他东西一样有形体,就像我死后消散在无形的气中一样。这样,我活着,世上的事物并不因此增加;我死去,大地的泥土并不因此加厚。我又何必在其中欢喜、憎恨、趋利、避害呢!……

所谓真人者,性合于道也。故有而若无,实而若虚。处其一,不知其二。治其内,不识其外。①明白太素,无为复朴。②体本抱神,③以游于天地之樊。④芒然仿佯于尘垢之外,⑤而消摇于无事之业。⑥浩浩荡荡乎,机械知巧弗载于心。⑦是故死生亦大矣,而不为变,虽天地覆坠,亦不与之抮抱矣。⑧审乎无瑕,⑨而不与物糅;见事之乱,而能守其宗。若然者,正肝胆,遗耳目,⑩心志专于内,通达耦于一。⑪……形若槁木,心若死灰,忘其五藏,损其形骸。⑫不学而知,不视而见,不为而成,不治而辩。⑬感而应,迫而动,不得已而往。……有精而不使,有神而不行。契大浑之朴,而立至清之中。⑭是故其寝不梦,其智不萌,其魄不抑,其魂不腾,反复终始,不知其端绪。……此精神之所以能登假于道也,⑮是故真人之所游。

[注释]

①一:指自身。二:指与自己相对应的外物。内:内心。外:外物。②太素:纯白。复朴:复归纯朴。③体:体现。本:本性。抱神:持守精神。④樊:篱笆。引申为范围。⑤芒然:没有目的。仿佯(páng yáng):游荡无定。尘垢:尘世。⑥消摇:即逍遥。业:事务。⑦机械:机巧。⑧捵(zhěn):旋,转。捵抱:互相纠缠转动。⑨审:详知。瑕:玉石的斑痕。无瑕:指纯粹的本性。⑩肝胆:指内里。耳目:指外表。⑪耦:合。一:指道。⑫死灰:完全熄灭了的柴草灰烬。损:当为捐,即放弃。⑬治:与"辞"通。不治而辩:不用言辞而能辩议。⑭契:相合。大浑:天地未分时的混沌状态。至清:太清。⑮登:上。假:至。登假:向上达到。

[译文]

所谓真人,是指他的本性与道一致。所以,他拥有,却好像没有;他充实,却好像空虚。持守本性,而不在意其他。调理内心,而不理会外物。光明纯洁,无所作为,复归纯朴。修性养神,在天地之间漫游。没有目标,徘徊在尘世之外,逍遥在无事之域。(气魄)浩浩荡荡,心中没有机械知巧。所以,死生也算大事了,(真人)却不会为之动心,即使是天塌地陷,也不会因此动摇。清楚知道本性是纯洁的,因此不与外物混杂;世事虽然混乱,但能够持守根本。就这样,(真人)内心纯正,摈弃外在影响,心志专注于本性,通达万物并且符合大道。……(真人的)形体像枯木,心神如死灰,遗忘了五脏,抛弃了形骸。不用学就能懂,不用看就能见,不用做就能成功,不用说就能辩明。被触动才回应,被挤压才挪动,不得已才向前走。……有精力却不使用,有神气却不搅动。与未分化的纯朴相吻合,立身在最清明的境界中。所以啊,(真人)睡觉不做梦,智巧不萌生,魄不低伏,魂不上腾,周而复始,不知头绪在哪里。……这就是精神能够向上达到"道"的原因啊,是真人的行为方式。

若吹呴呼吸，吐故内新，①熊经鸟伸，凫浴猿躩，鸱视虎顾，②是养形之人也，不以滑心。……形有摩而神未尝化者，③以不化应化，千变万抮，而未始有极！化者复归于无形也，不化者与天地俱生也。……

[注释]

①呴（xǔ）：吐气。吐故：呼出体内陈旧之气。内：同"纳"。内新：吸入新鲜之气。②"熊经鸟伸"三句：皆是以模仿熊、鸟等的动作，达到健身目的。③摩：灭。

[译文]

至于吹嘘呼吸，吐故纳新，模仿狗熊爬树、鹏鸟展翅、野鸭凫水、猿猴跳跃、雄鹰逼视、老虎回头，这些是保养身形的人的做法，不足以搅乱真人的心。……形骸会磨灭，精神却不死，以不死的精神对应会死的形骸，千变万化，哪里有尽头！那会变化的将返回无形的气，而不变化的却与天地并生。……

轻天下，则神无累矣；细万物，则心不惑矣；齐死生，则志不慑矣；①同变化，则明不眩矣。②众人以为虚言，吾将举类而实之：

[注释]

①齐：等同。慑：恐惧，害怕。②明：眼睛。眩：眼花。从下文例举的子求故事来看，这里的明和眩，也是喻指是否看透了变化。

[译文]

看轻天下，精神不会沉重；看小万物，内心不会惑乱；齐同生死，心里不会害怕；等同变化，眼睛不会迷乱。众人以为是空话，我将举例来说明：

人之所以乐为人主者，以其穷耳目之欲，而适躬体之便也。①今高台层榭，②人之所丽也，而尧朴棁不斫，素题不枅。③珍怪奇异，人之所美也，而尧粝粢之饭，藜藿之羹。④文绣狐白，⑤人之所好也，而尧布衣揜形，⑥鹿裘御寒。养性之具不加厚，而增之以任重之忧。故举天下而传之于舜，若解重负然。非直辞让，诚无以为也。——此轻天下之具也。⑦

[注释]

①适：满足。躬体：身体。②榭（xiè）：台上盖屋，称榭。③丽：美。棁（jué）：方形的椽子。朴棁：直接用树枝做椽子。题：房屋木柱的顶。枅（jī）：在房屋柱顶安装的方木。④粝（lì）：粗米。粢（zī）：稷。藜（lí）：野草，嫩叶可食。藿（huò）：豆叶。粝粢之饭，藜藿之羹：皆指粗劣的食物。⑤文绣：绣有文采的衣服。狐白：狐狸腋下的白毛，这里指用狐白制成的皮衣。⑥揜：掩。⑦具：具体。这里以尧舜的故事作为天下可轻的具体事例。

[译文]

人之所以热衷于当君王，是因为君王可以充分满足感官欲望，让身体舒服。高台层榭，人们认为华丽，但是尧用粗糙的椽子，不加砍削，用简单的柱子，柱顶没有方木。珍奇怪异的食品，人们认为好吃，但是尧吃粗粮做成的饭，喝野菜烧成的汤。绣花衣服，狐白皮衣，人们都喜欢，但是尧用布衣蔽体，以鹿皮御寒。保养身体的东西没有增加，却增加了承担重任的忧虑。所以他把整个天下传给舜，就像卸下沉重的负担。这不是辞让，确实没有什么值得留恋。——这是看轻天下的例子。

禹南省方，①济于江，黄龙负舟，舟中之人五色无主。禹乃熙笑而称曰：②"我受命于天，竭力而劳万民。生，寄也；死，归也。何足以滑和！"③视龙犹蝘蜓，④颜色不变。龙乃弭耳掉尾而逃。⑤——禹之视物亦细矣。

[注释]

①省：视察。方：方位，区域。这里指禹视察的南方。②熙：平静地微笑。③滑和：搅乱内心的平和。④蝘蜓（yǎn tíng）：蜥蜴的一种。⑤弭：顺服。这里指龙的耳朵耷拉下来。

[译文]

禹到南方巡视，渡长江的时候，黄龙把整条船顶出水面，船上的人吓得神色大变。禹却平静地笑着说："我受命于天，竭力为万民操劳。活着，是借住在世上；死去，是回归自然。这怎么能够搅乱我内心的平和！"他看龙如同蜥蜴一样，神色不变。龙于是耷拉耳朵，掉转尾巴逃走了。——禹眼里的万物是微不足道的。

郑之神巫相壶子林，①见其征，②告列子。列子行泣报壶子。壶子持以天壤，名实不入，机发于踵。③——壶子之视死生亦齐矣。

[注释]

①这一段，出自《庄子·大宗师》"郑有神巫曰季咸"一段，其言曰：列子是壶子的学生，见到巫咸后，认为巫咸相面就能够看出人的生死夭寿，比壶子高明。壶子让列子带巫咸来，现出死机、生机等各种征象迷惑巫咸，最后"示之以未始出吾宗"，吓走了巫咸，而列子也知道自己并没有学到壶子的真实本领。②征：征兆。这里指壶子显现死机，巫咸以为壶子将死。③持以天壤：《庄子》原文指壶子重现生机，这里指壶子持守自然之道。名实不入：不在意神巫说什么。机发于踵：指生机的发动处在很深的足跟。

[译文]

郑国神巫给壶子林看相，看到他将死的凶兆，告诉了列子。列子哭着去报告壶子。壶子持守自然之道，不把神巫的话放在心上，让生机从足跟发出。——壶子眼里的死生没有什么不同。

子求行年五十有四，①而病伛偻。②脊管高于顶，胭下迫颐，两脾在上,烛营指天。③匍匐自窥于井,曰:"伟哉!造化者其以我为此拘拘邪!"④——此其视变化亦同矣。

[注释]

①子求:人名。高诱注认为是楚人。行年:走过的年头,指年岁。②伛偻(yǔ lǚ):驼背。③脊管:脊梁。䏽(yì):胸骨。颐:下颌。脾:通"髀(bì)",大腿。烛营:指男性生殖器。④拘拘:屈曲的样子。

[译文]

子求五十四岁了,成了驼背。脊梁骨高过头顶,胸前骨顶到腮帮,两条大腿朝上,下阴指向天。他爬到井边,看自己的模样,说:"伟大啊!造化者把我变成这种扭曲的样子!"——变化在他看来是相同的。

故睹尧之道,乃知天下之轻也;观禹之志,乃知天下之细也;①原壶子之论,②乃知死生之齐也;见子求之行,乃知变化之同也。……

[注释]

①天下之细:王念孙说,"天下"当作"万物",涉及上文致误。②原:探寻。

[译文]

所以,看到尧的做法,才知道天下并不重要;看到禹的气度,才知道万物微不足道;推导壶子的理论,才知道生死是等同的;看到子求的行为,才知道变化是相同的。……

今夫穷鄙之社也,①叩盆拊瓴,②相和而歌,自以为乐矣。尝试为之击建鼓,③撞巨钟,乃始仍仍然,④知其盆瓴之足羞也。藏《诗》、《书》,修文学,而不知至论之旨,则拊盆叩瓴之徒也。夫以天下为者,学之建鼓矣。尊势厚利,人之所贪也,使之左据天下图,⑤而右手刎其喉,愚夫不为。由此观之,生尊于天下也。圣人食足以接气,衣足以盖形,适情不求余。无天下不亏其性,有天下不羡其和。有天下无天下一实也。……

[注释]

①穷鄙:边远简陋。社:祭祀土地神的活动。②拊:拍。瓴(líng):一种盛水瓶。③建鼓:一种大鼓,用柱子树立阶侧,也叫应鼓。④仍仍然:迷茫失落的样子。⑤据天下图:拿着天下的地图,表示拥有掌控天下的权力。

[译文]

那些边远闭塞的地方祭祀土地神,人们敲着盆、拍着瓶,一起唱歌,以为这就是音乐。假如为他们擂起建鼓,撞击巨钟,他们才会迷茫失落,知道敲盆拍瓶是令人羞愧的。收藏《诗》、《书》,讲究文学,而不懂精妙理论的蕴意,不过是敲盆拍瓶一类的人罢了。志在天下的人,要学建鼓啊!尊显的势力,丰厚的利益,是人们想要的,让他左手拿着天下的地图,右手却拿刀割断自己的喉管,那么,再愚蠢的人也不会干。由此看来,生命比天下更宝贵。圣人饮食足以维持生命,穿衣足以遮盖身体就行了,使本性安适,不要求多余的。没有得到天下,不会亏欠本性;拥有天下,也不会增加和气。有天下和无天下其实是一样的。……

衰世凑学,①不知原心反本,直雕琢其性,矫拂其情,②以与世交。故目虽欲之,禁之以度;心虽乐之,节之以礼。趋翔周旋,诎节卑拜。③肉凝而不食,酒澄而不饮。④外束其形,内总其德,⑤钳阴阳之和,而迫性命之情,故终身为悲人。

[注释]

①凑:趋附。②矫:纠正。拂:违逆。矫拂:为情感设置规范。③趋:为表示尊重,向人小步快走。翔:游走。诎(qū):屈。诎节卑拜:卑躬屈膝的样子。④肉凝:指肉或肉汤冷却后成冻的样子。酒澄:酒清淡。⑤总:

捆索。

[译文]

衰败的时代,人们追逐流行的学说,不懂得推究本心,复归本性,只是修饰本性,扭曲真情,以这种方式与世俗交往。所以,眼睛想看,却有规矩禁止;心里喜欢,却有礼节限制。趋翔周旋,卑躬屈膝。肉冷了不吃,酒淡了不饮。在外束缚外貌,在内束缚内心,钳制阴阳和气,压制性命真情,所以终身是个悲哀的人。

达至道者则不然,理性情,治心术,养以和,持以适。乐道而忘贱,安德而忘贫。性有不欲,无欲而不得。心有不乐,无乐而弗为。无益情者不以累德,不便于性者不以滑和。故纵体肆意,①而度制可以为天下仪。②

[注释]

①纵体:在行为上放纵。肆意:在心意上放肆。②度制:用制度来衡量。仪:法度,标准。

[译文]

通达至道的人不是这样,他能理顺自己的性情,安顿内在的精神,用和气来调养身心,把握恰当的分寸。喜爱至道,忘掉了身份的卑贱;安于德性,忘记了生活的贫穷。本性安静,没有欲求;一旦有了愿望,却一定能够实现。内心平和,没有喜好;一旦有了喜好,却一定能够得到。对真情没有好处的,绝不让它干扰自己的品德;对本性不相适宜的,绝不让它搅乱内心的平和。所以,放纵身体和心意,而用制度来衡量,又可以成为天下的标准。

今夫儒者不本其所以欲,而禁其所欲;不原其所以乐,而闭其所乐。是犹决江河之源而障之以手也。……颜回、季路、子夏、冉伯牛,①孔子之通学也,然颜渊夭死,②季路菹于卫,③子夏失明,④冉伯牛为厉。⑤此皆迫性拂情,而不得其和也。……玩天地于掌握之中,夫岂为贫富肥臞哉!故儒者非能使人弗欲,而能止之;非能使人勿乐,而能禁之。夫使天下畏刑而不敢盗,岂若能使无有盗心哉!

[注释]

①颜回、季路、子夏、冉伯牛:都是孔子的弟子。②颜渊:颜回字子渊,又称颜渊。《史记·仲尼弟子列传》:"回年二十九,发尽白,早死。"③"季路"句:季路长于政事,后为卫大夫孔悝邑宰,因不从孔悝迎立蒯聩为卫公,被杀。④"子夏"句:子夏因为爱子死,痛哭失明。⑤厉:恶疾。

[译文]

现在,儒者不考察欲望产生的根源,而去禁止欲望;不考察快乐产生的根源,而去封闭快乐。就像掘开江河的源头却用手阻挡。……颜回、季路、子夏、冉伯牛,都是孔子的弟子,然而颜回短命,季路在卫国被剁成肉酱,子夏瞎了眼睛,冉伯牛得了恶疾。这都是压迫本性,违逆真情,内心不得平和的缘故。……把天下握在手中把玩,哪里会因为贫富而肥瘦呢!所以儒者并不能使人没有欲望,而能够制止欲望;并不能使人没有快乐的感情,而能够禁止这种感情。使天下人畏惧刑罚而不敢偷盗,哪里比得上让他们没有偷盗之心呢!

越人得髯蛇以为上肴,①中国得而弃之无用。故知其无所用,贪者能辞之;不知其无所用,廉者不能让也。夫人主之所以残亡其国家,损弃其社稷,身死于人手,为天下笑,未尝非为非欲也。②夫仇由贪大钟之赂,而亡其国。③虞君利垂棘之璧,而擒其身。④献公艳骊姬之美,而乱四世。⑤桓公甘易牙之和,而不以时葬。⑥胡王淫女乐之娱,而亡上地。⑦使此五君者,适情辞余,以己为度,不随物而动,岂有此大患哉!……知冬日之箑、⑧夏日之裘无用于己，则万物之变为尘埃矣。故以汤止沸，沸乃不止。诚知其本，则去火而已矣。

[注释]

①髯（rán）蛇：大蛇。②非欲：非分的欲望。未尝非为非欲：没有不是因为非分的欲望。③仇由：春秋时国名，位于今山西省盂县，当时与晋国相邻。晋国的智伯想灭仇由，苦于道路不通，于是铸了一个大钟，用两辆并列的车拉着，要送给仇由之君，仇由君长开路迎钟，晋国的军队利用这条路，伐灭了仇由。④虞：春秋时国名，位于今山西省平陆县东北。晋国用垂棘之璧向虞君借道伐虢，灭虢后回程顺便灭了虞。唇亡齿寒的成语就出自这段故事。⑤献公：晋献公，公元前677年至前651年在位，献公宠爱骊姬，导致了太子被杀，王室内乱，王位四次换人之后，才在晋文公时结束了内乱。⑥桓公：齐桓公。易牙：齐桓公宠臣。易牙听齐桓公说没有尝过蒸婴儿，就把自己的儿子蒸了献给桓公。桓公晚年专任易牙，死后王室内乱，桓公停尸床上六十七日。⑦胡王：春秋时西戎国君。上地：上好的土地。秦穆公送女乐给胡王，离间其君臣，后来顺利征伐，获得大片土地。⑧箑（shà）：扇子。

[译文]

越国人得到大蛇，当做上等佳肴，中原人得到却丢弃不用。所以，知道是无用的东西，即使是贪婪的人，也会推辞不要；如果不知道它没有用处，即使是廉洁的人，也不能辞让。国君之所以灭亡国家，抛弃宗庙，身死人手，被天下耻笑，没有不是因为非分的欲望。仇由贪得大钟而亡了国。虞君贪得垂棘之璧，做了俘虏。献公爱慕骊姬的美貌，导致国家四世动乱。桓公享用易牙的美味，不能以时安葬。胡王沉溺于女乐之娱，损失了上好的国土。假如这五位国君能够适当满足自己，拒绝过分的欲望，以自己的需要为限度，不随外物而行动，哪里会有这些灾祸呢！……知道冬天的扇子、夏天的皮衣对于自己没有用处的道理，那么，万物的变化就是微不足道的了。所以，用添水来制止水沸腾，沸腾不会停止。真正明白其中的原因，那么，撤去柴火就是了。

卷八　本经训

[题解]

《本经训》是《淮南子》的第八篇。本，根本。经，常道。本篇探讨理想的政治秩序，认为它存在于远古时代，这种制度具有永恒的意义，所以称为"经"。《本经训》通篇以"太清之治"和"末世之政"、"古之人"和"晚世"相对照，以现实的灾难来展示理想的美好。

太清之治也，①和顺以寂漠，质真而素朴，闲静而不躁，推移而无故。②在内而合乎道，出外而调于义。发动而成于文，行快而便于物。其言略而循理，其行悦而顺情。③其心愉而不伪，其事素而不饰。……机械诈伪，莫藏于心。

[注释]

①清：有干净、单纯、美好多层含义。太清：最能够体现天道之根本的形态，这里指理想的上古社会。②推移：变化。故：有目的。③悦（tuō）：简易。

[译文]

上古清宁的时代，平和柔顺，寂静淡漠，品质纯真，素朴无伪，闲静而不躁动，变化而无目的。内心与天道一致，行为与义理协调。一有举动，条理自然分明，行动敏捷，方便一切事物。言论扼要而能依循事理，行为简易而能随顺真情。内心愉悦而不虚伪，做事简洁而不修饰。……机械诈伪不会藏匿在心里。

逮至衰世,镌山石,锲金玉,^①擿蚌蜃,消铜铁,而万物不滋。^②剖胎杀夭,^③麒麟不游。覆巢毁卵,凤凰不翔。钻燧取火,构木为台。焚林而田,竭泽而渔。人械不足,畜藏有余,而万物不繁兆。萌牙卵胎而不成者,处之太半矣。……及至分山川溪谷,使有壤界;计人多少众寡,使有分数;筑城掘池,设机械险阻以为备;饰职事,^④制服等,^⑤异贵贱,差贤不肖,经诽誉,^⑥行赏罚,则兵革兴而分争生。^⑦民之灭抑夭隐,^⑧虐杀不辜,而刑诛无罪,于是生矣。……

[注释]

①镌(juān):凿。镌山石:指开采矿产。锲:雕刻。②擿(tì):挑开。蜃(shèn):蛤蜊。消:熔化。滋:生长。③剖(kū):剖开。夭:幼小的生命。④饰:修饰,这里是设立的意思。饰职事:指设立官吏制度。⑤服等:服饰等级制度,不同身份地位穿戴不同服饰。⑥经:划分界线。⑦分争:纷争。⑧灭抑夭隐:死亡、冤屈、夭折、隐痛。

[译文]

到了衰败的时代,开山凿石,雕刻金玉,掰开蚌蛤,熔化铜铁,万物因此不生长。剖腹取胎,扼杀幼小,麒麟因此不出游。倾覆鸟巢,破碎鸟卵,凤凰因此不飞翔。钻燧取火,搭木建台。焚林捕猎,竭泽而渔。人民的用品不足,统治者却储藏有余,万物因此不繁盛。在萌芽状态、胚胎阶段就死亡的,占到半数以上。……等到割裂山川溪谷,使各有界线;计算人口多少,使各有份额;修筑城墙,挖掘深池,设置机关、险隘作为防备;设置官吏职务,制定服饰等级,区分贵贱,分别贤能和不贤的人,确定训斥和表扬的标准,实施奖赏和处罚,于是,战争发生了,纷争出现了。人民遭受死亡冤屈夭折的隐痛,统治者残酷杀害和惩罚无罪之人的情况,也就这样发生了。……

古之人,同气于天地,与一世而优游。①当此之时,无庆贺之利,②刑罚之威,礼义廉耻不设,毁誉仁鄙不立。而万民莫相侵欺暴虐,犹在于混冥之中。③

[注释]

①一世:整个世界。优游:悠闲自得。②庆贺:庆赏。③混冥:不分彼此的状态。

[译文]

古时候的人,还没有从自然中分离出来,所以悠闲自在,满世界游荡。那时候,没有奖赏的利诱,没有刑罚的威胁,礼义廉耻的规矩没有建立起来,也没有诋毁和赞誉、仁爱和卑劣的区别。但是人民不会互相侵犯伤害,还处于不分彼此的状态之中。

逮至衰世,人众财寡,事力劳而养不足,于是忿争生,是以贵仁。仁鄙不齐,比周朋党,设诈谞,①怀机械巧故之心,②而性失矣,是以贵义。阴阳之情,莫不有血气之感。男女群居杂处而无别,是以贵礼。性命之情,淫而相胁以不得已,③则不和,是以贵乐。是故仁义礼乐者,可以救败,而非通治之至也。④夫仁者,所以救争也;义者,所以救失也;礼者,所以救淫也;乐者,所以救忧也。

[注释]

①谞(xǔ):才智。②巧故:有手段有目的。③淫:过度纵情。胁:逼迫。④救败:挽救失误。通治:行得通的治理方式。至:极致。

[译文]

到了衰败的时代,人口多,财富少,劳作艰辛,但给养不足,于是有了愤恨和争斗,所以要提倡仁爱。但是有的人仁爱,有的人卑劣，彼此不同，又有人拉帮结伙，策划计谋，怀着巧诈的心思，这样本性就偏邪了，所以要提倡正义。阴阳交合，长成血肉之躯，无不具有情欲。男女群居、混杂在一起，就没有分别了，所以要提倡礼节。性情过度放纵，以至于不能自我抑制，就不平和了，所以要提倡和乐。所以，仁义礼乐这些东西，可以挽救失误，并不是有效治理的最好方法。仁，是用来挽救争斗的失误的；义，是用来挽救偏邪的失误的；礼，是用来挽救放荡的失误的；乐，是用来挽救忧郁的失误的。

神明定于天下，①而心反其初。②心反其初而民性善，民性善而天地阴阳从而包之，③则财足而人赡矣，贪鄙忿争不得生焉。由此观之，则仁义不用矣。道德定于天下而民纯朴，则目不营于色，耳不淫于声。坐俳而歌谣，被发而浮游。④虽有毛嫱、西施之色，⑤不知悦也；《掉羽》、《武象》，⑥不知乐也，淫泆无别不得生焉。由此观之，礼乐不用也。是故德衰然后仁生，行沮然后义立，⑦和失然后声调，⑧礼淫然后容饰。⑨是故知神明，然后知道德之不足为也。知道德，然后知仁义之不足行也。知仁义，然后知礼乐之不足修也。今背其本而求其末，释其要而索之于详，未可与言至也。⑩……

[注释]

①神明：灵明的精神。②初：指人性之初尚未有情欲、求知等外向追求的纯朴状态。③包：包润，爱护。④俳：古代指杂戏、滑稽戏，也指演这种戏的人。转义为诙谐。这里指嬉笑玩乐。被发：披着头发。浮游：没有一定方向和目标地漫游。⑤毛嫱（qiáng）、西施：古代美女。⑥《掉羽》、《武象》：周王朝用于祭祀、朝贺的雅舞。⑦沮：败坏。⑧和：声音的和谐。⑨容：人的形体外貌。容饰：指用一整套礼仪来规范人的行为举止。⑩要：纲要，重点。详：细节。至：最高的道理。

[译文]

　　如果灵明的精神能够在天地之间安顿下来，那么心就会返回初的纯朴。心返回原初的纯朴，人的本性就善良了；人的本性善良，天地阴阳都会随和这良善并且爱惜保护。这样，财物就能充足，人民得到满足，贪鄙纷争就不会产生了。由此看来，仁义是用不上的。道德通行天下，人民纯粹朴实，那么，眼睛不会迷乱于色彩，耳朵不会沉溺于音响。坐着嬉笑欢歌，站起来四处游逛，披头散发。即使有毛嫱、西施的美色，也不会爱慕；有《掉羽》、《武象》的乐舞，也不懂欣赏，这样，淫荡和男女不分的事情就不会发生了。由此看来，礼乐也用不上。所以，道德衰败，才有仁爱产生；行为败坏，才有正义出现；音调不和谐了，才需要确定音程；礼仪放肆了，才需要规范举止。所以，具有灵明的精神，就知道道德是不值得提倡的。懂得道德，就知道仁义是不值得提倡的。了解仁义，就知道礼乐是不值得讲究的。现在，背离根本却追求细微末节，放弃要领却探索具体内容，这样的人，哪里配讨论最高的道理！……

　　逮至尧之时，十日并出，焦禾稼，杀草木，而民无所食。猰貐、凿齿、九婴、大风、封豨、修蛇，①皆为民害。尧乃使羿诛凿齿于畴华之野，②杀九婴于凶水之上，③缴大风于青丘之泽，④上射十日而下杀猰貐，断修蛇于洞庭，⑤擒封豨于桑林。⑥万民皆喜，置尧以为天子。于是天下广狭险、易远近，始有道里。⑦舜之时，共工振滔洪水，以薄空桑。⑧龙门未开，⑨吕梁未发，⑩江淮通流，四海溟涬。⑪民皆上丘陵，赴树木。舜乃使禹疏三江五湖，辟伊阙，⑫导廛涧，⑬平通沟陆，流注东海。鸿水漏，⑭九州干，万民皆宁其性，是以称尧舜以为圣。

[注释]

①猰貐（yà yǔ）：食人怪兽。凿齿：长齿怪兽。九婴：传说中的九头怪兽。大风：传说中的大鸟。封豨（xī）：大野猪。修蛇：长大的蛇。②畴华：南方水泽名。③凶水：北方水名。④缴（zhuó）：系在箭上的绳子。这里用作动词，指用系有绳子的箭射鸟。青丘：东方泽名。⑤洞庭：南方泽名，即今洞庭湖。⑥桑林：地名，传说商汤在此求雨。⑦广狭险、易远近：使狭窄危险的路径宽广，使远处容易到达。道里：有路连通民居。⑧薄：迫。空桑：地名。⑨龙门：山名，传说大禹治水时凿开此山，导河水穿山而过。⑩吕梁：山名，黄河流经此地，水流湍急。⑪溟涬（xìng）：茫茫无边。⑫伊阙：地名，伊水流过，两山夹对。⑬廛（chán）涧：洛水的两条支流。⑭鸿：通"洪"。漏：排泄。

[译文]

到了尧的时候，十个太阳一起出来，烤焦了庄稼，晒死了草木，人民没有可吃的食物。猰貐、凿齿、九婴、大风、封豨、修蛇，一起祸害人民。于是尧派遣羿在畴华一带杀死凿齿，在凶水上杀死九婴，在青丘泽杀死大风，上射天上的十个太阳，下杀猰貐这食人的怪兽，在洞庭斩断长蛇，在桑林擒获野猪。人民很高兴，立尧为天子。从此，天下狭窄危险的地方被拓宽了，远处也容易到达了，有了道路通往村落。舜的时候，共工振滔洪水，一直涨漫到空桑。当时，龙门还没有凿开，吕梁还没有疏导，长江和淮河合流，四海一片汪洋。人民跑上山冈，爬到树上。于是舜派遣禹疏通三江五湖，开辟伊阙，疏导廛水和涧水，平整陆地，疏通沟渠，让水流入东海。洪水排泄了，九州地干了，人民都能从容生活，所以称颂尧舜是圣人。

晚世之时，帝有桀纣，为璇室瑶台、象廊玉床。①纣为肉圃酒池，燎焚天下之财，罢苦万民之力，②刳谏者，剔孕妇，③攘天下，④虐百姓。于是汤乃以革车三百乘，⑤伐桀于南巢，放之夏台。⑥武王甲卒三千，破纣牧野，杀之于宣室。⑦天下宁定，百姓和集，是以称汤武之贤。由此观之，有贤圣之名者，必遭乱世之患也。……

[注释]

①璇、瑶：皆美玉名。②罢（pí）：通"疲"。③刳谏者：指纣杀比干一事。剔孕妇：传说纣曾经剖开孕妇的肚子，观看胎儿。④攘：侵夺。⑤革车：兵车。⑥南巢：地名，今安徽巢县。放：流放。夏台：地名，今河南禹州南，夏桀曾在这里囚禁商汤。⑦牧野：地名，在今河南淇县西南。宣室：宫殿名。

[译文]

晚近的时候，有桀、纣这样两位帝王，用璇玉装饰房间，用瑶玉装饰高台，用象牙建造走廊，用美玉制作卧床。纣建造挂满肉的园子和灌满酒的池子，焚耗天下的财物，使人民精疲力竭，挖出谏者的心脏，剖开孕妇的肚子，侵夺天下，虐待百姓。于是商汤率领兵车三百乘，在南巢讨伐桀，把他放逐到夏台。周武王率领兵卒三千人，在牧野打败商纣，在宣室杀死了他。天下安定，百姓衷心拥护，所以称颂汤武是贤明的君王。由此看来，有贤圣名声的人，一定遭受过乱世的祸患。……

凡乱之所由生者，皆在流遁。①流遁之所生者五：

大构驾，②兴宫室……木巧之饰……以相摧错，此遁于木也。

凿污池之深③……来溪谷之流……龙舟鹢首，④浮吹以娱，⑤此遁于水也。

高筑城郭，设树险阻，崇台榭之隆，⑥侈苑囿之大。⑦……残高增下，积土为山……此遁于土也。

大钟鼎，美重器……曲成文章，雕琢之饰。……此遁于金也。

煎熬焚炙，调齐和之适，以穷荆吴甘酸之变，焚林而猎，烧燎大木，鼓橐吹埵，⑧以销铜铁。……此遁于火也。

此五者，一足以亡天下矣。

[注释]

①流遁：沉湎而不知节制和返回。②驾：通"架"，兴建宫室搭建的架子。③污池：蓄水池。④龙舟：龙形的船。鹢（yì）：一种水鸟。鹢首：一种船的名称，因船头有鹢鸟头的图案而得名。⑤浮吹以娱：行船时吹奏音乐而取乐。⑥崇：高。隆：高大。⑦侈：广。这里指扩大。苑囿：畜养禽兽的园林。⑧橐（tuó）：鼓风吹火的皮囊，犹风箱。埵（duǒ）：风箱的出风铁管。

[译文]

祸乱产生的原因，都在于沉湎。沉湎发生在五个方面：

大兴土木，建造宫室……木料上巧加装饰……相互交错，这是沉湎在木的方面。

开凿宽深的水池……引来溪谷的水流……龙形舟，鹢首船，在水上吹鼓作乐，这是沉湎在水的方面。

修建高墙，设置险阻，增加楼台的高度，扩大苑囿的范围。……削平高处，填补低处，累土为山……这是沉湎在土的方面。

钟鼎越铸越大，装饰越来越华丽……婉转曲折，各有图案，雕琢出各种各样的装饰。……这是沉湎在金的方面。

煎熬烧烤，调制合口的味道，以穷尽荆吴酸甜味道的变化，焚烧树林，驱赶猎物，燃烧大树，鼓动风箱，来销熔铜铁。……这是沉湎在火的方面。

这五个方面，占一条就足以丧失天下了。

是故古者明堂之制，①下之润湿弗能及，上之雾露弗能入，四方之风弗能袭。土事不文，②木工不斫，③金器不镂。衣无隅差之削，④冠无觚蠃之理。⑤堂大足以周旋理文，⑥静洁足以享上帝，礼鬼神，以示民知俭节。……天地之生财也，本不过五。圣人节五行，则治不荒。

[注释]

①明堂：古代学者设想的一套建筑体制，认为它体现了天人相应的完美政治体制。②土事：建筑时与土相关的工程。文：文饰。③斲（zhuó）：本义为大锄，引申为砍削。这里指雕刻。④隅差：角。指裁剪衣服形成的曲线斜角。这句话的意思是，衣服用全幅的布缝制，没有剪裁。⑤觚（gū）：古代的一种酒器，宽口长身。蠃（luǒ）：蜗牛。理：纹路。⑥周旋：应酬。理文：处理政事。

[译文]

所以，古代修建明堂的规格是，地下的湿气不能到达，天上的雾露不能进入，四方的风雨不能吹袭。土建的墙面不文饰，木制的构件不雕琢，金属的器具不刻镂。衣服没有斜角的剪裁，帽子没有古怪的造型。殿堂的规模能够交际应酬、处理政务就足够了，清洁整齐能够祭祀上帝、礼敬鬼神就行了，以此昭示人民要懂得节俭。……天地生产的财物，根本的东西不过五类。圣人节制五行，政事就不会荒废。

凡人之性，心和欲得则乐，乐斯动，动斯蹈，蹈斯荡，荡斯歌，歌斯舞，舞则禽兽跳矣。①人之性，心有忧丧则悲，悲则哀，哀斯愤，愤斯怒，怒斯动，动则手足不静。②人之性，有侵犯则怒，怒则血充，血充则气激，气激则发怒，发怒则有所释憾矣。③故钟鼓管箫，干戚羽旄，④所以饰喜也。衰绖苴杖，⑤哭踊有节，⑥所以饰哀也。兵革羽旄，金鼓斧钺，⑦所以饰怒也。必有其质，乃为之文。

[注释]

①禽兽跳：像禽兽那样乱蹦。②手足不静：指捶胸顿足之类的动作。③憾：悔恨。这里指做出激烈的动作。④干：盾。戚：大斧。羽：雉尾的羽毛。

旄：牦牛尾。古时舞蹈分文武，文舞举羽旄，武舞举干戚。⑤衰（cuī）：古代的丧服。绖（dié）：古代丧服中的麻带。苴（jū）杖：古代为父母服丧时用的竹杖，表示因为悲恸而不能站立。⑥哭踊：顿足嚎哭。古时居丧哭踊皆有规矩。⑦金鼓：军中所用的金钲和大鼓，鸣金表示收兵，击鼓表示进攻。钺（yuè）：古代兵器，形状如大斧。

[译文]

大凡人的性情，没有操心的事，欲望得到满足就快乐，快乐就会激动，激动就要踢脚，踢脚就会晃动，晃动就要唱歌，唱歌就要舞蹈，舞蹈就像禽兽那样乱蹦乱跳。人的性情，内心有忧愁就悲痛，悲痛就会哀伤，哀伤就会愤懑，愤懑就会发怒，发怒就有动作，动起来就手足都不消停。人的性情，遭到侵犯就会发怒，发怒就血气充盈，血气充盈就情绪激愤，情绪激愤就怒气冲天，怒气难抑就会有宣泄的方式。所以，吹奏钟鼓管箫，舞动干戚羽旄，是用来修饰喜悦的。穿丧服，系麻绳，拄竹杖，一遍一遍地顿足痛哭，是用来修饰悲伤的。兵器甲胄、旌旗车饰，金鼓斧钺，是用来修饰愤怒的。一定要有实质内容，才能有适当的表达方式。

古者圣王在上，政教平，仁爱洽，①上下同心，君臣辑睦，②衣食有余，家给人足，父慈子孝，兄良弟顺，生者不怨，死者不恨，天下和洽，人得其愿。夫人相乐无所发贶，③故圣人为之作乐以和节之。

[注释]

①洽：周遍。②辑：和睦。③贶（kuàng）：赐予。

[译文]

古时候圣王在位，政教清平，仁爱博施，上下同心，君臣和睦，衣食有余，家富人足，父亲慈爱、儿子孝顺，兄长善良、弟弟顺从，活着的不会埋怨，死去的没有遗憾，天下和洽，人人都能实现自己的愿望。人与人相处和乐，却不知如何表达，所以圣人为他们制作音乐，来使他们的愉悦适当表达。

末世之政，田渔重税，关市急征。①泽梁毕禁，②网罟无所布，③耒耜无所设。④民力竭于徭役，财用殚于会赋。⑤居者无食，行者无粮。老者不养，死者不葬，赘妻鬻子，⑥以给上求，犹弗能赡，愚夫蠢妇，皆有流连之心，凄怆之志。乃始为之撞大钟，击鸣鼓，吹竽笙，弹琴瑟，失乐之本矣。

[注释]

①关：关口。市：市场。指运输和销售货物都要征税。②泽：水泽。梁：山梁。毕：完全。③罟（gǔ）：网。④耒耜（lěi sì）：翻土的农具。⑤会（kuài）：计算。会赋：按人口数量缴纳赋税。⑥赘：抵押。鬻（yù）：卖。

[译文]

末世的政治，种田打鱼的要缴纳重税，关卡集市也拼命征收赋税。水泽山梁全部禁闭，渔网无处撒，耒耜无处用。百姓的力量全部消耗在徭役上，财用被赋税盘剥一空。在家的没有食物，赶路的没有口粮。老人得不到赡养，死者得不到安葬，抵押妻子，卖儿卖女，以供应上司的索取，仍然不能满足，普通百姓，都有流离彷徨之心，伤痛悲哀之意。这时候还要撞击大钟，敲响大鼓，吹奏竽笙，弹奏琴瑟，这就完全丧失了作乐的本意啊。

古者上求薄而民用给。①君施其德，臣尽其忠。父行其慈，子竭其孝。各致其爱，而无憾恨其间。夫三年之丧，②非强而致之，听乐不乐，食旨不甘，③思慕之心未能绝也。

[注释]

①薄（bó）：轻微，少。给（jǐ）：丰足，富裕。②三年之丧：礼法规定，子孙为父母、祖父母服丧三年。③旨：味美。

[译文]

古时候,君主征用的东西少,人民食用充足。国君布施他的恩德,臣下奉献他的忠诚。父亲给予他的慈爱,儿子竭尽他的孝心。各自表达爱意,相互没有遗憾和怨恨。服丧三年的规定,并不是强迫人们奉行,而是在这个时期,听到音乐不愉快,吃着美食无滋味,思慕祖先的心还没有放下啊。

晚世风流俗败,嗜欲多,礼义废。君臣相欺,父子相疑。怨尤充胸,[①]思心尽亡。被衰戴绖,戏笑其中,虽致之三年,失丧之本也。

[注释]

①尤:怨恨,归咎。

[译文]

晚近时代,风俗败坏,嗜欲增多,礼义荒废。君臣相互欺骗,父子相互猜疑。怨恨充满心胸,思慕荡然无存。披麻戴孝,却笑语欢声,即使戴孝三年,丧礼的本意也丧失了。

古者天子一畿,诸侯一同,[①]各守其分,不得相侵。有不行王道者,暴虐万民,争地侵壤,乱政犯禁,召之不至,令之不行,禁之不止,诲之不变,乃举兵而伐之。戮其君,易其党,[②]封其墓,[③]类其社,[④]卜其子孙以代之。[⑤]

[注释]

①畿:古时,天子领属的土地称畿。方圆一千里为一畿。同:方圆一百里为一同。②党:古代地方行政组织,五百家为党。③封:给坟墓培土,这是对死者的一种礼遇。④类:祭祀。⑤卜:占卜。这句话的意思是,用占卜的形式选择所灭之国的一位子孙来延续宗祀。

[译文]

古时候,天子的领地方圆一千里,诸侯的领地方圆一百里,各

卷八 本经训 133

自守卫领土，不得相互侵扰。如果有不奉行王道的人，胆敢欺凌百姓，争夺侵占土地，搅乱政治，触犯禁令，召见他他不来，命令他他不行，禁止他他不听，教诲他他不改，那就兴兵讨伐他。杀死国君，重组他们的社会，修整贤者的坟墓，祭祀他们的社稷，再通过占卜选择一位子孙来取代他。

晚世务广地侵壤，并兼无已。举不义之兵，伐无罪之国，杀不辜之民，绝先圣之后。大国出攻，小国城守。驱人之牛马，傒人之子女，①毁人之宗庙，迁人之重宝，②血流千里，暴骸满野，③以赡贪主之欲，非兵之所为生也。

[注释]

①傒（xī）：通"系"，拘系。②重宝：象征国家权力的重器，例如鼎之类。③暴：暴露。

[译文]

晚近时代的君主，热衷于扩张地盘，侵占土地，不停地进行兼并。出动不义的军队，征伐无罪的国家，杀害无辜的百姓，灭绝先圣的后代。大国向外进攻，小国筑城防守。赶走别人的牛马，捆绑别人的子女，摧毁别人的宗庙，运走别人的宝器，血流千里，尸骸遍野，以满足君主贪婪的欲望，这可不是建立军队的本意啊。

故兵者所以讨暴，非所以为暴也。乐者所以致和，非所以为淫也。丧者所以尽哀，非所以为伪也。故事亲有道矣，而爱为务。朝廷有容矣，①而敬为上。处丧有礼矣，而哀为主。用兵有术矣，而义为本。本立而道行，本伤而道废。

[注释]

①容：指对人的行为举止有规定和要求。

[译文]

所以,军队是用来讨伐暴虐的,而不是制造暴虐的。音乐是用来达到和谐的,而不是用来制造淫乱的。丧礼是用来表达哀思的,而不是用来制造虚伪的。所以啊,对待亲人是有原则的,而爱心最重要。朝廷相会是有法度的,而尊重最重要。办理丧事是有礼节的,而悲哀最重要。动用军队是有方法的,而正义是根本。根本建立了,原则就能实行;根本损伤了,原则也就失效了。

卷 九　主术训

[题解]

《主术训》是《淮南子》的第九篇。主，君主。术，方法、原则。本篇论述为君之道的原则和具体的统治方法，以鼓吹道家的无为学说为主，但是也在无为的框架下，纳入儒家的仁义思想和修身原则。在这个方面，《主术训》十分强调君主的示范作用。

人主之术，处无为之事，而行不言之教。清静而不动，一度而不摇。①因循而任下，责成而不劳。是故心知规而师傅谕导，②口能言而行人称辞，③足能行而相者先导，④耳能听而执正进谏。⑤是故虑无失策，谋无过事。言为文章，行为仪表于天下。进退应时，动静循理。不为丑美好憎，不为赏罚喜怒。名各自名，类各自类。事犹自然，莫出于己。故古之王者，冕而前旒，所以蔽明也；⑥黈纩塞耳，所以掩聪。⑦天子外屏，⑧所以自障。故所理者远，则所在者迩。⑨所治者大，则所守者少。夫目妄视则淫，耳妄听则惑，口妄言则乱。夫三关者，不可不慎守也。……

[注释]

①一度：统一法度。②师傅：辅佐国君或太子的人，如太师、太傅等。③行人：《周礼》有行人之官，掌管礼仪外交。称辞：传达旨意。④相者：赞

礼的人，负责引导、司仪等。⑤执正：主持政务的人。⑥冕：古代帝王、诸侯、卿大夫戴的礼帽，后专指王冠。旒（liú）：礼帽前后悬垂的玉珠串。旒的数目因身份而异，天子十二旒，诸侯九旒。戴冕时，旒垂眼前，所以称"蔽明"。⑦黈（tǒu）：黄色。纩（kuàng）：絮衣服的新丝绵。古代冕制，用丸状黄绵悬于冕之两旁。戴冕时，绵球正当耳际，以示不听流言，所以称"掩聪"。⑧屏：对着门的小墙，用以遮挡，相当于后世的照壁。外屏：屏设在门外。⑨在：审查。迩：近。

[译文]

　　君王的统治方法，是以"无为"去处理事务，用"不言"去进行教化。清静而不躁动，法度统一而不摇摆。沿袭常规，任用臣下，督促他们完成职责，而不亲自操劳。所以，知道该怎么做却接受师傅的劝谕教导，知道该怎么说却让使者传达旨意，知道该怎么走却让司仪引导，知道该听什么却让执政官进谏。因此，考虑问题不会失策，计划做事不会有错。话一出口，就成为规则；举手抬足，都是天下人的表率。进退符合时宜，动静遵循道理。不因为美丑而有爱好或憎恶的心意，不因为赏罚而有喜悦或愤怒的感情。名称符合各自的名分，分类符合自己的类别。事务好像自然如此，并不是出于自己的意志。所以古代的君王，冕的前面有挂珠，目的是遮蔽视线；有黄绵塞耳，目的是堵塞听觉。天子的屏墙设在门外，目的是阻隔自己。所以啊，管辖的范围越远，要审察的东西就越近。治理的范围越大，要持守的原则就越少。眼睛乱看，就眩乱了；耳朵乱听，就迷惑了；嘴巴乱说，就混乱了。这三个关口，不能不谨慎地把守啊。……

　　天道玄默，无容无则，①大不可极，深不可测，尚与人化，②知不能得。昔者神农之治天下也，神不驰于胸中，智不出于四域，怀其仁诚之心。甘雨时降，五谷蕃植。春生夏长，秋收冬藏。……当此之时，法宽刑缓，囹圄空虚，③而天下一俗，莫怀奸心。

[注释]

①玄默：幽深沉静。容：形态。则：规矩。②尚：常，恒。③囹圄（líng yǔ）：古代称监狱为囹圄。

[译文]

天道幽深沉静，没有形态，也没有规则，大不可穷尽，深不可探测，与人类一同化育，但人的智慧却不能把握它。从前神农治理天下，精神不在胸中驰骋，智慧不在外面显露，胸怀仁爱诚实之心。因此，甘雨按时节降下，五谷繁茂生长。春生夏长，秋收冬藏。……那时候，刑罚宽松，监狱无人，天下的风俗统一，没有人怀有奸邪之心。

末世之政则不然。上好取而无量，下贪狼而无让，①民贫苦而忿争，事力劳而无功。智诈萌兴，盗贼滋彰。上下相怨，号令不行，执政有司不务反道，矫拂其本而事修其末。②削薄其德，曾累其刑。③……乱乃逾甚。

[注释]

①狼：凶狠。②矫拂：扭曲违逆。③曾：增。

[译文]

末世的政治却不是这样。君主热衷聚敛而没有限量，臣下贪婪凶狠而没有谦让，人民贫苦，心怀愤恨而彼此争夺，劳作辛苦却没有收获。巧诈萌生，盗贼猖獗，上下相怨，号令不行，执政的官员和管理机构不务求返回正道，反而违背根本去修饰末节。德政越来越淡薄，刑罚越来越苛刻。……于是，祸乱越来越严重了。

夫水浊则鱼噞，①政苛则民乱。……是以上多故则下多诈，上多事则下多态，上烦扰则下不定，上多求则下交争。不直之于本，②而事之于末，譬犹扬堁而弭尘，③抱薪以救火也。故圣人事省而易治，求寡而易赡。不施而仁，不言而信，不求而得，不为而成。块然保真，④抱德推诚。天下从之，如响之应声，景之像形，⑤其所修者本也。刑罚不足以移风，杀戮不足以禁奸，唯神化为贵，至精为神。……

[注释]

①唵（yǎn）：唵喁，鱼在水里群出吸气貌。②直：使正直。③堁（kè）：尘埃。弭：止。④块然：安然，无动于衷的样子。⑤景：影。

[译文]

水浑浊，鱼儿纷纷游到水面吸气；政令繁苛，人民就动乱了。……所以，上面的想法多，下面的欺诈也多；上面的举措多，下面的应对也多；上面烦扰，下面就不安定；上面多欲求，下面就多争斗。不使树干正直，却去摆弄树梢，就好像扬起沙土来制止尘埃，抱着柴草去救火一样。所以，圣人减少事务就容易治理，欲望淡薄而容易满足。不布施，却有仁德；不说话，却有信用；不追求，却得到了；不作为，却成功了。安然不动，保守本真；内怀道德，外推诚心。天下人追随他，就像回音回应声响，影子跟随形体，因为圣人修治的是根本啊。刑罚不足以改变风俗，杀戮不足以禁止奸邪，只有精神的感化是宝贵的，人性中最纯粹的就是精神啊。……

太上神化，其次使不得为非，其次赏贤而罚暴。衡之于左右，无私轻重，故可以为平。绳之内外，无私曲直，故可以为正。人主之于用法，无私好憎，故可以为命。……今夫权衡规矩，一定而不易。不为秦、楚变节，①不为胡、越改容。②常一而不邪，方行而不流。③一日刑之，④万世传之，而以无为为之。故国有亡主，而世无废道；人有困穷，而理无不通。由此观之，无为者道之宗。故得道之宗，应物无穷。

[注释]

①秦、楚：战国时代的两个强国，这里指强权。节：法度。②胡、越：胡是北方民族，越是南方民族，这里指地理的远近。容：面貌。③方行：方正直行。流：放荡。④刑：通"型"，铸成模型。

[译文]

最好是精神感化，其次是使人不做坏事，然后才是奖赏贤良、惩罚暴虐。秤杆对于两边的事物，没有重此轻彼的私心，所以是公平的标准。墨绳对于内外的事物，没有直此曲彼的私意，所以是正直的标准。君王使用法令，没有喜欢这个、讨厌那个的偏向，所以是命令。……权衡规矩的标准是恒定的，不能随便改变。不会因为秦、楚强大就改变节度，不会因为胡、越遥远就改变面貌。它们恒定、一贯而不偏斜，方正、端直而不流变。一旦成为规范，万代传袭，（人们）只能无私地应用。所以，国家有亡国的君主，世上却没有废弃的"道"；人有困穷的时候，却没有行不通的"理"。由此看来，无为是道的根本。所以掌握了道的根本，可以应对无穷的事物。

任人之才，难以至治。汤、武圣主也，而不能与越人乘干舟而浮于江湖。①伊尹，贤相也，而不能与胡人骑騵马而服騊駼。②孔、墨博通，而不能与山居者入榛薄险阻也。③由此观之，则人知之于物也浅矣。而欲以遍照海内，存万方，不因道之数，而专己之能，则其穷不达矣。故智不足以治天下也。桀之力制觡伸钩，索铁歙金。④椎移、大牺，⑤水杀鼋鼍，陆捕熊罴。⑥然汤革车三百乘，困之鸣条，擒之焦门。⑦由此观之，勇力不足以持天下矣。智不足以为治，勇不足以为强，则人材不足任，明也。……

[注释]

①干舟：小船。②騵（yuán）：黄毛白腹的骏马。駒騟（táo tú）：野马。③榛薄：丛生的草木。④制：通"折"。制觡：折断牛角。伸钩：把钩拉直。索：搓绳。歙：合。⑤椎移、大牺：夏桀的两位大臣，以骁勇有力著称。⑥鼋（yuán）：大鳖。鼍（tuó）：即扬子鳄。羆（pí）：大熊。⑦鸣条：地名，传说商汤在此打败夏桀。焦门：即巢门，南巢。传说商汤流放夏桀于此。

[译文]

靠人的才智，很难达到良好的治理。商汤王、周武王是圣明的君主，却不能像越人一样划着小船在江湖上航行。伊尹是著名的贤相，却不能像胡人一样骑着骏马驯服野马。孔子、墨子博学通识，却不能像山里人一样穿越高山密林。由此看来，人的智慧对物的了解是很浅薄的。想要照亮整个天下，保护四面八方，不遵循道的规律，而专靠自己的才能，那就一定会走投无路，不能成功。所以，智慧是不足以治理天下的。夏桀的气力可以折断牛角，拉直弯钩，扭绞铁索，搓揉金属。他的大臣椎移和大牺，敢在水里格杀鼋鼍，在陆上捕捉熊羆。然而商汤用兵车三百辆，就把桀围困在鸣条，流放到焦门。由此看来，靠勇力是不足以维持天下的。智慧不足以治国，勇力不足以逞强，那么人的才能不足以依靠，就是很明白的了。……

君人之道，其犹零星之尸也，①俨然玄默，而吉祥受福。是故得道者不为丑饰，不为伪善。一人被之而不褒，万人蒙之而不褊。②是故重为惠若重为暴，③则治道通矣。为惠者，尚布施也，无功而厚赏，无劳而高爵，则守职者懈于官，而游居者亟于进矣。④为暴者，妄诛也，无罪者而死亡，行直而被刑，则修身者不劝善，而为邪者轻犯上矣。故为惠者生奸，而为暴者生乱，奸乱之俗，亡国之风。是故明主之治，国有诛者而主无怒焉，朝有赏者而君无与焉。诛者不怨君，罪之所当也；赏者不德上，功之所致也。民知诛赏之来，皆在于身也，故务功修业，不受赣于君。⑤是故朝廷芜而无迹，田野辟而无草。……人主静漠而不躁，百官得修焉。⑥……与其誉尧而毁桀也，不如掩聪明而反修其道也。清静无为，则天与之时。廉俭守节，则地生之财。处愚称德，则圣人为之谋。是故下者万物归之，虚者天下遗之。

[注释]

①零星：星名，又称天田星。古人以为此星主管稼穑，以辰日祀于东南，取祈年报功之义。尸：祭祀时充任神灵化身的人。②裒：宽大。蒙：覆盖。褊（biǎn）：衣窄小。③重：重视，不轻易。④游居者：居无定所的人，指四处游说的人。⑤赣（gòng）：赐予。⑥修：整治。百官得修：指百官各守其职，有条不紊。

[译文]

君王统治百姓的方法，就像祭祀零星时充任神灵化身的人一样，庄重静默，接受赞颂和贡品。所以，得道的人，不粉饰丑陋的东西，不赞扬虚伪的事情。一人蒙惠不觉得太大，万人蒙惠不觉得太小。因此，谨慎地布施恩惠，就像慎重地使用暴力，这样就算懂得治理的道理了。给予恩惠，侧重在布施，没有功绩却给予丰厚的奖赏，没有功劳却给予很高的爵位，这样，办事的官员就会懈怠职守，而四处游说的人就会钻营上升的机会。施用暴力，偏向于滥杀，没有罪的人被杀害，正直的人遭刑罚，这样，修身的人就不再是劝善的榜样，而行为不轨的人轻易就敢冒犯尊长。所以，布施恩惠反而滋生了奸邪，施用暴力反而导致了逆乱，奸邪逆乱的风俗，正是亡国的现象啊。所以，英明君主的治理，国内有被诛杀的人，但是国君不表示愤怒；朝廷有要奖赏的人，但是国君不加以表扬。被杀的人不怨恨君主，因为他罪有应得；获奖的人不感戴君主，因为他因功受赏。人民知道诛杀和奖赏的到来，都是由于自身的缘故,所以都立功建业,不去等待国君赐予。因此,朝廷荒芜没有人迹,田地开辟没有杂草。……君主沉着而不焦躁,百官也就各司其职了。……与其称赞尧而诋毁桀,不如掩蔽聪明,回去修治根本的道。能够清静无为,天会给予他时运。能够清廉节俭,地会为他生长财富。能够大智若愚、崇尚德行,圣人会为他出谋划策。所以啊,谦下的人,万物都会趋附他;虚静的人,天下都会给予他。

夫人主之听治也,①清明而不暗,虚心而弱志。是故群臣辐凑并进,②无愚智贤不肖,莫不尽其能。于是乃始陈其礼,③建以为基。是乘众势以为车,御众智以为马,虽幽野险涂,④则无由惑矣。……乘众人之智,则天下不足有也;专用其心,则独身不能保也。是故人主覆之以德,不行其智,而因万人之所利。……夫乘众人之智,则无不任也。用众人之力,则无不胜也。千钧之重,乌获不能举也,⑤众人相一,⑥则百人有余力矣。是故任一人之力者,则乌获不足恃;乘众人之智者,则天下不足有也。……是以积力之所举无不胜也,而众智之所为无不成也。……

[注释]

①听治:国君听取臣下的建议,进行治理。②辐凑:像车轮的辐条齐聚车轴。③陈:陈列,布置。意思是把礼仪的项目条列出来。④涂:通"途"。⑤钧:古代重量单位,三十斤为一钧。乌获:秦武王时的大力士。⑥相一:一同做事。

[译文]

君王听政,要清明而不能昏聩糊涂,要虚心而不能自以为是。这样,群臣才聚集起来入朝辅佐,无论聪明还是愚昧,贤良还是不才,无不贡献所有的才能。这时候,才可以整顿礼仪,确立为治国的基础。如果像这样凭借众人的力量作为车,驾驭众人的智慧作为马,即使是昏暗的原野、险要的路途,也不会迷惑啊。……凭借众人的智慧，拥有天下也不在话下；刚愎自用，连自己的身躯也不能保全。所以，君主用道德覆盖天下，不是只靠自己的聪明，而是顺应万民的选择。……如果凭借众人的智慧，没有什么不能完成。如果使用众人的力量，没有什么不能胜任。千钧重量，乌获也举不起来；众人一起用力，一百个人就绰绰有余。所以，单靠一个人的力量，就是乌获也不足以依赖；凭借众人的智慧，拥有天下也不在话下。……因此，集聚众人的力量来做事，没有不成功的；集中众人的智慧来做事，没有做不成的。……

人主贵正而尚忠，忠正在上位，执正营事，^①则谗佞奸邪无由进矣。譬犹方员之不相盖，^②而曲直之不相入。夫鸟兽之不可同群者，其类异也。虎鹿之不同游者，力不敌也。是故圣人得志而在上位，谗佞奸邪而欲犯主者，譬犹雀之见鹯，^③而鼠之遇狸也，亦必无余命矣。是故人主之一举也，不可不慎也。所任者得其人，则国家治，上下和，群臣亲，百姓附。所任非其人，则国家危，上下乖，群臣怨，百姓乱。故一举而不当，终身伤。

[注释]

①正：政。营：谋划。②盖：遮盖。③鹯（zhān）：一种似鹞鹰的猛禽。

[译文]

君主看重正直，推崇忠诚，忠诚正直的人在上位执政理事，那么，谗佞奸邪的人就上不去了。就像方和圆不能互相遮盖，曲和直不能彼此吻合一样。鸟和兽不能同群，是因为它们的种类不同。虎和鹿不能同游，是因为它们的力量不相称。所以，圣人得志而处于上位，谗佞奸邪的人想要冒犯君主，就像麻雀看见鹯鹰，老鼠遇到狸猫，一定会没命的。所以君王选择大臣，哪能不谨慎啊！任用的人得当，那么国家安定，上下和睦，群臣爱戴，百姓归附。任用的人不恰当，那么国家危险，上下离心，群臣相怨，百姓叛乱。所以，选择大臣不得当，终身受伤害。

得失之道，权要在主。是故绳正于上，木直于下。非有事焉，所缘以修者然也。故人主诚正，则直士任事，而奸人伏匿矣。人主不正，则邪人得志，忠者隐蔽矣。……故灵王好细腰，①而民有杀食自饥也。②越王好勇，③而民皆处危争死。由此观之，权势之柄，其以移风易俗矣！尧为匹夫，不能仁化一里。桀在上位，令行禁止。由此观之，贤不足以为治，而势可以易俗明矣。……

[注释]

①灵王：楚灵王，公元前541至前529年在位。②杀(shài)：减少。③越王：指勾践，公元前497至前465年在位。

[译文]

得失之道，关键在君主。因此，上面的墨线画得正，下面的木材就端直。没有什么原因，不过依照墨线取直罢了。所以，君王诚实正直，正直的人会担任要职，而奸邪的人会藏起来。如果君王不正直，奸邪的人会得志，忠贞之士就隐退了。……所以，楚灵王喜欢细腰身，百姓就有减少饮食饿自己的。越王勾践崇尚勇敢，百姓都抢先奔赴危险，争着奉献生命。由此看来，掌握了权势，就可以移风易俗啊！尧是一个普通人时，他的仁慈不能教化乡邻。桀是天子，就能够令行禁止。由此看来，只是贤德还不能治理，而权势可以移风易俗，这是很清楚的。……

天下多眩于名声，①而寡察其实。是故处人以誉尊，而游者以辩显。②察其所尊显，无他故焉，人主不明分数利害之地，③而贤众口之辩也。治国则不然，言事者必究于法，而为行者必治于官。④上操其名，以责其实。臣守其业，以效其功。言不得过其实,行不得逾其法。群臣辐凑,莫敢专君。事不在法律中,而可以便国佐治,必参五行之,⑤阴考以观其归,⑥并用周听,以察其化。不偏一曲,不党一事,⑦是以中立而遍运照海内。群臣公正,莫敢为邪。百官述职,务致其公迹也。⑧主精明于上,官劝力于下,奸邪灭迹,庶功日进,是以勇者尽于军。

[注释]

①眩:迷惑。②处人:隐居的人。游者:游说之人。③分数:名分的道理。④为行者:从事政治活动的人。⑤参五:反复比较参验。⑥归:结局,归宿。⑦党:偏私。⑧公迹:功绩。

[译文]

天下人多被名声所迷惑,而很少考察实际情况。所以隐士以名誉受到尊重,游士以辩论获得名声。考察他们之所以受尊重、有名声,没有其他原因,就是因为君主不明白名分与利害的关系,而听从众人的褒贬。治理良好的国家不是这样,在那里,谈论政治一定要懂得法律,从事政务一定要受官府约束。君主掌握着名分,来核查实际情况。臣下谨守本职,以奉献政绩。言语不能超过实际,行为不能超越法律。群臣像车辐汇聚轴心,没有人敢挟制君主。事情不在法律规定之内,但是有利于国家、有助于治理的,一定反复比较着做,暗中察验它的效果。各种方法都用,各种意见都听,来考察它的变化。不偏向某个方面,不袒护某件事情,所以君主处在正中,洞察整个天下。群臣公正,不敢做邪事。百官述职,务求取得政绩。君主在上面明察秋毫,百官在下面勉力做事,奸邪绝迹,各种功绩都实现了,所以勇敢的人都参加军队。

乱国则不然,有众咸誉者,无功而赏,守职者无罪而诛。主上暗而不明,群臣党而不忠。说谈者游于辩,①修行者竞于往。②……大臣专权,下吏持势。朋党周比,以弄其上。国虽若存,古之人曰亡矣。……

[注释]

①说（shuì）谈者：游说之士。②修行者：从事政治活动的人。

[译文]

混乱的国家却不是这样，众人称誉的人，没有功劳也受到奖赏；忠于本职的人，没有罪过却被诛杀。君主昏聩，分辨不清好坏；群臣结成团伙，不忠于君主。游说的人到处游说，从政的人争着做官。……大臣专权，下吏持势。拉帮结伙，折腾君主。这样的国家虽然还存在，古代的人却认为它已经灭亡了。……

权势者，人主之车舆；①爵禄者，人臣之辔衔也。②是故人主处权势之要，而持爵禄之柄，审缓急之度，而适取予之节，是以天下尽力而不倦。夫臣主之相与也，非有父子之厚，骨肉之亲也，而竭力殊死，不辞其躯者，何也？势有使之然也。……夫疾风而波兴，木茂而鸟集，相生之气也。③是故臣不得其所欲于君者，君亦不能得其所求于臣也。君臣之施者，相报之势也。是故臣尽力死节以与君，君计功垂爵以与臣。是故君不能赏无功之臣，臣亦不能死无德之君。……

[注释]

①车舆：比喻君主治国的方法。②辔衔：比喻笼络驾驭群臣的手段。③相生之气：相互助成的趋势或情状。

[译文]

权势，是君主乘坐的车子；爵禄，是君主控制臣下的缰绳和笼头。所以，君主把握着权势的关键，控制着颁爵赐禄的权柄，审视车舆快慢的进度，来调整褫夺和给予的限度，所以天下都尽力拉车，不知疲倦。臣下和君主相处，没有父子的深厚情感和骨肉亲情，臣下却竭尽全力，甚至奉献生命，为什么？是权势造成的啊。

……风势强劲则波涛汹涌,树木茂盛则群鸟云集,这是事物之间彼此烘托啊。因此,臣下不能在君主那里满足欲望,君主也不能在臣下那里提出要求。君臣之间的相互施予,呈互相回报的态势。所以,臣下竭尽全力,奉献生命给君主,君主则根据功劳大小,颁赐爵禄给臣下。所以,君主不能赏赐没有功劳的臣下,臣下也不能为无德的君主而献身。……

尧之有天下也,非贪万民之富,而安人主之位也。以为百姓力征,强凌弱,众暴寡,于是尧乃身服节俭之行,①而明相爱之仁,以和辑之。②是故茅茨不剪,采椽不斫,③大路不画,越席不缘,④大羹不和,粢食不毁,⑤巡狩行教,⑥勤劳天下,周流五岳。岂其奉养不足乐哉?举天下而以为社稷,非有利焉。年衰志悯,⑦举天下而传之舜,犹却行而脱蹝也。⑧

[注释]

①服:做。②和辑:和同,齐一。③茅茨:茅草盖的屋顶。剪:剪。采:通"棵",即柞木。④大路:天子乘坐的大车。路,同"辂"。越:结,束。越(huó)席:编织草席。⑤大(tài)羹:祭祀时所用的肉汁。和:味道醇和。粢(zī):稷。毁(huǐ):舂米。⑥巡狩:古代天子巡行境内。⑦悯:忧愁。⑧却行:倒退而行。蹝(xǐ):鞋。

[译文]

帝尧拥有天下,不是贪图万民的财富,安然享受人主的地位的。他看到百姓以力抗争,强大的欺负弱小的,势众的欺压人少的,于是亲自奉行节俭,向人们昭示相爱的仁心,使人们和谐相处。所以,茅草的屋顶不加修剪,柞木的椽子不加砍削,大车不加文饰,席子不加边缘,祭祀的肉羹不调治,蒸饭的稷米不细舂。巡行境内,推广教化,为了天下辛勤奔波,踏遍了五岳。难道是他的奉养不够用来享乐吗?他是把整个天下当做自己的国家,并不是要从中获取利益。年老体衰，心情忧郁，就把整个天下传给了舜，就像退到坐榻脱去鞋子一样简单。

衰世则不然。一日而有天下之富，处人主之势，则竭百姓之力，以奉耳目之欲。志专在于宫室台榭、陂池苑囿、①猛兽熊罴，玩好珍怪。是故贫民糟糠不接于口，而虎狼熊罴厌刍豢。②百姓裋褐不完，③而宫室衣锦绣。人主急兹无用之功，④百姓黎民憔悴于天下。是故使天下不安其性。

[注释]

①陂（bēi）：池塘。苑囿：畜养禽兽、种植花木供观赏游猎的园林。②糟：酒渣。接：续。厌：充足。刍豢（chú huàn）：食草的牲口为刍，食谷的牲口为豢。③裋褐：粗毛或粗麻织成的短衣。完：完整。④兹：此。

[译文]

衰败的时代不是这样。一旦拥有天下的财富，处于君主的地位，就要用尽老百姓的气力，来满足自己的感官欲望。一心想着的就是宫殿楼台、池塘苑林、猛兽熊罴和珍玩奇物。所以，贫民连糟糠都不够吃，虎狼熊罴却吃腻了牛羊家畜。百姓连粗布短衣都不完整，宫殿里的人却穿着锦衣绣袍。君主关注的是与国计民生无关的事，黎民百姓却疲惫憔悴。所以啊，天下人的本性都不能安适。

人主之居也，①如日月之明也，天下之所同侧目而视，侧耳而听，延颈举踵而望也。②是故非澹薄无以明德，③非宁静无以致远，非宽大无以兼覆，非慈厚无以怀众，非平正无以制断。是故贤主之用人也，犹巧工之制木也，大者以为舟航柱梁，小者以为楫楔，④修者以为櫩榱，⑤短者以为朱儒枅栌。⑥无大小修短，各得其所宜。规矩方圆，各有所施。……

[注释]

①人主之居:人主所处的地位。②延颈举踵:伸长脖子,踮起脚跟。③澹薄:淡泊。④楫:船桨。楔(xiē):楔子,插入木榫缝隙起固定作用的木块。⑤榍(yán):通"檐",屋檐。榱(cuī):椽子。⑥朱儒:梁上的短柱。栌(lú):大柱柱头承托栋梁的方木,也叫斗拱。

[译文]

君主所处的地位,就像日月的光辉,天下人一同侧着眼睛看着,侧着耳朵听着,伸着脖子、踮起脚跟眺望着。所以,(君主)不恬淡,就无法昭明道德;不宁静,就不能怀柔远方;不宽大,就不能完全包容;不慈厚,就不能安抚大众;不平正,就不能裁决判断。所以,贤明的君主任用人才,就像能工巧匠裁锯木头一样,大的用来做大船的柱梁,小的用来做船桨和楔子,长的用来做屋檐的椽子,短的用来做短柱和斗拱。无论大小长短,各有恰当的用途。规矩方圆,各有发挥作用的地方。……

人主者,以天下之目视,以天下之耳听,以天下之智虑,以天下之力争。……得用人之道,而不任己之才者也。故假舆马者,①足不劳而致千里;乘舟楫者,不能游而绝江海。②……人莫得自恣则道胜,③道胜而理达矣,故反于无为。无为者,非谓其凝滞而不动也,以其言莫从己出也。……

[注释]

①假:借。②绝:跨过,越过。③恣:放纵。

[译文]

君主,应该用天下的眼光去看,用天下的耳朵去听,用天下的智慧去思考,用天下的力量去争取。……掌握正确用人的道理,而不专靠自己的才能。所以,借助车马,腿脚不动,就可以到达千里之外;乘坐舟船,不会游泳也能跨越江海。……人不要放纵自己,正道就胜利了，正道胜利了，公理就通行了，因此可以返回"无为"。无为，并不是指僵硬不动，而是说不仅仅从自己出发考虑问题。……

　　法者天下之度量，而人主之准绳也。县法者，①法不法也；设赏者，赏当赏也。……法生于义，②义生于众适，众适合于人心，此治之要也。故通于本者不乱于末，睹于要者不惑于详。法者非天堕，非地生，发于人间而反以自正。是故有诸己不非诸人，无诸己不求诸人。所立于下者，不废于上。所禁于民者，不行于身。所谓亡国，非无君也，无法也。变法者，非无法也，有法者而不用，与无法等。是故人主之立法，先自为检式仪表，③故令行于天下。孔子曰："其身正，不令而行。其身不正，虽令不从。"故禁胜于身，④则令行于民矣。……

[注释]

①县：通"悬"。县法：颁行法令。②义：应当。③检式：法度，标准。仪表：标准，榜样。④胜：克制。

[译文]

　　法，是天下的度量标准，君主的衡量手段。制定法令，是为了惩罚犯法的人；设立奖赏，是为了奖励应该奖励的人。……法生于应当（怎样做），应当出自众人觉得适宜，众人觉得适宜与人心是一致的，这是统治的要领。所以，懂得根本的人，不会在细节上纠缠；看清了要害的人，不会在小事上迷惑。法，不是从天上掉下来的，不是从地下长出来的，而是产生于人间，又反过来校正人们自己。所以，自己具有的，不非议别人没有；自己没有的，不要求别人具有。要求下民奉行的，在上层也有效力。不允许人民做的，自己也不去做。所谓亡国，不是说这个国家没有君主，而是没有法令。改变法令，不是说没有法令，而是有法令而不执行，与没有法令是相同的。所以君主制定法令，首先自己要带头守法，这样法令才能通行天下。孔子说："自身行为端正，不命令，（人们）也会做。自身行为不端正，就是命令，也没有人听从。"所以，禁令能够制约自身，法令就能够在人民中实行。……

人主租敛于民也，①必先计岁收，量民积聚，知饶馑有余不足之数，然后取车舆衣食供养其欲。高台层榭，接屋连阁，非不丽也，然民有掘穴狭庐所以托身者，明主弗乐也。肥酿甘脆，②非不美也，然民有糟糠菽粟不接于口者，则明主弗甘也。匡床蒻席，③非不宁也，然民有处边城、犯危难、泽死暴骸者，④明主弗安也。故古之君人者其惨怛于民也，⑤国有饥者，食不重味；民有寒者，而冬不被裘。岁登民丰，乃始县钟鼓、陈干戚，君臣上下同心而乐之，国无哀人。故古之为金石管弦者，所以宣乐也。兵革斧钺者，所以饰怒也。觞酌俎豆酬酢之礼，⑥所以效善也。衰绖菅屦辟踊哭泣，⑦所以谕哀也。此皆有充于内，而成像于外。

[注释]

①租敛：收取赋税。②酿（nóng）：醇厚的酒。③匡：方正，端正。匡床：方正而安适的床。蒻（ruò）：嫩的香蒲。蒻席：细密的蒲席。④泽死：死于野外。⑤惨怛：哀伤。⑥觞酌：饮酒具，也指饮酒。俎（zǔ）豆：祭祀时盛牛羊等祭品的礼器。酬酢（chóu zuò）：主客之间互相敬酒。⑦菅（jiān）：草名。菅屦：用菅草结成的草鞋。古礼，居丧穿菅屦。辟踊：捶胸顿足。

[译文]

君主向百姓收取租税，必须先计算一年的收成，度量人民的积蓄，知道是丰收还是饥馑，是有余还是不足的数量，然后收取车马衣食等赋税，以满足君主的需要。高台亭榭，宫室相连，不是不壮观，但是人民还有挖土洞藏身、住小草棚的，英明的君主就不会感到快乐。美酒佳肴,不是不美好,但是人民还有连糟糠谷豆都吃不饱的,英明的君主就不会觉得可口。舒适的床、细软的席,不是不舒服,但是人民还有镇守边关、冒险死难、死在野外暴尸荒野的,英明的君主就不会感到安适。因此,古代的君主为人民哀伤,国家有饥饿的人,吃饭就不添菜;人民有挨冻的,冬天就不穿皮衣。年成丰收,人民富足,才开始悬挂钟鼓、陈列干戚,君臣上下同心而乐,这样,国家没有哀伤的人。所以,古代制作金钟、石磬、管弦等乐器,是用来表达欢乐的。制作兵器、甲胄、斧钺等物,是用来修饰愤怒的。举行宴饮、祭祀和交往应酬,是为了表现友好关系的。穿丧服、系麻绳、穿草鞋,顿足痛哭,是为了表达哀伤的。这些都有充实的内涵,才有外在的表现形式。

及至乱主,取民则不裁其力,① 求于下则不量其积。男女不得事耕织之业,以供上之求。力勤财匮,君臣相疾也。故民至于焦唇沸肝,② 有今无储。而乃始撞大钟、击鸣鼓、吹竽笙、弹琴瑟,是犹贯甲胄而入宗庙,被罗纨而从军旅,③ 失乐之所由生矣。……

[注释]

①裁:估量,识别。②焦唇沸肝:形容焦虑痛苦。③贯:穿。罗纨:轻柔的丝织品。

[译文]

到了昏乱君主统治的时候,向人民索取,却不估量他们的财力;要求下面纳贡,却不考虑他们的积蓄。男女不能耕种纺织,来满足统治者的欲求。辛勤劳作,却财物匮乏,君臣之间相互憎恨。因此,人民到了嘴唇干裂、肝火中烧,有今日之食、无明日之蓄的地步。就这样,还要撞大钟、擂大鼓、吹奏竽笙、弹奏琴瑟,就好像穿甲胄进入宗庙,披丝绸从军作战,丧失了音乐的本意。……

食者民之本也，民者国之本也，国者君之本也。是故人君者上因天时，下尽地财，中用人力。是以群生遂长，五谷蕃植。教民养育六畜，①以时种树，务修田畴，滋植桑麻。肥硗高下，②各因其宜。丘陵阪险不生五谷者，③以树竹木。春伐枯槁，夏取果蓏，④秋畜疏食，⑤冬伐薪蒸，⑥以为民资，是故生无乏用，死无转尸。⑦

[注释]

①六畜：指牛马羊猪狗鸡六种牲畜。②硗（qiāo）：贫瘠的土地。③阪：山坡。④蓏（luǒ）：瓜类植物的果实。在木曰果，在地曰蓏。⑤疏：蔬。疏食：蔬菜和粮食。⑥薪蒸：粗柴为薪，细柴为蒸。⑦转尸：尸体被搬运，指死无葬身之地。

[译文]

食物，是人民的根本；人民，是国家的根本；国家，是君主的根本。所以统治者要上应天时，下尽地财，在天地之间，则要利用人的力量。因此，各种生物顺利生长，五谷繁盛。教导人民养育六畜，按照时令种植树木，整治田地，多种桑麻。肥田、瘦土、高地、洼地，分别种植适宜的植物。丘陵高坡不能生长五谷的地方，就用来种植竹木。春天砍去枯树，夏天收获瓜果，秋天储存蔬菜粮食，冬天砍伐木柴，用来满足人民的需要，这样，人民活着不缺乏用品，死后不会没有葬身之地。

故先王之法：畋不掩群，①不取麛夭，②不涸泽而渔，不焚林而猎。豺未祭兽，罝罦不得布于野。③獭未祭鱼，网罟不得入于水。鹰隼未挚，④罗网不得张于溪谷。草木未落，斤斧不得入山林。昆虫未蛰，⑤不得以火烧田。孕育不得杀，鷇卵不得探。⑥鱼不长尺不得取，彘不期年不得食。⑦是故草木之发若蒸气，禽兽归之若流泉，飞鸟归之若烟云，有所以致之也。……

[注释]

①畋（tián）：打猎。掩：尽。②夭（ǎo）：刚刚出生的幼兽。③罝罘（jū fú）：捕兽的网。④挚：攫取。⑤蛰：昆虫伏藏过冬。⑥鷇（kòu）：刚出壳的小鸟。⑦期年：一周年。

[译文]

所以，先王的法令：打猎时不许杀绝成群的野兽，不许杀死小鹿幼兽，不许放干水塘来抓鱼，不许焚烧树林来打猎。豺还没有祭兽，不准在野外张网捕兽。獭还没有祭鱼，不准在水里撒网捕鱼。鹰隼还没有开始捕食，不准在山谷安装捕鸟的罗网。草木没有凋落，不准在山林砍伐树木。昆虫没有伏藏，不准放火烧田。不准杀害怀孕和哺乳的母兽，不准抓刚出壳的幼鸟、取正在孵化的鸟卵。鱼不长到一尺以上不准捕捞，猪没有喂养一年以上不准宰杀。因此，草木的生长发育就像蒸气一样升腾，禽兽的归附就像泉水一样不断，飞鸟归来，像成片的云烟，是因为有招致它们的原因啊。……

遍知万物而不知人道，不可谓智；遍爱群生而不爱人类，不可谓仁。仁者爱其类也，智者不可惑也。仁者虽在断割之中，①其所不忍之色可见也。智者虽烦难之事，其不暗之效可见也。内恕反情，②心之所欲，其不加诸人。由近知远，由己知人，此仁智之所合而行也。小有教而大有存也，小有诛而大有宁也，唯恻隐推而行之，此智者之所独断也。故仁智〔有时〕错，③有时合。合者为正，错者为权，其义一也。……

[注释]

①断割：指宰杀一类的行为。②内恕：存心宽厚。反情：反身追问自己的感受。③错：分开。"有时"二字，据王念孙考订补。

[译文]

全面了解万物却不懂人类的道德规范,不能说有智慧;遍爱各种生物却不爱人类,不能说懂仁爱。仁,就是怜爱同类;智,就是不受迷惑。仁爱的人,即使在做杀戮宰割的事情,他不忍心的神色仍然会表现出来。智慧的人,即使陷在麻烦困难的事务之中,他清醒的头脑仍然在发挥作用。心地宽厚,将心比心,自己的想法,不强加于人。由近知远,由己知人,这是仁爱和智慧的结合运用。小处有所教诲,大处才能不失误;小处有所惩戒,大处才会有安宁。用同情的心去推行,这是智慧的人才能做到的。所以,仁爱和智慧,有时候错开,有时候吻合。吻合是当然的,不吻合是偶然的,道理却是一样的。……

凡人之性,莫贵于仁,莫急于智。仁以为质,智以行之。……不仁而有勇力果敢,则狂而操利剑。①不知而辩慧怀给,②则弃骥而不式。③虽有材能,其施之不当,其处之不宜,适足以补伪饰非,伎艺之众,不如其寡也。……国有以存,人有以生。国之所以存者,仁义是也。人之所以生者,行善是也。国无义,虽大必亡;人无善志,虽勇必伤。

[注释]

①狂而操利剑:狂怒时抓起锋利的刀剑。比喻很危险。②给(jǐ):敏捷。怀给:思维敏捷。③骥:千里马。式:车前用以扶手的横木。弃骥而不式:让千里马自己拉着车跑,又不扶横木。比喻危险。

[译文]

在人的本性中,仁爱是最宝贵的,智慧是最重要的。以仁爱为本质,以智慧来推行仁爱。……不仁而有勇力果敢,就像疯狂的人握着利剑一样。不智慧而能言善辩,心思敏捷,就像(赶马车时)不驾驭快马,又不手扶横木一样。虽然有才能,如果使用不恰当,处置不合适，那就正好助长虚伪，掩饰错误，这样的话，技艺多还不如少呢！……国家有赖以存在的条件，人有赖以生活的理由。国家之所以能够存在的条件，就是仁义。人之所以生活的理由，就是行善。国家没有义，即使强大也会灭亡；人没有善心，即使勇猛也会遭殃。

治国，〔非〕上使，①不得与焉。孝于父母，弟于兄嫂，②信于朋友，不得上令而可得为也。释己之所得为，而责于其所不得制，悖矣。③士处卑隐欲上达，必先反诸己。上达有道，名誉不起而不能上达矣。取誉有道，不信于友不能得誉。信于友有道，事亲不说不信于友。④说亲有道，修身不诚不能事亲矣。诚身有道，心不专一不能诚身。道在易而求之难，验在近而求之远，故弗得也。

[注释]

①"非"：据俞樾考订补。②弟：通"悌"，弟弟顺从兄嫂。③责：要求。悖：荒谬。④说：通"悦"。

[译文]

治理国家，没有主上的派遣，是不能参与的。但是孝顺父母，顺从兄嫂，取信朋友，不必得到主上的命令就可以做。放弃自己能够做的，而要求自己不能掌握的东西，多么荒谬！士人地位低下，无人了解，想要上进，必须从修养自身开始。而上进是有途径的，名誉没有建立，就不可能上进。取得名誉是有方法的，对朋友没有信誉，就不可能获得名誉。取信朋友是有前提的，侍奉父母不和乐，就不能取信于朋友。和乐父母是有原则的，修身不诚，就不能侍奉父母。修身真诚是有准则的，心不专一就不可能真诚修身。道在容易的地方，却到艰难处寻找，效验在身边，却到远方去追求，所以无法得到。

卷 十　缪称训

[题解]

《缪称训》是《淮南子》的第十篇。缪，深奥。称，名。意思是解释称名的奥妙。《要略》说，"缪称者，破碎道德之论，差次仁义之分"。本篇的主题比较分散，基本立场已经转移到儒家。

道，至高无上，至深无下。平乎准，直乎绳，员乎规，方乎矩。包裹宇宙而无表里，洞同覆载而无所碍。①是故体道者，不哀、不乐、不喜、不怒。其坐无虑，其寝无梦。物来而名，事来而应。

主者国之心，心治则百节皆安，②心扰则百节皆乱。故其心治者，支体相遗也。③其国治者，君臣相忘也。黄帝曰："芒芒昧昧，从天之道，与元同气。"故至德者，言同略，事同指。④上下一心，无歧道旁见者，⑤遏障之于邪，开道之于善，⑥而民乡方矣。⑦故《易》曰："同人于野，利涉大川。"⑧

[注释]

①洞同：混沌不分的状态。覆载：像天一样覆盖，像地一样承载。②百节：身体的各个关节，比喻社会的各个方面。③支体：肢体。相遗：相忘。④略：要略，要点。指：通"旨"，意旨。⑤歧道：岔路。旁见：不同的见解。

⑥遏障：阻止。开道：引导。⑦乡（xiàng）：通"向"，趋向。方：方正，正道。⑧"同人于野"二句：语见《周易·同人》卦辞。

[译文]

道，处在最高的位置，没有什么在它之上；处在最深的位置，没有什么在它之下。用水准测量则平，用绳墨测量则直，用规测量则圆，用矩测量则方。包裹整个宇宙而没有内外，覆载一切存在而没有阻碍。所以，领悟了道的人，不悲哀、不欢乐、不喜悦、不愤怒。静坐没有思虑，安睡没有迷梦。事物到来时，叫出一个名字；事情到来时，给予一个回应。

君主是国家的心，心调理好了，身体的所有关节都安宁了；心搅扰了，身体的所有关节都烦乱了。所以，心能够安适，肢体之间互不理会。国家治理好了，君主和臣下也就彼此忘记了。黄帝说："混沌迷蒙，顺从自然之道，不离太初之气。"所以，在最高的道德境界，说话，意思是相同的；做事，目标是一致的。上下一心，没有分歧的道路和不同的见解，能够遏止邪恶，引导善良，于是人民都趋向正直。所以《易》说："在郊野聚合人们，有利于渡过大河。"

道者，物之所导也；①德者，性之所扶也；②仁者，积恩之见证也；义者，比于人心而合于众适者也。③故道灭而德用，德衰而仁义生。故上世体道而不德，中世守德而弗坏也，末世绳绳乎唯恐失仁义。④君子非仁义无以生，失仁义则失其所以生。小人非嗜欲无以活，失嗜欲则失其所以活。故君子惧失仁义，小人惧失利。观其所惧，知各殊矣。……

[注释]

①导：引导，向导。②扶：扶持，支撑。③比：并列，紧靠。众适：众人的心愿。④绳绳：小心谨慎的样子。

[译文]

道,是引导万物的;德,是扶持本性的;仁,是积累恩德的见证;义,与人心一致而符合众人的心愿。所以,道泯灭则德应用,德衰落则仁义产生。所以,上古时代体现道而不用德,中古时代保持德而不破坏它,末世之时,小心翼翼,唯恐丢了仁义。君子没有仁义就无法生存,丧失了仁义就丧失了生存的根据。小人不满足嗜欲就无法活命,丧失了嗜欲就丧失了生活的乐趣。所以君子害怕丧去仁义,小人恐惧失去利益。观察他们怕什么,就知道他们是不同的。……

其施厚者其报美,其怨大者其祸深。薄施而厚望,畜怨而无患者,古今未之有也。是故圣人察其所以往,则知其所以来者。圣人之道,犹中衢而致尊邪,[①]过者斟酌,多少不同,各得其所宜。是故得一人,所以得百人也。人以其所愿于上以交其下,谁弗戴![②]以其所欲于下以事其上,谁弗喜!……

[注释]

①衢:四通八达的道路。中衢:正当路口。致:置。尊:装酒的器具。②戴:尊奉,拥护。

[译文]

施予丰厚的,得到的回报就美好;怨恨巨大的,造成的祸患就深刻。给的少却想回报多,积蓄怨恨却想没有祸患,古今都不会有这样的事。所以圣人观察过去,就知道将来。圣人的做法,就好像在四通八达的路中间设置酒樽,过往的人自己斟饮,喝多喝少不一样,但都得到了适合自己的量。所以,得到了一个人,就得到了一百个人。如果人希望上级如何,就如何对待下级,谁不拥护!要求下级如何,就如何对待上级,谁不乐意!……

圣人在上，则民乐其治，在下则民慕其意。①……慈父之爱子，非为报也，不可内解于心。圣王之养民，非求用也，性不能已。若火之自热，冰之自寒，夫有何修焉！②及恃其力、赖其功者，若失火舟中。……故舜不降席而天下治，③桀不下陛而天下乱。④盖情甚乎叫呼也。无诸己，求诸人，古今未之闻也。同言而民信，信在言前也；同令而民化，诚在令外也。圣人在上，民迁而化，情以先之也。动于上，不应于下者，情与令殊也。……子之死父也，臣之死君也，世有行之者矣，非出死以要名也，恩心之藏于中，而不能违其难也。……

[注释]

①意：指圣人的思想品质。②修：修饰。这里指有意做。③席：古人席地而坐。降席：离开座位。④陛：殿堂的台阶。

[译文]

圣人在上位，人民享受他的统治；在下位，人民仰慕他的志向。……慈父疼爱儿子，不是为了得到报答，而是因为爱心不能消除。圣王护养人民，不是为了使用他们，而是因为本性如此，不能不这样。就像火自己热，冰自己寒，哪里需要刻意装饰呢！等到需要依恃人民的力量、依赖人民的作用时，就像船上失火（，大家同舟共济，挽救危难）。……所以啊，舜不离开座位，天下实现了治理；桀不走下台阶，天下已经大乱。真情比呼叫更有影响力啊。自己没有，却要求别人具备，古今都没有听说过。说同样的话，而人民只相信他，是因为信任在说话之前；发布同样的命令，而人民只听从他，是因为诚心在命令之前。圣人在上位，人民改变自己，听从教化，是因为真情打动了他们。在上面发动，却得不到下面的响应，是因为真实的意图与命令不一致。……儿子为父亲献身，臣下为君主献身，人世间有这样的事，并不是用死来换取名声，而是心中有恩爱的情感，不能回避这样的死难。……

卷十 缪称训

圣人为善，非以求名，而名从之。名不与利期，而利归之。……圣人之为治，漠然不见贤焉，终而后知其可大也。……

[译文]

圣人做善事，不是为了追求名声，而名声跟随而至。不期望用名声获得利益，而利益跟随到来。……圣人的治理，清清净净，没有表现出贤能，到后来才知道可以带来巨大的效果。……

积薄为厚，积卑为高，故君子日孳孳以成辉，①小人日怏怏以至辱。②其消息也，离朱弗能见也。③文王闻善如不及，宿不善如不祥。④……君子不谓小善不足为也而舍之，小善积而为大善。不为小不善为无伤也而为之，小不善积而为大不善。是故积羽沉舟，群轻折轴，故君子禁于微。壹快不足以成善，⑤积快而为德。壹恨不足以成非，积恨而成怨。故三代之善，⑥千岁之积誉也。桀纣之谤，千岁之积毁也。……是故知己者不怨人，知命者不怨天。福由己发，祸由己生。圣人不求誉，不辟诽，⑦正身直行，众邪自息。今释正而追曲，倍是而从众，是与俗俪走，而内行无绳，⑧故圣人反己而弗由也。……

[注释]

①孳孳：努力不懈的样子。②怏怏：郁郁不乐的样子。③消息：消长。离朱：传说中眼睛特别明亮的人。④宿：停留一夜。⑤壹快：一次快乐。⑥三代之善：指夏商周三代开国君主造就的名声。⑦辟：避，回避。⑧俪：并。内行：指内心的行为准则。

[译文]

积累薄，成为厚，积累低，成为高，所以，君子每天孜孜不倦，最终成就了辉煌，小人每天闷闷不乐，最终招致屈辱。其中的消长变化，离朱也看不清。文王听到善行，唯恐落后；不善的事情停留一夜，就好像自己睡在不吉利的东西上。……君子不认为小的善事不值得做就放弃它，小善积累起来就成为大善。不认为小的不善没有危害就去做，小不善积累起来就成为大不善。所以，积累羽毛，能够压沉舟船，积累轻物，能够压断车轴，所以君子警惕细微的地方。一次快乐还不足以成为美好，积累愉悦就成为美德。一次遗憾还不足以成错误，积累遗憾就造成了怨愤。所以，三代的美名，是上千年的赞誉积累起来的。桀纣的恶名，也是上千年的非议积累起来的。……所以，了解自己的人不埋怨别人，懂得命运的人不怨恨上天。福气是自己带来的，灾祸是自己造成的。圣人不追求赞誉，不回避非议，立身端正，行为正直，各种奸邪的事情自然平息。现在放弃正直而追随邪曲，违背正当而随从众人，就是趋从世俗，内心没有行为的准则，因此，圣人返回自身，不会追随世俗。……

天下有至贵，而非势位也；有至富，而非金玉也；有至寿，而非千岁也。原心反性则贵矣，适情知足则富矣，明死生之分则寿矣。言无常是，行无常宜者，小人也。察于一事，通于一伎者，①中人也。兼覆盖而并有之，②度伎能而裁使之者，圣人也。

[注释]

①伎：通"技"，技艺。②并有：全部拥有。

[译文]

天下有最尊贵的东西，却不是权势地位；有最大的富足，却不是拥有金玉；有最长的寿命，却不是活一千岁。推原本心，返回本性，便尊贵了；调适性情，知道满足，就富有了；明白生死有分的道理，就长寿了。言论没有一定的标准，行为没有一定的准则的，是小人。关心一个领域，掌握一门技艺的，是中等的人。兼容覆盖，完全拥有，测度人们的技能并加以适当使用的，是圣人。

卷十一　齐俗训

[题解]

《齐俗训》是《淮南子》的第十一篇。齐俗，齐同风俗。本篇指出风俗和礼义有时代差别和地区差异，并不是永恒不变的，因此儒家"礼义足以治天下"的观点是错误的。本篇反复论述应当以道德来齐同风俗，治理天下，因为只有道才具有最大的包容性。

率性而行谓之道，得其天性谓之德。性失然后贵仁，道失然后贵义。是故仁义立而道德迁矣，礼乐饰则纯朴散矣，是非形则百姓眩矣，①珠玉尊则天下争矣。凡此四者，衰世之造也，末世之用也。

夫礼者，所以别尊卑、异贵贱；义者，所以合君臣、父子、兄弟、夫妻、朋友之际也。今世之为礼者，恭敬而忮；②为义者，布施而德。君臣以相非，骨肉以生怨，则失礼义之本也，故构而多责。③

[注释]

①眩：迷惑。②忮（zhì）：忌恨。③构：纠结。

[译文]

遵循本性而行叫做"道"，获得天性叫做"德"。本性丧失，然后推崇"仁";大道丧失,然后重视"义"。所以,仁义建立的时候,道德已经迁变了;礼乐修饰的时候,纯朴已经消散了;是非观念形成,老百姓就惑乱了;珍珠玉石宝贵了,天下就有了纷争。这四种东西,是在衰世产生的,而在末世得到了应用。

礼,是用来区别尊卑、划分贵贱的;义,是用来协调君臣、父子、兄弟、夫妻、朋友之间的关系的。如今行礼的人,外表恭敬而内心嫉恨;为义的人,布施恩惠,想的却是回报。君臣因此互相非难,骨肉因此互相埋怨,这样就丧失了礼义的本来意义,所以彼此构怨,相互指责。

夫水积则生相食之鱼,土积则生自肉之兽,①礼义饰则生伪匿之本。②夫吹灰而欲无眯,涉水而欲无濡,不可得也。

古者民童蒙不知东西,③貌不羡乎情,而言不溢乎行。④其衣暖而无文,其兵铢而无刃,⑤其歌乐而无转,其哭哀而无声。凿井而饮,耕田而食,无所施其美,亦不求得。亲戚不相毁誉,朋友不相怨德。

及至礼义之生,货财之贵,而诈伪萌兴,非誉相纷,怨德并行,于是乃有曾参、孝己之美,⑥而生盗跖、庄跷之邪。⑦……

[注释]

①自肉之兽:自相残杀的动物。②匿(tè):同"慝",邪恶。③童:儿童。蒙:无知。④羡:超出。溢:超出。⑤铢:钝。⑥曾参:孔子弟子,有孝名。孝己:殷高宗之子,古代著名的孝子。⑦盗跖:春秋末期的大盗。《庄子》中有《盗跖》篇。庄跷:战国时楚国大盗。

[译文]

积水成潭,生出了相互吞食的鱼儿;积土成山,生出了相互残杀的野兽;礼义修饰,就是产生虚伪邪恶的根源啊。吹灰而想不眯眼,涉水而想不湿足,是不可能的。

古时候，人民幼稚无知，分不清东南西北，外表与内心一致，言语与行为一致。衣服保暖而没有文饰，兵器钝厚而没有锋刃，歌声快乐而不婉转，哭声悲哀而没有腔调。凿井而饮，耕田而食，没有什么需要修饰，也不追求这些东西。亲戚之间不诋毁或赞誉，朋友之间不怨恨或感恩。

等到礼义产生，看重财物的时候，欺骗和虚伪就出现了，非议和赞誉相互错杂，怨恨和感恩同时流行，这样才有了曾参、孝己的美德，产生出盗跖、庄蹻的邪恶。……

虾蟆为鹑，[①]水蚤为䗪，[②]皆生非其类，唯圣人知其化。夫胡人见黂，[③]不知其可以为布也。越人见毳，不知其可以为旃也。[④]故不通于物者，难与言化。昔太公望、周公旦受封而相见，[⑤]太公望问周公曰："何以治鲁？"周公曰："尊尊、亲亲。"太公曰："鲁从此弱矣。"周公问太公曰："何以治齐？"太公曰："举贤而上功。"周公曰："后世必有劫杀之君。"其后齐日以大，至于霸，二十四世而田氏代之。[⑥]鲁日以削，至三十二世而亡。故《易》曰："履霜坚冰至。"[⑦]圣人之见终始微言。故糟丘生乎象箸，[⑧]炮烙生乎热斗。[⑨]子路撜溺而受牛谢，[⑩]孔子曰："鲁国必好救人于患。"子赣赎人而不受金于府，[⑪]孔子曰："鲁国不复赎人矣。"子路受而劝德，子赣让而止善。孔子之明，以小知大，以近知远，通于论者也。……

[注释]

①虾蟆：青蛙和蟾蜍。鹑：一种鸟。古人迷信，以为老虾蟆会变成鹑。②水蚤（chài）：蜻蜓的幼虫。䗪：同"蠚（cì）"：毛虫。这里指蜻蜓。③黂（fén）：一种粗麻。④毳（cuì）：鸟兽的细毛。旃：通"毡"。⑤太公望：即姜太公。建立周朝后被封于齐，为齐国始祖。周公旦：姬旦，周武王弟，建国后被封于鲁。⑥田氏：指田成子，春秋时齐国贵族。齐简公四年，杀简公，任

相国,从此田氏专政。⑦语见《周易·坤》爻辞。⑧糟丘:酿酒的酒渣堆成山丘。糟,酒渣。箸:筷子。⑨热斗:熨斗。据说纣见熨斗可以烫坏人手,于是作炮烙之刑。⑩子路:孔子弟子。撜(zhěng)溺:拯救溺水者。撜,同"拯",拯救。⑪子赣:即子贡,孔子弟子。赎人:据《道应训》:"鲁国之法:鲁人为人妾于诸侯,有能赎之者,取金于府。"

[译文]

　　蛤蟆变成鹑鸟,水虿长成蜻蜓,都是从不同的东西生长出来的,只有圣人明白其中的变化。胡人看见粗麻,不知道可以织成布。越人看见细毛,不知道可以做成毡。所以,不透彻地了解事物,很难与他谈论变化。从前,太公望、周公旦受封之后,见面时太公望问周公说:"怎么样治理鲁国?"周公说:"尊敬尊长,亲爱亲人。"太公说:"鲁从此要衰弱了。"周公问太公:"怎么样治理齐国?"太公说:"推举贤能,崇尚功劳。"周公说:"后代一定有被弑杀夺权的君主。"后来,齐国一天天强大,直到成为霸主,传了二十四代,田氏取而代之。鲁国一天天衰弱,传了三十二代灭亡。所以《易》说:"脚踩薄霜,知道坚冰就要到来。"这是圣人看见开端就知道结果的精微之言啊。所以,成堆的酒渣是从一双象牙筷子开始的,炮烙的酷刑是从熨斗演变来的。子路拯救溺水的人,接受了赠牛的谢礼,孔子说:"鲁国人一定愿意拯救患难的人。"子贡在别国赎回鲁国人,却不去官府领取赎金,孔子说:"鲁国人不再愿意赎人了。"子路接受谢礼,是鼓励德行;子贡辞让赎金,却停止了善行。孔子的洞察力,从小事看到了大事,从近处看到了远处,是通晓道理的人啊。……

　　愚者有所修,智者有所不足。柱不可以摘齿,①筳不可以持屋,②马不可以服重,牛不可以追速,铅不可以为刀,铜不可以为弩,铁不可以为舟,木不可以为釜。各用之于其所适,施之于其所宜,即万物一齐,而无由相过。夫明镜便于照形,其于以函食不如箪。③牺牛粹毛,宜于庙牲,④其于以致雨,不若黑蜧。⑤由此观之,物无贵贱,因其所贵而贵之,物无不贵也;因其所贱而贱之,物无不贱也。……

[注释]

①摘:通"剔"。②筳:当作"莛(tíng)",草棍。③函:容,装。箪(dān):盛饭的圆形竹器。④牺牛:祭祀时用作牺牲的牛。粹毛:毛色纯正不驳杂。庙牲:庙堂祭祀用的牲畜。⑤黑蜧(lì):传说中能兴风雨的神蛇。

[译文]

愚笨的人也有长处,智慧的人也有不足。木柱不能用来剔牙,草棍不能用来撑屋,马不能负重,牛不能快跑,铅不可以制成刀,铜不可以制成弩,铁不能用来造船,木不能用来做锅。各自用在自己适当的地方,放置在恰当的位置,万物就齐同了,就没有理由彼此指责了。明镜适合用来照人,用来装食物就不如箪盒。祭祀用的牛毛色纯正,适宜作庙堂的祭品,但用来求雨,就不如黑蜧。由此看来,事物没有贵贱,从它贵重的方面来看,万物没有不贵重的;从它卑贱的方面来看,万物没有不卑贱的。……

尧之治天下也,舜为司徒,①契为司马,②禹为司空,③后稷为大田师,④奚仲为工。⑤其导万民也,水处者渔,山处者木,谷处者牧,陆处者农。地宜其事,事宜其械,械宜其用,用宜其人。泽皋织网,⑥陵阪耕田。得以所有易所无,以所工易所拙。是故离叛者寡,而听从者众。譬若播棋丸于地,⑦员者走泽,方者处高,各从其所安,夫有何上下焉!……是故邻国相望,鸡狗之音相闻,而足迹不接诸侯之境,车轨不结千里之外者,皆各得其所安。

[注释]

①司徒：官名，掌管土地和人民。②契：传说中商的始祖，其母简狄，吞燕卵而生契。司马：官名，掌管军事。③司空：官名，掌管工程建筑。④后稷：传说中周的始祖，其母姜嫄，踩巨人的脚印而生稷。大田师：官名，掌管农业。⑤奚仲：人名，传说是车的发明者。工：即工正，工师，掌管百工。⑥皋（gāo）：沼泽。⑦播：撒。棋丸：棋子。

[译文]

尧治理天下的时候，舜担任司徒，契担任司马，禹担任司空，后稷担任大田师，奚仲担任工师。他们引导人民，让住在水边的打鱼，住在山上的伐木，住在山谷的放牧，住在平原的务农。土地安排了恰当的用途，用途以恰当的器械来实现，器械有恰当的操作方式，由恰当的人来使用。湖泽地区织网捕捞，山陵坡地开辟耕地。人们能够用自己有的，交换没有的；以自己擅长的，交换不会做的。因此，离叛的人少，而听从的人多。就像往地上撒棋子，圆的滚到低洼处，方的停在高处，各自安于自己的位置，哪有什么上下的分别呢！……所以，邻国相互看得见，鸡犬之声彼此听得到，但是，足迹不会印在别人的国土上，车轨不会达到千里之外，因为他们各自安于自己的生活。

故乱国若盛，治国若虚，亡国若不足，存国若有余。虚者非无人也，皆守其职也。盛者非多人也，皆徼于末也。^①有余者非多财也，欲节事寡也。不足者非无货也，民躁而费多也。故先王之法籍非所作也，^②其所因也。其禁诛非所为也，其所守也。

[注释]

①徼（yāo）：求取。末：古代社会以农为本，以商为末，末在这里指市场。②法籍：法令典籍。

[译文]

所以，动乱的国家好像很兴盛，安定的国家好像很空虚，灭亡的国家总是财用不足,安定的国家往往很丰裕。空虚的不是没有人,而是安守在各自的职位上。兴盛的不是人众多,而是都在市场上。有余的不是财富多,而是欲望有节制、事务少。不足的不是缺财货,而是人民躁动、开支多。所以先王的法令典籍,并不是他们的创制,而是因循已经通行的。先王采取禁止和诛杀措施,并不是他们想要这样做,而是遵照已经有的做法。

凡治物者,不以物,以睦;①治睦者,不以睦,以人;治人者不以人,以君;治君者不以君,以欲;治欲者不以欲,以性;治性者不以性,以德;治德者不以德,以道。原人之性,芜秽而不得清明者,②物或堁也。③

[注释]

①睦:通"陆",土地。②芜秽:混杂污秽。③堁(kè):尘土。这里作动词。

[译文]

大凡治理万物,不在万物本身,而在于土地;治理土地,不在土地本身,而在于人;治理人民,不在人民本身,而在于君主;制约君主,不在君主本身,而在于欲望;节制欲望,不在欲望本身,而在于本性;修养本性,不在本性本身,而在于德;培养德,不在德本身,而在于道。考察人的本性,之所以杂乱肮脏而不能清洁明朗,就是因为外物像灰尘一样蒙蔽了它。

羌、氐、僰、翟、①婴儿生皆同声,及其长也,虽重象狄鞮,②不能通其言,教俗殊也。今三月婴儿,生而徙国,则不能知其故俗。由此观之,衣服礼俗者,非人之性也,所受于外也。夫竹之性浮,残以为牒,③束而投之水则沉,失其体也。金之性沉,托之于舟上则浮,势有所支也。夫素之质白,染之以涅则黑。④缣之性黄,⑤染之以丹则赤。人之性无邪,久湛于俗则易。⑥易而忘本,合于若性。故日月欲明,浮云盖之;河水欲清,沙石濊之;人性欲平,嗜欲害之。惟圣人能遗物而反己。

[注释]

①羌(qiāng):古代西部民族名。氐(dī):古代西部民族名。僰(bó):古代西南地区民族名。翟(dí):古代北方民族名。②象、狄鞮(tí):古代的翻译官。《礼·王制》:"五方之民,言语不通,嗜欲不同。达其志,通其欲,东方曰寄,南方曰象,西方曰狄鞮,北方曰译。"③牒:竹片。④素:白色的生绢。涅:一种黑色的染料。⑤缣(jiān):双丝的细绢。⑥湛(dān):过度逸乐。

[译文]

羌、氐、僰、翟部族的婴儿,出生时的哭声是一样的,等他们长大了,虽然经过几次翻译,还是不能懂得他们的语言,因为他们的教养和习俗不同。如果三个月大的婴儿,生下来就迁移到别的国家,那他就不知道故国的风俗了。由此看来,衣服礼仪风俗,并不是从人的本性而来,而是受环境影响而养成的。竹子的特性是漂浮水面,但是削成竹片,绑成一捆投入水中,会往下沉,因为它的特性被改变了。金属的特性是沉底,但是放在船上,就浮在水面了,因为它下沉的趋势被托起来了。素绢是白的,用黑染料一染,就黑了。黄绢是黄的,用朱砂一染,就红了。人的本性是没有邪恶的,长时间沉溺在世俗之中,就被改变了。改变以后忘掉了本性,(养成的习气)就像是本性一样。所以,日月要放光明,浮云遮盖了它;河水想要清澈,沙石浑浊了它;人性想要平静,嗜欲损害了它。只有圣人能够抛弃外物,返回本性。

夫乘舟而惑者,不知东西,见斗极则寤矣。①夫性亦人之斗极也,以有自见也,则不失物之情;无以自见,则动而惑营。②

……夫纵欲而失性，动未尝正也。以治身则危，以治国则乱，以入军则破。③是故不闻道者无以反性。故古之圣王能得诸己，故令行禁止，名传后世，德施四海。……

[注释]

①斗：北斗星。极：北极星。寤：通"悟"。②营：惑乱。③入军：指挥军队。

[译文]

乘船航行迷失了方向，辨不清东西，看见北斗星和北极星就清楚了。本性也是人的北斗北极啊，看得见它，就不会看不清万物的真实情况；看不见它，任何行动都会错乱。……放纵欲望而丧失本性，行动不可能端正。这样来治理身心是危险的，治理国家会造成混乱，指挥军队会导致失败。所以，不懂得道就不知道如何返回本性。古代圣王能够持守本性，所以有令必行，有禁必止，名声流传后世，德泽遍及四海。……

礼者，实之文也；仁者，恩之效也。故礼因人情而为之节文，而仁发併以见容。①礼不过实，仁不溢恩也，治世之道也。夫三年之丧，②是强人所不及也，而以伪辅情也。三月之服，③是绝哀而迫切之性也。夫儒墨不原人情之终始，而务以行相反之制。五缞之服，④悲哀抱于情，葬埋称于养。不强人之所不能为，不绝人之所能已。度量不失于适，诽誉无所由生。

[注释]

①併(pēng)：流露，形于颜色。②三年之丧：儒家主张的丧礼制度，要求为君父服丧三年。③三月之服：指服丧期只有三个月。④五缞(cuī)：古代的丧服制度，以亲疏为差等，有服丧三年、一年、九个月、五个月、三个月五等。

[译文]

礼，是实质的文饰；仁，是恩德的体现。所以礼顺应人情，也规范和修饰人情；仁流露内心情感，展现在容色上。礼不超过实际，仁不超过恩情，这是治世的做法。服丧三年，是强迫人做难以做到的事，用虚伪的形式掩饰真情。服丧三个月，是强行断绝人的哀情，压抑人的本性。儒墨不追究人情的实际情况，一味推行相反的制度。而有差等的服丧制度，才能做到悲哀与真情一致，安葬与供养相称。不强迫人做难以做到的事，不断绝人能够自己中止的事。度量不偏离适宜，诽谤和赞誉都没有理由产生了。

古者非不知繁升降槃还之礼也，①蹀《采齐》、《肆夏》之容也，②以为旷日烦民而无所用，故制礼足以佐实喻意而已矣。古者非不能陈钟鼓、盛管箫、扬干戚、奋羽旄，③以为费财乱政，制乐足以合欢宣意而已，喜不羡于音。④非不能竭国麋民，⑤虚府殚财，含珠鳞施，⑥纶组节束，⑦追送死也，⑧以为穷民绝业，而无益于槁骨腐肉也，故葬埋足以收敛盖藏而已。昔舜葬苍梧，市不变其肆。⑨禹葬会稽之山，⑩农不易其亩。明乎死生之分，通乎侈俭之适者也。乱国则不然，言与行相悖，情与貌相反；礼饰以烦，乐优以淫；崇死以害生，久丧以招行；⑪是以风俗浊于世，而诽誉萌于朝，是故圣人废而不用也。义者循理而行宜也，礼者体情制文者也，义者宜也，礼者体也。……故明主制礼义而为衣，分节行而为带。衣足以覆形，便身体，适行步，不务于奇丽之容，隅眦之削。⑫带足以结纽收衽，⑬束牢连固，不亟于为文句疏短之鞸。⑭故制礼义、行至德，而不拘于儒墨。

[注释]

①繁：增加。槃还：盘旋。②《采齐》、《肆夏》：皆乐舞名。③扬干戚、奋羽旄：古代舞蹈，武舞用干戚，文舞用羽旄。④羡：超出。⑤麋：同"糜"，损害。⑥含珠：把玉珠放在死者口中。鳞施：用玉片编成玉衣，穿在死者身上。⑦纶：丝绵。组：丝带。节束：捆束。纶组节束：用丝绵包裹尸

体，用丝带捆扎起来。⑧遣：饯送。⑨苍梧：山名，在今湖南宁远县境，相传舜葬于此。肆：店铺。⑩会稽：山名，在今浙江绍兴东南，相传禹葬于此。⑪招：张扬，标榜。⑫眦（zì）：衣领交接处。隅眦：衣领、衣襟等处的斜角。削：剪裁。⑬衽（rèn）：衣襟。收衽：提束衣襟。⑭文：文采。句：曲。疏短：形容花纹的稀疏简短。

[译文]

古时候，不是不知道进退周旋的礼节，踏着《采齐》、《肆夏》的舞步，而是认为这样荒废时间、烦扰人民，又没有什么用处，所以制定礼仪只要能够辅佐真情、表达心意就行了。古时候，不是不能够陈设钟鼓、排列管箫、高扬干戚、挥动羽旄，而是认为这样浪费钱财，扰乱政治，所以制定乐曲只要能够娱乐大众、表达情意就行了，欢乐的情感不必用过度的乐曲来表达。不是不能够竭尽国力、损害百姓、用空国库、费尽资财，让死者口含玉珠，身着玉衣，用丝绵丝带捆束好，举行仪式告别死者，而是认为这样会使人民穷困，百业荒废，对于埋在地下的槁骨腐肉又没有什么用处，所以，埋葬只要能收敛尸身掩藏尸体就行了。过去舜埋葬在苍梧，市面上照常营业。禹埋葬在会稽山，农人照样耕作。他们明白生死的本义，所以知道奢侈和节俭的分寸。混乱的国家则不是这样，（在那里）说的和做的不同，心情和容色相反；礼节繁琐，音乐淫荡；看重丧事，以致妨碍了活人的生活，守丧时间长，以此来获取孝子的名声。因此，社会风俗浑浊，朝廷弥漫着诽谤或赞誉，所以圣人废弃不用（这样的礼节）。义，是遵循道理而行为恰当，礼，是体现感情而加以文饰，义是适宜，礼是体现。……所以英明的君主制定礼义就像做衣服一样，分别操行就像制衣带一样。衣服能够掩盖形体，使身体舒适，方便行走就行了，不追求奇丽的外表和裁剪的考究。衣带能够结成纽扣，收束衣襟，束得牢靠，连得结实就行了，不急于制作文采繁复和疏短有致的鞋子。所以，制定礼义，推行高妙的道德,不必拘泥于儒家和墨家的理论。

所谓明者,非谓其见彼也,自见而已。所谓聪者,非谓闻彼也,自闻而已。所谓达者,非谓知彼也,自知而已。是故身者,道之所托,身得则道得矣。道之得也,以视则明,以听则聪,以言则公,以行则从。故圣人裁制物也,犹工匠之斫削凿枘也,①宰庖之切割分别也,曲得其宜而不折伤。拙工则不然,大则塞而不入,小则窕而不周。②动于心,枝于手而愈丑。③夫圣人之斫削物也,剖之、判之、离之、散之,已淫已失,复揆以一。④既出其根,复归其门。已雕已琢,遂反于朴。合而为道德,离而为仪表。其转入玄冥,其散应无形。礼义节行,又何以穷至治之本哉!

[注释]

①斫(zhuó):砍削。凿:榫头。枘:榫眼。②窕(tiǎo):不充满,有空隙。③枝:散。④揆(kuí):管理。

[译文]

所谓明,不是说能看见别人,而是指能看清自己。所谓聪,不是说能听到别人,而是指能听到自己。所谓达,不是说能了解别人,而是指能了解自己。所以啊,身体是道的寄托处,能自得其身,也就体悟到道了。体悟了道,去看,能够看得明;去听,能够听得清;去说,能够说得公允;去做,能够通行无阻。所以圣人裁制万物,就像木匠砍削榫头,厨师宰杀牛羊一样,大小合适,又不折断刀刃。笨拙的工匠却不是这样,要么大了,塞不进榫眼;要么小了,塞不满榫眼。心里着急,手上的动作更加慌乱,活计越做越坏。而圣人砍削万物,破开、分成两半、离析、散布四方。已经散开了,又能合成一个整体。已经离开了,又能重新回来。已经雕凿过了,又能复归朴质。综合便成为道德,分散便成为仪表。转动进入了昏暗,散逸回应着无形。礼义和节行,哪里能够穷尽完善政治的根本呢!

世之明事者多离道德之本,曰:"礼义足以治天下。"此未可与言术也。所谓礼义者,五帝三王之法籍,风俗一世之迹也。……夫以一世之变,欲以耦化应时,譬犹冬被葛而夏被裘。夫一仪不可以百发,一衣不可以出岁。①仪必应乎高下,衣必适乎寒暑。是故世异则事变,时移则俗易。故圣人论世而立法,随时而举事。尚古之王封于泰山,禅于梁父,②七十余圣,法度不同。非务相反也,时世异也。是故不法其已成之法,而法其所以为法。所以为法者,与化推移者也。夫能与化推移为人者,至贵在焉尔。……故曰,得十利剑,不若得欧冶之巧。③得百走马,不若得伯乐之数。④朴至大者无形状,道至眇者无度量。故天之圆也不得规,地之方也不得矩。往古来今谓之宙,四方上下谓之宇。道在其间而莫知其所。故其见不远者,不可与语大;其智不闳者,⑤不可与论至。……

[注释]

①仪:弓弩上安装的用以瞄准的标尺。出岁:跨年。②尚:上。封:古代天子在泰山祭天,称封。禅:在泰山祭天之后,在梁父祭地,称禅。③欧冶:春秋时人,善铸剑。④伯乐:春秋时人,善相马。⑤闳:宏大。

[译文]

世上所谓明白事理的人,多偏离了道德的根本,他们说:"礼义足以治理天下。"这样的人,不可以与他们谈论治理的方式。所谓礼义,不过是五帝三王的法令典籍,过去风俗留下的痕迹罢了。……希望一个时代的特殊风尚,完全符合变化了的时代,就像冬天穿葛布、夏天穿皮衣一样。一个箭把头,不能射一百次箭;一件衣服,不能穿一年多。箭把头必须按照高低的要求来调整,衣服必须根据季节的寒暑来更换。所以，社会不同了，事情也要改变；时代改变了，风俗也要变化。所以圣人根据世道来设立法规，顺应时代来安排事务。上古时候的君主，在泰山祭天，在梁父祭地，有七十多位圣王，祭祀的方式各不相同。不是他们有意相反，而是因为世道和时代变了。因此，不效法他们已经有的法规，要效法他们制定法规的原则。而制定法规的原则，就是要顺应变化而变化啊。能够顺应变化而变化的人，最珍贵的东西就在其中了。……所以说，得到十把利剑，不如得到欧冶的技巧。得到一百匹快马，不如得到伯乐的技艺。朴，至大而没有形状；道，微妙而不可度量。所以，天是圆的，却不能用圆规来度量；地是方的，却不能用方矩来测量。从古到今叫做宙，四方上下叫做宇。道在其间，却找不到它的位置。所以啊，见识不远的人，不要与他们谈论大事情；智慧不宏大的人，不要与他们谈论高妙的理论。……

天下是非无所定，世各是其所是，而非其所非。所谓是与非各异，皆自是而非人。由此观之，事有合于己者，而未始有是也；有忤于心者，而未始有非也。故求是者非求道理也，求合于己者也；去非者非批邪施也，①去忤于心者也。忤于我，未必不合于人也。合于我，未必不非于俗也。至是之是无非，至非之非无是，此真是非也。若夫是于此而非于彼，非于此而是于彼者，此之谓一是一非也。此一是非，隅曲也，彼一是非，宇宙也。今吾欲择是而居之，择非而去之，不知世之所谓是非者不知孰是孰非？……故宾有见人于宓子者，②宾出，宓子曰："子之宾独有三过：望我而笑，是擢也；③谈语而不称师，是返也；交浅而言深，是乱也。"宾曰："望君而笑，是公也；谈语而不称师，是通也；交浅而言深，是忠也。"故宾之容一体也，或以为君子，或以为小人，所自视之异也。……

[注释]

①批：排除。②宾：宾客门人。见（xiàn）：同"荐"，推荐。宓子：人名。③攓（qiān）：拔取。这里是不恭敬的意思。

[译文]

天下的是非没有固定的标准，世人各自肯定他们认为正确的，而否定他们认为不对的。他们所说的对与不对各不相同，但都认为自己是对的，认为别人是不对的。由此看来，事情有符合自己心愿的，未必有正确的；有违背心愿的，未必有错误的。所以，追求正确，并不是在追求真理，而是在寻找符合自己心愿的东西；抛弃错误，并不是排除了邪恶，而是排除了违背自己心愿的东西。违逆我，未必不符合别人；适宜我，未必不被世俗非议。最正确的正确没有错误，最错误的错误没有正确，这才是真正的是非。如果在这里是对的，在那里是错的，或者在这里是错的，在那里是对的，不过是有一个对有一个错而已。这样的是非，是片面的，而真正的是非放之四海而皆准。现在我想选择对的来保持，选择错的来抛弃，但不知道世人所说的是非，哪个是真对，哪个是真错？……宓子的门人向他推荐人，客人走后，宓子说："您推荐的人有三个过失：望见我就笑，这没有礼貌；谈话时不引用老师的话，这是背叛；交往浅而谈论深，这是悖乱。"门人说："望见您就笑，这是平和；谈话时不引用老师的话，这是通达；交往浅而谈论深，这是忠诚。"客人的举止是一样的，或者认为他是君子，或者认为他是小人，是因为看待他的角度不同啊。……

今世俗之人以功成为贤，以胜患为智，以遭难为愚，以死节为戆。①吾以为各致其所极而已。王子比干非不知箕子被发佯狂，以免其身也，②然而乐直行尽忠以死节，故不为也。伯夷、叔齐非不能受禄任官，③以致其功也，然而乐离世伉行以绝众，故不务也。许由、善卷非不能抚天下、^④宁海内，以德民也，然而羞以物滑和，^⑤故弗受也。豫让、要离非不知乐家室、安妻子以偷生也，^⑥然而乐推诚行，必以死主，故不留也。今从箕子视比干，则愚矣；从比干视箕子，则卑矣。从管、晏视伯夷，^⑦则戆矣；从伯夷视管、晏，则贪矣。趋舍相非，嗜欲相反，而各乐其务，将谁使正之！……故惠子从车百乘，以过孟诸，^⑧庄子见之，弃其余鱼。鹈胡饮水数斗而不足，鳝鲔入口若露而死。^⑨智伯有三晋而欲不赡，^⑩林类、荣启期衣若县衰而意不慊。^⑪由此观之，则趣行各异，何以相非也！

夫重生者不以利害己，立节者见难不苟免，贪禄者见利不顾身，而好名者非义不苟得。此相为论，譬犹冰炭钩绳也，何时而合！若以圣人为之中，则兼覆而并之，未有可是非者也。……故以道论者，总而齐之。……

[注释]

①戆（gàng）：愚而刚直。②比干、箕子：比干谏纣，被纣剖心而死。箕子装疯，被纣囚禁，周武王灭纣，释放了箕子。③伯夷、叔齐：周初贤人，不赞成武王伐纣，后隐居，不食周粟而死。④许由、善卷：传说中的隐士。传说尧曾让位于许由，舜让位于善卷，二人皆不受而去。⑤滑（gǔ）：乱。⑥豫让：著名刺客，为智伯报仇，刺杀赵襄子，失败后自杀。要离：著名刺客，为吴公子光刺杀庆忌，事成后自杀。⑦管、晏：管仲、晏婴，皆齐国相。⑧惠子：惠施，战国名家代表人物，与庄子多有交往。孟诸：古泽名。⑨鹈胡：即鹈鹕（tí hú），一种水鸟。鲔（wěi）：鲟鱼。古人认为鳝、鲟不能喝水。若露：像一滴露水那样多。⑩智伯：晋国卿，把持国政，并拥有最大领地。赡：充裕，足够。⑪林类、荣启期：古代隐士。县衰：衣衫褴褛。慊（qiàn）：憾，不满。

[译文]

现在，世俗之人以功成名就为贤能，以战胜祸患为智慧，以遭遇死难为愚蠢，以舍生成义为戆直。我认为，这只是各自实现自己的追求而已。王子比干并不是不知道像箕子那样披散头发装疯可以免除杀生之祸，然而他愿意行为正直、竭尽忠心，为节义而死，所以不会像箕子那样做。伯夷和叔齐并不是不能接受俸禄、担任官职，做出政绩来，然而他们愿意远离世俗、保持高洁，与众人不一样，所以不去做官。许由和善卷并不是不能安抚天下、清静海内，造福人民，然而他们不愿意用外物来破坏内心的平和，所以不接受尧、舜的禅让。豫让和要离并不是不知道享受家庭幸福、安乐妻子儿女，就这样静静地度过一生，然而他们愿意奉行忠诚，一定要为主人献身，所以不留恋生命。现在从箕子的角度来看比干，比干是不聪明的；从比干的角度看箕子，箕子是不高尚的。从管仲、晏婴的角度来看伯夷，伯夷是戆直的；从伯夷的角度看管仲、晏婴，管仲、晏婴是贪婪的。他们的取舍不同，嗜欲相反，但是各自享受自己的作为，谁能判定哪位是正确的！……所以，惠施带着一百辆车经过孟诸，庄子看见了，丢弃了多余的鱼。鹈鹕饮水数斗还不够，黄鳝和鲟鱼有一小滴水进入口中就会死去。智伯拥有三晋，欲望还不满足；林类、荣启期衣衫褴褛，心中却没有什么遗憾。由此看来，趣味和行为各不相同，怎么能够相互非议呢！

　　重视生命的人，不会因为利益而损害自己；树立节行的人，不会因为危险而苟且躲避；贪图利禄的人，看到利益会奋不顾身；爱好名誉的人，不符合正义绝不乱拿。比较而论，它们就像冰炭钩绳一样，怎么可能吻合！如果圣人对它们进行调和，完全覆盖，全部拥有，就没有是非的对立了。……所以从道的立场展开议论，才可以总括而齐同它们。……

卷十二　道应训

[题解]

《道应训》是《淮南子》的第十二篇。道，大道。应，应用。本篇展示大道的应用，用了五十六段故事来解说道家理论，除解说《庄子》、《慎子》和《管子》各有一段，其余都是解说《老子》。形式上是先叙述一个故事，然后用"故《老子》曰"作结，以表达道理的实际应用。这里选择其中的二十二则故事。

太清问于无穷曰：①"子知道乎？"无穷曰："吾弗知也。"

又问于无为曰："子知道乎？"无为曰："吾知道。""子之知道亦有数乎？"②无为曰："吾知道有数。"曰："其数奈何？"无为曰："吾知道之可以弱，可以强；可以柔，可以刚；可以阴，可以阳；可以窈，可以明；可以包裹天地，可以应待无方。③此吾所以知道之数也。"

太清又问于无始曰："乡者吾问道于无穷，曰'吾弗知之'。又问于无为，无为曰'吾知道'。曰：'子之知道亦有数乎？'无为曰：'吾知道有数。'曰：'其数奈何？'无为曰：'吾知道之可以弱，可以强；可以柔，可以刚；可以阴，可以阳；可以窈，可以明；可以包裹天地，可以应待无方。吾所以知道之数也。'若是则无为知，与无穷之弗知，孰是孰非？"

无始曰："弗知之深而知之浅，弗知内而知之外，弗知精而知之粗。"

太清仰而叹曰："然则不知乃知邪？知乃不知邪？孰知知之为弗知，弗知之为知邪？"

无始曰："道不可闻，闻而非也。道不可见，见而非也。道不可言，言而非也。孰知形形之不形者乎？"

故《老子》曰："天下皆知善之为善，斯不善也。"④故知者不言，言者不知也。

[注释]

①太清、无穷，以及下文的无为、无始，都是虚构的人名，用以表达某种属性，例如无始是喻指宇宙尚未开始的时候。本段见于《庄子·知北游》，文字略有不同。②数：规律、性质。③无方：无边，没有边际。④"天下皆知"二句：语见《老子》第二章。

[译文]

太清问无穷说："你知道道吗？"无穷说："我不知道。"

又问无为："你知道道吗？"无为说："我知道道。""你所知道的道有属性吗？"无为说："我知道的道有属性。"问说："是什么样的属性呢？"无为说："我知道的道可以弱，可以强；可以柔，可以刚；可以阴，可以阳；可以幽暗，可以光明；可以包裹天地，可以应对无穷。这就是我所知道的道的属性。"

太清又问无始说："以前我问无穷关于道的问题，无穷说'我不知道'。又问无为，无为说'我知道'。我问：'你所知道的道有属性吗？'无为说：'我知道的道有属性。'我问：'是什么样的属性呢？'无为说：'我知道的道可以弱，可以强；可以柔，可以刚；可以阴，可以阳；可以幽暗，可以光明；可以包裹天地，可以应对无穷。这就是我所知道的道的属性。'这样看来，无为知道道，而无穷不知道道,它们哪个对,哪个错呢?"

无始说:"不知道的深刻,知道的浅薄;不知道的内行,知道的外行;不知道的精微,知道的粗疏。"

太清仰面叹息说:"那么,不知道的却是知道吗?知道的却是不知道吗?谁懂得知道就是不知道,不知道就是知道呢?"

无始说:"道不可能听到,听到的就不是道;道不可能看见,看见的就不是道;道不可能言说,说出来的就不是道。谁知道那生成万物形体的是没有形体的呢?"

所以《老子》说:"天下都知道善是善的,这就是不善了。"所以知道的不说,说出来的不知道。

白公问于孔子曰:①"人可以微言?"②孔子不应。白公曰:"若以石投水中,何如?"曰:"吴越之善没者能取之矣。"③曰:"若以水投水,何如?"孔子曰:"菑渑之水合,易牙尝而知之。"④白公曰:"然则人固不可与微言乎?"孔子曰:"何谓不可,唯知言之谓者乎!"夫知言之谓者,不以言言也。争鱼者濡,逐兽者趋,非乐之也。故至言去言,至为无为,夫浅知之所争者末矣。白公不得也,故死于浴室。故《老子》曰:"言有宗,事有君,夫唯无知,是以不吾知也。"⑤白公之谓也。……

[注释]

①白公:春秋楚平王孙,其父太子建,受费无极谗言,出奔郑,被郑人杀害。白公欲与令尹子西、司马子期伐郑,以报父仇。此时晋人伐郑,子西、子期率师救郑,白公怒,欲杀二人。有人认为,白公问孔子,就是关于这件事。②微言:密谋。③没:潜水。④菑、渑:皆水名。易牙:齐桓公臣,善调味。⑤"言有宗"四句:语见《老子》第七十章。

[译文]

白公问孔子说:"可以与人说秘密的话吗?"孔子不回答。白公说:"就像把石头扔进水里,怎么样?"孔子说:"吴越善于潜水的人能够捞起来。"白公说:"就像把水倒入水中,怎么样?"孔子说:"把菑水和渑水混合,易牙一尝就能分辨。"白公说:"难道就不能与人说秘密话了吗?"孔子说:"谁说不可以,只有懂话的人才可以啊!"所谓懂话,就不必用话来说了。抢鱼的人要沾湿衣裳,追赶野兽的人要奔跑,并不是他们愿意这样。所以,最根本的话是不用说的,最根本的行为是不用做的,见识短浅的人,争执的是细微末节。白公不懂这一点,所以死在浴室里。所以《老子》说:"说话是有宗旨的,办事是有要领的,正因为不懂这个道理,所以才不理解我。"说的就是白公啊。……

啮缺问道于被衣,①被衣曰:"正女形,壹女视,天和将至。②摄女知,正女度,神将来舍。③德将来附若美,④而道将为女居。纯乎若新生之犊,而无求其故。"⑤言未卒,啮缺继以雠夷。⑥被衣行歌而去,⑦曰:"形若槁骸,心如死灰,直实不知以故自持。墨墨恢恢,⑧无心可与谋,彼何人哉?"故《老子》曰:"明白四达,能无以知乎?"⑨

[注释]

①啮缺、被衣:《庄子》中的虚构人物,被认为是上古得道的贤人。②女:汝。壹:专一。天和:自然的和气。③摄:收敛。度:意度,即思虑。舍:居。④附若美:依附于你的美好,或者说,因为你美好而来依附。⑤故:智巧。⑥雠夷:直视而不言。⑦行歌:边走边唱。⑧墨墨恢恢:混沌无知的样子。⑨"明白四达"二句:语见《老子》第十章。

[译文]

啮缺向被衣问道,被衣说:"端正你的形体,专一你的视觉,自然的和气就会到来。收敛你的智慧,端正你的思虑,神明将来留居。德将依附你的美好,道将留驻你这里。你真纯,像新生的牛犊，不追求世故。"说着话，啮缺的眼光还那样直勾勾空荡荡的。被衣唱着歌走了，说："形体像枯木朽骨，内心像熄灭的灰烬，朴实真诚，不懂玩弄智巧。浑然无知，没有机心参与谋议，那是怎样一个人呢？"所以《老子》说："内心明白，四通八达，能是无所知晓的吗？"

赵襄子攻翟而胜之，①取尤人、终人。②使者来谒之，③襄子方将食，而有忧色。左右曰："一朝而两城下，此人之所喜也，今君有忧色，何也？"襄子曰："江河之大也，不过三日。飘风暴雨、日中不须臾。今赵氏之德行无所积，今一朝两城下，亡其及我乎！"孔子闻之曰："赵氏其昌乎！"夫忧所以为昌也，而喜所以为亡也。胜非其难者也，持之者其难也。贤主以此持胜，故其福及后世。齐、楚、吴、越，皆尝胜矣，然而卒取亡焉，不通乎持胜也。唯有道之主能持胜。孔子劲构国门之关，④而不肯以力闻；墨子为守攻，公输般服，而不肯以兵知。善持胜者，以强为弱。故《老子》曰："道冲，而用之又弗盈也。"⑤

[注释]

①赵襄子：赵简子庶子，名无恤，其母为翟婢，后简子废太子伯鲁，立无恤为太子。翟：通"狄"，古族名，长期活动于北方。②尤人、终人：狄人的两个城邑。③谒：报告。④劲：力量。构：拉开。关：门栓。⑤"道冲"二句：语见《老子》第四章。

[译文]

赵襄子攻打翟国，取得胜利，夺得尤人、终人两个城邑。使者来报捷，襄子正准备吃饭，听后面露忧色。身边的人说："一早晨就攻下两座城，这是人们高兴的事情，您却显得忧虑，为什么呢？"襄子说："长江黄河发大水，不超过三天就退下去。狂风暴雨、烈日当顶，都是一会儿就过去。赵氏的德行没有多少积累，现在一早晨就攻下两座城，灭亡在接近我吗！"孔子听到后说："赵氏大概会昌盛了！"忧思带来昌盛，欢喜导致灭亡。取得胜利不难，保持胜利才难。贤明的君主以忧思保持胜利，所以福泽延续到后代。齐、楚、吴、越，都曾经胜利过，然而最终灭亡了，就是因为他们不懂得保持胜利的道理。只有明白这个道理的君主能够保持胜利。孔子的力气能够拉开城门的门栓，却不肯以力气大著称；墨子设计防御攻城的方案，使公输般认输，却不肯以懂得军事知名。善于保持胜利的人，把强大表现为柔弱。所以《老子》说："道空虚，作用却无穷无尽。"

惠孟见宋康王，①蹀足謦欬疾言曰：②"寡人所说者勇有功也，不说为仁义者也，③客将何以教寡人？"惠孟对曰："臣有道于此，人虽勇，刺之不入；虽巧有力，击之不中，大王独无意邪？"宋王曰："善。此寡人之所欲闻也。"惠孟曰："夫刺之而不入，击之而不中，此犹辱也。臣有道于此，使人虽有勇弗敢刺，虽有力不敢击。夫不敢刺，不敢击，非无其意也。臣有道于此，使人本无其意也。夫无其意，未有爱利之心也。臣有道于此，使天下丈夫女子莫不欢然皆欲爱利之心。此其贤于勇有力也，四累之上也，大王独无意邪？"宋王曰："此寡人所欲得也。"惠孟对曰："孔、墨是已。孔丘、墨翟无地而为君，无官而为长。天下丈夫女子莫不延颈举踵而愿安利之者。④今大王万乘之主也，诚有其志，则四境之内皆得其利矣。贤于孔、墨也远矣。"宋王无以应。惠孟出，宋王谓左右曰："辩矣，客之以说胜寡人也。"故《老子》曰："勇于不敢则活。"⑤由此观之，大勇反为不勇耳。……

[注释]

① 惠孟：战国时宋人。宋康王：战国时宋国君，名偃，公元前329至前

286年在位。②蹀（dié）：顿足。謦欬（qǐng kài）：咳嗽。③说：悦。④延颈：伸长脖子。举踵：踮起脚跟。⑤勇于不敢则活：语见《老子》第七十三章。

[译文]

惠孟谒见宋康王，宋康王蹀着脚，大声咳嗽着说："我喜欢的，是勇于建功立业，不喜欢仁义什么的，您拿什么来教我呀？"惠孟回答说："臣这里有一种道术，别人虽然勇敢，但刺你不能刺入；虽然敏捷有力，击你却不能击中，大王难道不想了解吗？"宋康王说："好啊！这正是我想要听的。"惠孟说："刺你不能刺入，击你不能击中，还是侮辱了你。臣这里有一种道术，能够让人虽然勇敢，但是不敢刺你，虽然有力，但是不敢击你。不敢刺，不敢击，还不是没有这种用心。臣这里有一种道术，能够让人没有这种用心。没有这种用心，还不具有爱护你、使你得利的心。臣这里有一种道术，能够使天下的男男女女无不争先恐后地想要爱护你、使你得利。这比勇敢有力好，在以上四种道术之上，大王难道不想了解吗？"宋康王说："这正是我想要的。"惠孟回答说："这就是孔墨之道啊！孔丘、墨翟没有领地，却受到尊重，没有官职，却引导着人民。天下的男男女女无不伸长脖子、踮起脚跟，希望得到保护和利益。现在大王您是万乘之国的君主，真有这样的心愿，那么四境之内都能得到恩泽。这就大大超过孔子和墨子了。"宋康王无话回答。惠孟出去了，宋康王对身边的人说："真能说！这位客人只是说赢了我。"所以《老子》说："勇于不敢，就能存活。"由此看来，大勇反而表现为不勇了。……

鲁国之法：鲁人为人妾于诸侯，①有能赎之者，取金于府。②子赣赎鲁人于诸侯，③来而辞不受金。孔子曰："赐失之矣！夫圣人之举事也，可以移风易俗，而教顺可施后世，④非独以适身之行也。今国之富者寡，而贫者众，赎而受金，则为不廉，不受金，则不复赎人。自今以来，鲁人不复赎人于诸侯矣。"孔子亦可谓知礼矣。故《老子》曰："见小曰明。"⑤

[注释]

①妾：女奴。②府：国库。③子赣：即子贡，姓端木，名赐。④教顺：教训。⑤见小曰明：语见《老子》第五十二章。

[译文]

鲁国的法律：鲁国人在别的诸侯国当奴仆，有人能够赎回来，可以到国库领赎金。子贡在诸侯国赎回了鲁人，回来后却不接受赎金。孔子说："端木赐做错了！圣人做事，可以移风易俗，教训可以影响到后世，并不是自己觉得合适就好。现在，鲁国的富人少而穷人多，赎人而接受赎金，就是不廉洁，但不接受赎金，就没有人再去赎人。从此以后，鲁国人不会再从其他诸侯国赎回鲁人了。"孔子说得上是懂得礼义了。所以《老子》说："观察细微，叫做明。"

魏武侯问于李克曰：①"吴之所以亡者何也？"李克对曰："数战而数胜。"武侯曰："数战数胜，国之福，其独以亡，何故也？"对曰："数战则民罢，数胜则主憍，以憍主使罢民，②而国不亡者，天下鲜矣。憍则恣，恣则极物；③罢则怨，怨则极虑。上下俱极，吴之亡犹晚矣！夫差之所以自到于干遂也。"④故《老子》曰："功成名遂身退，天之道也。"⑤……

[注释]

①魏武侯：战国时魏国君，公元前396至前370年在位。李克：魏武侯大臣。②憍（jiāo）：骄傲。罢：通"疲"。③极物：使事物达到极限。④干遂：战国吴地名，在今江苏吴县西北。⑤"功成名遂身退"二句：语见《老子》第九章。

[译文]

魏武侯问李克说:"吴国灭亡的原因是什么呢?"李克回答说:"屡战屡胜。"武侯说:"屡战屡胜,是国家的福气,吴国却因此灭亡,是什么原因呢?"回答说:"屡次作战,人民就疲惫了,屡次胜利,君主就骄傲了,骄傲的君主驱使疲惫的人民,国家不灭亡,天下少见。骄傲就放肆,放肆就把事情做绝;疲惫就怨恨,怨恨就有各种想法。上下都达到了极限,吴国的灭亡还算晚呢!这就是夫差在干遂自刎的原因。"所以《老子》说:"功成名就,引身告退,这是自然的道理。"……

大王亶父居邠,①翟人攻之。事之以皮帛珠玉而弗受,曰:"翟人之所求者地,无以财物为也。"大王亶父曰:"与人之兄居而杀其弟,与人之父处而杀其子,吾弗为。皆勉处矣!为吾臣与翟人奚以异?②且吾闻之也,不以其所养害其养。"杖策而去,民相连而从之,遂成国于岐山之下。③大王亶父可谓能保生矣。虽富贵不以养伤身,虽贫贱不以利累形。今受其先人之爵禄,则必重失之,所自来者久矣,而轻失之,岂不惑哉!故《老子》曰:"贵以身为天下,焉可以托天下,爱以身为天下,焉可以寄天下矣。"④……

[注释]

①大(tài)王亶父:又称古公亶父,周文王祖父。邠(bīn):通"豳",地名,在今陕西省旬邑县西。②翟人:是"为翟人臣"的省语。③岐山:山名,在今陕西省岐山县东北。④"贵以身为天下"四句:语见《老子》第十三章。焉,乃。

[译文]

大王亶父居住邠地,翟人常来进犯。进奉皮毛布帛珠玉,翟人不接受,说:"翟人追求的是土地,不在乎财物。"大王亶父说:

"和别人的兄长相处却杀害他的弟弟,和别人的父亲相处却杀害他的儿子,我不做这样的事。大家好好过吧!当我的臣民和当翟人的臣民有什么不同呢?况且我听说过,不要为了奉养生命而伤害了生命。"拄着手杖离开了,人民成群结队地跟随他,于是在岐山下建立了国家。大王亶父可以说是能保重生命的人了。虽然富贵,也不因为财物伤害自身,虽然贫贱,不因为利益拖累形体。现在接受了祖先的爵禄,必定不舍得丧失,而生命的延续已经很久了,轻易就抛弃,难道不是糊涂吗!所以《老子》说:"看重自身胜过天下,就可以把天下托付给他,爱护自身胜过天下,就可以把天下寄托给他。"……

楚庄王问詹何曰:①"治国奈何?"对曰:"何明于治身而不明于治国?"楚王曰:"寡人得立宗庙社稷,愿学所以守之。"詹何对曰:"臣未尝闻身治而国乱者也,未尝闻身乱而国治者也。故本任于身,②不敢对以末。"楚王曰:"善。"故《老子》曰:"修之身,其德乃真也。"③

[注释]

①楚庄王:春秋时楚国君,公元前613至前591年在位。詹何:传说中的得道者。②任:在。③"修之身"二句:语见《老子》第五十四章。

[译文]

楚庄王问詹何说:"应当如何治理国家?"詹何回答说:"为什么懂得修养自身而不懂得治国呢?"楚王说:"我即位为君,掌理宗庙社稷,希望学习如何守护。"詹何回答说:"我从来没有听说自身修养好而国家动乱的,也没有听说自身混乱而国家能治理好的。根本在于自身,所以我不敢用枝节问题来回答您。"楚王说:"说得好。"所以《老子》说:"修养自身,他的德性就纯真。"

桓公读书于堂，轮人斫轮于堂下，①释其椎凿而问桓公曰："君之所读者何书也？"桓公曰："圣人之书。"轮扁曰："其人在焉？"桓公曰："已死矣。"轮扁曰："是直圣人之糟粕耳。"桓公勃然作色而怒曰："寡人读书，工人焉得而讥之哉！有说则可，无说则死。"轮扁曰："然，有说。臣试以臣之斫轮语之：大疾则苦而不入，②大徐则甘而不固。③不甘不苦，应于手，厌于心，而可以至妙者，臣不能以教臣之子，而臣之子亦不能得之于臣。是以行年七十，老而为轮。今圣人之所言者，亦以怀其实穷而死，④独其糟粕在耳。"故《老子》曰："道可道，非常道；名可名，非常名。"⑤

[注释]

①桓公：齐桓公。轮人：做车轮的工匠。这段故事出自《庄子·天道》，文字略不同。②大：太。疾：紧。苦：涩。③徐：宽松。甘：滑。④实：精华。穷：尽，指生命的尽头。⑤"道可道"四句：语见《老子》第一章。

[译文]

齐桓公在堂上读书，做车轮的工匠在堂下砍削车轮，他放下棰子和凿子，问桓公说："君王读的是什么书呢？"桓公说："圣人的书。"轮扁说："圣人还在吗？"桓公说："已经死了。"轮扁说："那就不过是圣人的糟粕罢了。"桓公变了脸色，发怒说："我读书，工人怎么能随便非议！说得出理由还罢了，说不出就处死。"轮扁说："好的，有理由。我试着用我砍削车轮这事来说明：太紧了就涩，插不进去，太松了就滑，插不牢靠。不松不紧，得心应手，可以恰到好处。这种技术，我不能教给我的儿子，我儿子也不能在我这里学到，所以我到七十岁，这么老了还要做车轮。圣人的言论也是这样，精妙的揣在圣人怀里，圣人老死，也就没有了，只有糟粕留下来了。"所以《老子》说："道，说得出来的，不是永恒的道；名，叫得出来的，不是永恒的名。"

昔者司城子罕相宋,①谓宋君曰:"夫国家之安危,百姓之治乱,在君行赏罚。夫爵赏赐予,民之所好也,君自行之。杀戮刑罚,民之所怨也,臣请当之。"②宋君曰:"善。寡人当其美,子受其怨。寡人自知不为诸侯笑矣。"国人皆知杀戮之专制在子罕也,大臣亲之,百姓畏之。居不至期年,③子罕遂却宋君而专其政。④故《老子》曰:"鱼不可脱于渊,国之利器,不可以示人。"⑤……

[注释]

①司城:官名。子罕:名皇喜,后杀君夺权。②当:承担责任。③期(jī)年:一周年。④却:拒绝,这里指诛杀。⑤"鱼不可腹于渊"三句:语见《老子》第三十六章。

[译文]

从前司城子罕在宋国为相,他对宋君说:"国家的安定和危险,百姓的治理和混乱,在于国君施行赏罚。爵位奖赏的赐予,是人民所喜欢的,请国君您自己掌握。杀戮刑罚,是人民怨恨的,我就承担了吧。"宋君说:"好啊!我接受美名,你蒙受怨恨。我知道自己不会被诸侯嘲笑了。"宋国人都知道生死大权掌握在子罕手中,大臣亲近他,百姓惧怕他。过了不到一年,子罕就杀死了宋君,控制了宋国的政权。所以《老子》说:"鱼不可以脱离深渊,国家权力,不可轻易交给人。"……

晋公子重耳出亡,①过曹,无礼焉。②釐负羁之妻谓釐负羁曰:③"君无礼于晋公子。吾观其从者,皆贤人也。若以相夫子反晋国,必伐曹。子何不先加德焉?"釐负羁遗之壶飧而加璧焉。④重耳受其飧,而反其璧。及其反国,起师伐曹,克之。令三军无入釐负羁之里。故《老子》曰:"曲则全,枉则直。"⑤

[注释]

①重耳：即晋文公，即位前因晋国内乱，曾流亡各国十九年。②曹：周初封国，在今山东西部，都陶丘（今山东定陶西南）。据《左传》载，曹君听说重耳"骈胁"（胁骨是连着的），于是趁重耳沐浴的时候闯进去看。③釐负羁：曹国大夫。④遗：赠送。馂（jùn）：熟食。⑤"曲则全"二句：语见《老子》第二十二章。

[译文]

晋国公子重耳流亡国外，经过曹国，曹国君对他无礼。釐负羁的妻子对釐负羁说："国君对晋国公子无礼。我看他的随从，都是贤能的人。要是他们辅佐这位公子返回晋国，必定讨伐曹国。您为什么不先对晋国公子施加恩德呢？"釐负羁送去一壶熟食，还有一块玉璧。重耳接受了熟食，退还了玉璧。等到重耳返回晋国，派军队讨伐曹国，战胜了曹国。命令三军不得进入釐负羁的家。所以《老子》说："委屈就会保全，屈枉才能伸直。"

越王勾践与吴战而不胜，①国破身亡，困于会稽。②忿心张胆，气如涌泉，选练甲卒，赴火若灭，然而请身为臣，妻为妾，亲执戈为吴兵先马走，③果擒之于干遂。故《老子》曰："柔之胜刚也，弱之胜强也。天下莫不知，而莫之能行。"④越王亲之，故霸中国。……

[注释]

①勾践：春秋时越国君，公元前494年，吴王夫差为报勾践杀父之仇，攻入越国。②"国破"二句：勾践兵败，以残军五千退守会稽山。会稽，在今浙江绍兴东南。③吴兵：指吴王卫队。先马走：在车马前开路。④"柔之胜刚也"四句：语见《老子》第七十八章。

[译文]

越王勾践与吴交战，被打败了，国破家亡，被围困在会稽山。他内心愤怒，胆气豪壮，激情像泉水喷涌，选练战士，赴汤蹈火，而他自己请求当吴王的奴仆,妻子为奴婢,亲自执戈为吴王的卫队开路,终于在干遂俘获夫差。所以《老子》说:"柔的战胜刚的,弱的战胜强的。天下没有人不知道,可是没有人实行它。"越王亲自实践,所以称霸中原。……

秦穆公谓伯乐曰:①"子之年长矣,子姓有可使求马者乎?"②对曰:"良马者可以形容筋骨相也。相天下之马者若灭若失,若亡其一。③若此马者,绝尘弭辙。④臣之子皆下材也,可告以良马,而不可告以天下之马。臣有所与供儋缠采薪者九方堙,⑤此其于马,非臣之下也,请见之。"穆公见之,使之求马。三月而反报曰:"已得马矣,在于沙丘。"⑥穆公曰:"何马也?"对曰:"牡而黄。"⑦使人往取之,牝而骊。⑧穆公不说,召伯乐而问之曰:"败矣!子之所使求者。毛物牝牡弗能知,又何马之能知!"伯乐喟然大息曰:"一至此乎!是乃其所以千万臣而无数者也。若堙之所观者,天机也,得其精而忘其粗,在其内而忘其外。见其所见,而不见其所不见。视其所视,而遗其所不视。若彼之所相者,乃有贵乎马者。"马至,而果千里之马。故《老子》曰:"大直若屈,大巧若拙。"⑨……

[注释]

①秦穆公:春秋时秦国君,名任好,春秋五霸之一。伯乐:秦穆公时善相马者。②子姓:同姓子孙。③天下之马:指天下的名马。若灭若失,若亡其一:意谓真正的千里马看起来忽隐忽现,好像没有形体。④绝尘弭(mǐ)辙:形容马跑得快,好像马足不沾尘土,车轮不碾车辙一样。⑤儋:通"担",负担。缠:行李。九方堙:又称九方皋,古代善相马者。⑥沙丘:地名。⑦牡:雄性禽兽。⑧牝:雌性禽兽。骊:纯黑色。⑨"大直若屈"二句:语见《老子》第四十五章。

[译文]

秦穆公对伯乐说:"您的年纪大了,儿孙中有可以派遣去相马的吗?"伯乐回答说:"一般的好马,可以从形体外貌、骨骼上看出来,但是天下绝伦的好马,却忽隐忽现,不表现在形体上。这样的马,奔驰起来好像足不沾地,拉车像飞起来不碾车辙。我的儿子只有下等才能,可以相一般的好马,相不出天下绝伦的好马。我有一个负责担行李、砍柴火的人叫九方堙,他对于相马,不在我之下,请国君接见他。"穆公见了九方堙,让他去找马。三个月后回来报告说:"已经找到了,在沙丘那个地方。"穆公问:"是什么样的马?"回答说:"一匹黄公马。"派人去牵马,却是一匹纯黑母马。穆公不高兴,叫来伯乐责怪说:"您派去找马的人太差了。马是杂色纯色、是公是母都分不清,怎么能分辨好马!"伯乐长叹一声,说:"九方堙竟然如此专精!这就是他胜过我千万倍而不可估量的地方啊。九方堙观察的,是造化的奥妙,他得到了精髓而遗忘了粗略,得到了内在品质而忘记了外表形体。看到了需要看的,不注意他不在意的。审视了要审视的,忽略了不需要用心的。像他这样相马,有比相马更宝贵的东西啊。"马牵来了,果然是一匹千里马。所以《老子》说:"最正直的好像弯曲,最灵巧的好似笨拙。"……

宋景公之时,荧惑在心。①公惧,召子韦而问焉。②曰:"荧惑在心,何也?"子韦曰:"荧惑,天罚也;心,宋分野。③祸且当君。虽然,可移于宰相。"公曰:"宰相,所使治国家也,而移死焉,不祥。"子韦曰:"可移于民。"公曰:"民死,寡人谁为君乎?④宁独死耳。"子韦曰:"可移于岁。"⑤公曰:"岁,民之命,岁饥民必死矣。为人君而欲杀其民以自活也,其谁以我为君者乎?是寡人之命固已尽矣。子韦无复言矣!"子韦还走,⑥北面再拜曰:"敢贺君!天之处高而听卑,君有君人之言三,天必有三赏君。今夕星必徙三舍,君延年二十一岁。"公曰:"子奚以知之?"对曰:"君有君人之言三,故有三赏,星必三徙舍。⑦舍行七星,三七二十一,故君移年二十一岁。臣请伏于陛下以伺之,⑧星不徙,臣请死之。"公曰:"可。"是夕也,星果三徙舍。故《老子》曰:"能受国之不祥,是谓天下王。"⑨

[注释]

①宋景公:春秋时宋国君,名栾,公元前516至前469年在位。荧惑:火星。火星在心宿的位置,被认为预示灾祸。②子韦:宋国太史,掌天文、星历等事。③分野:古星相家将天上的星宿与地下州国位置相对应,称分野。④谁为君:古汉语的疑问倒置,"谁为君"即"为谁君"的意思。⑤岁:年岁收成。⑥还走:转身迅速离开原来站立的位置,以便重新趋进行礼。这是表示尊敬的礼节。⑦舍:行星运行停留处。二十八宿分为四舍,一舍七星。⑧陛:殿坛的台阶。⑨"能受国之不祥"二句:语见《老子》第七十八章。

[译文]

宋景公的时候,火星运行到心宿位置。宋景公害怕,找来子韦询问。宋景公问:"火星在心宿,是为什么?"子韦说:"火星代表上天的处罚,心宿是宋国的分野。灾祸就要降临国君身上。虽然如此,但是可以把灾祸转移给宰相。"宋景公说:"宰相,是我委派来治理国家的人,把死祸转移给他,不吉祥。"子韦说:"可以转移给人民。"宋景公说:"人民死了,我当谁的国君呢?宁可自己一个人去死。"子韦说:"可以转移给年岁收成。"宋景公说:"年岁收成,人民赖以活命,收成不好,人民必定死亡。身为君主却想杀害人民来换取自己活命,谁还拿我当国君呢?是我的命数到头了吧。子韦别再说了!"子韦返身跑开,又转向景公,再次向他行礼,说:"谨向您祝贺!天在高处,却能听到地下,您有符合君王德行的三句话,上天必定三次奖赏您。今天晚上,火星必定移开三个舍次,您将要增加二十一年寿命。"景公说:"你怎么知道?"子韦回答说:"您有符合君王德行的三句话,所以上天必定给予三次奖赏,荧惑必定移开三个舍次。一个舍次是七颗星，三七二十一，所以您会增加二十一年寿命。我请求跪在台阶下面观察，火星不移动，我请求处死。"景公说："可以！"当天晚上，火星果然移了三个舍次。所以《老子》说："能够承担国家的不祥，可以做天下的君王。"

昔者公孙龙在赵之时，①谓弟子曰："人而无能者，龙不能与游。"有客衣褐带索而见曰：②"臣能呼。"公孙龙顾谓弟子曰："门下故有能呼者乎？"对曰："无有。"公孙龙曰："与之弟子之籍。"后数日，往说燕王，至于河上，而航在一汜。③使善呼者呼之，一呼而航来。故曰：圣人之处世，不逆有伎能之士。④故《老子》曰："人无弃人，物无弃物，是谓袭明。"⑤……

[注释]

①公孙龙：战国时名家代表人物。②衣褐带索：穿粗布衣服，用草绳做腰带。③航：船。汜：通"涘"，水边。④逆：拒绝。⑤"人无弃人"三句：语见《老子》第七十八章。

[译文]

以前公孙龙在赵国的时候，对弟子说："没有才能的人，我不收留他。"有位客人穿着粗布衣、扎着草绳带来求见，说："我能呼喊。"公孙龙回头问弟子："我们这里有能呼喊的吗？"弟子回答说："还没有。"公孙龙说："收他做弟子。"过了几天，公孙龙前去游说燕国国君，来到黄河边，船在河对岸。让能呼喊的人来喊船，喊一声，船就过来了。所以说，圣人处世，不拒绝有技能的人。所以《老子》说："没有应该放弃的人，没有应该放弃的物，这就叫做因顺常道。"……

公仪休相鲁而嗜鱼。①一国献鱼，公仪子不受。其弟子谏曰："夫子嗜鱼，弗受何也？"答曰："夫唯嗜鱼，故弗受。夫受鱼而免于相,虽嗜鱼不能自给鱼。毋受鱼而不免于相,则能长自给鱼。"此明于为人为己者也。故《老子》曰:"后其身而身先,外其身而身存。非以其无私邪?故能成其私。"② 又曰:"知足不辱。"③……

[注释]

①公仪休:战国时人,曾任鲁穆公相。②"后其身而身先"四句:语见《老子》第七章。③知足不辱:语见《老子》第四十四章。

[译文]

公仪休在鲁国为相,他特别喜欢吃鱼。全国的人都送鱼给他,他从不接受。他的弟子劝他说:"您这么喜欢吃鱼,干吗不收下呢?"公仪休回答说:"正因为喜欢吃鱼,所以才不收。接受赠鱼而被罢相,虽然喜欢吃鱼却没有钱自己买鱼吃。不接受赠鱼而保住相位,就能够长期自己买鱼吃。"这是明白为人为己道理的人啊。所以《老子》说:"把自身放在后面,自身反而占先;把自身置之度外,自身反得保全。不正是因为没有私心,所以才满足了自己的私心吗?"又说:"知道满足,不会遭受困辱。"……

跖之徒问跖曰:"盗亦有道乎?"跖曰:"奚适其无道也?①夫意而中藏者,圣也;②入先者,勇也;出后者,义也;分均者,仁也;知可否者,智也。五者不备而能成大盗者,天下无之。"由此观之,盗贼之心必托圣人之道而后可行。故《老子》曰:"绝圣弃智,民利百倍。"③……

[注释]

①奚适:去往任何地方,指做任何事情。②意:猜测。中藏:猜中密藏的财物。③"绝圣弃智"二句:语见《老子》第十九章。

[译文]

盗跖的门徒问跖:"强盗也有道吗?"跖说:"什么地方没有道?

能够猜中屋里藏的财物,是圣明;带头进去,是勇敢;后退出来,是义气;分赃均平,是仁爱;知道能不能动手,是智慧。这五个方面不具备而能成为大盗,是不可能的。"由此看来,盗贼之心必定要依靠圣人之道才行得通。所以《老子》说:"灭绝圣明,抛弃智慧,人民将有百倍的福利。"……

颜回谓仲尼曰:"回益矣!"①仲尼曰:"何谓也?"曰:"回忘礼乐矣。"仲尼曰:"可矣,犹未也。"异日复见曰:"回益矣!"仲尼曰:"何谓也?"曰:"回忘仁义矣。"仲尼曰:"可矣,犹未也。"异日复见曰:"回坐忘矣。"仲尼蘧然曰:②"何谓坐忘?"颜回曰:"隳支体,③黜聪明,离形去知,洞于化通,④是谓坐忘。"仲尼曰:"洞则无善也,化则无常矣。而夫子荐贤,⑤丘请从之后。"故《老子》曰:"载营魄抱一,能无离乎?专气至柔,能如婴儿乎?"⑥……

[注释]

①益:增加,这里指进步了。②蘧然:突然变色的样子。③隳(huī):废弃。支体:肢体。④洞:洞彻。化通:变化通达。⑤夫子:尊称,这里指颜回。荐:先。⑥"载营魄抱一"四句:语见《老子》第十章。

[译文]

颜回对仲尼说:"我进步了!"仲尼问:"什么意思?"颜回说:"我忘记礼乐了。"仲尼说:"好啊,但是还不够。"过了几天,颜回又去见仲尼,说:"我进步了!"仲尼问:"什么意思?"颜回说:"我忘记仁义了。"仲尼说:"好啊,但是还不够。"过了几天,颜回又去见仲尼,说:"我坐忘了。"仲尼变了脸色,说:"什么叫做坐忘?"颜回说:"遗忘肢体,废弃聪明,离开形体,去掉智慧,洞察变化,这就叫做坐忘。"仲尼说:"洞察则没有偏爱,变化则没有常态。你先达到了贤人境界,我愿意跟随在你的后面。"所以《老子》说:"拥抱魂魄以守身,能够不相离失吗?结聚精气以达到柔顺,能像纯洁的婴儿吗?"……

齐王后死,①王欲置后而未定,使群臣议。薛公欲中王之意,②因献十珥而美其一,③旦日,因问美珥之所在,因劝立以为王后。齐王大说,遂尊重薛公。故人主之意欲见于外,则为人臣之所制。故《老子》曰:"塞其兑,闭其门,终身不勤。"④……

[注释]

①齐王:齐威王,公元前356至前320年在位。②薛公:田婴,号靖郭君,孟尝君之父。③珥(ěr):珠玉耳饰。④"塞其兑"三句:语见《老子》第五十二章。

[译文]

齐威王的王后死了,威王打算重立王后,还没有确定人选,让群臣议论。薛公想迎合威王的心愿,因此献给威王十副耳环,其中一副特别精美。第二天,便询问精美的耳环给了哪位美人,从而劝威王立这位美人为王后。齐威王非常高兴,特别重视薛公。所以,君主的心意欲望表现出来,就会被臣下所控制。所以《老子》说:"堵塞耳目感官,关闭喜怒门径,终身不会受累。"……

秦皇帝得天下,恐不能守,发边戍,①筑长城,修关梁,设障塞,具传车,②置边吏。然刘氏夺之,若转闭锤。③

昔武王伐纣,破之牧野。乃封比干之墓,④表商容之闾,⑤柴箕子之门,⑥朝成汤之庙。发巨桥之粟,⑦散鹿台之钱。⑧破鼓折枹,弛弓绝弦。⑨去舍露宿,以示平易;解剑带笏,⑩以示无仇。于此天下歌谣而乐之,诸侯执币相朝,⑪三十四世不夺。故《老子》曰:"善闭者无关键而不可开也,善结者无绳约而不可解也。"⑫……

[注释]

①发：派遣。边戍：镇守边防。②传车：驿站的车马。③闲锤：编织席子用的织锤。④封……墓：给坟墓培土。⑤表：刻有褒扬铭识的木柱。商容：商末贤人。闾：里巷的大门。⑥柴：修栅栏。⑦巨桥：商代的大粮仓所在地。⑧鹿台：纣王所铸大台，在此贮藏财物。⑨鼓：战鼓。枹（fú）：鼓槌。弛弓：放松弓弦。⑩笏（hù）：古代上朝时手执的记事的手板。⑪币：缯帛。古代以束帛为礼物，称为币，后泛指聘享礼物。⑫"善闭者无关键而不可开也"二句：语见《老子》第二十七章。

[译文]

秦皇帝取得天下，唯恐不能守护，征发民众戍边，修筑长城，建造关卡桥梁，设置险阻障碍，准备驿站车马，派遣边官守吏。然而刘氏夺取秦朝政权，就像转动闲锤一样容易。

从前武王伐纣，在牧野打败他。于是修整比干的坟墓，旌表商容的里闾，用木栏保护箕子的住宅，朝拜成汤的宗庙。发放巨桥的粟米，散发鹿台的钱财。捅破战鼓，折断鼓槌，松弛战弓，剪断弓弦。离开房舍，在外露宿，以示平和简易；解下佩剑，举起笏板，以示没有仇敌。这时候天下人唱着欢乐的颂歌，诸侯带着礼物来朝见，传袭了三十四代。所以《老子》说："善于关闭，叫人不用钥匙而打不开，善于打结，叫人不用绳索而不能解。"……

武王问太公曰：①"寡人代纣，天下是臣杀其主而下伐其上也。②吾恐后世之用兵不休，斗争不已，为之奈何？"太公曰："甚善，王之问也。夫未得兽者，唯恐其创之小也；已得之，唯恐伤肉之多也。王若欲久持之，则塞民于兑，③道全为无用之事，④烦扰之教，彼皆乐其业，供其情，昭昭而道冥冥。⑤……以此移风，可以持天下弗失。"故《老子》曰："化而欲作，吾将镇之以无名之朴也。"⑥

[注释]

①武王：周武王。太公：即太公望。②是：认为……是对的。③兑：孔窍，指人与外界接触的感官，如口、耳等。④道：引导。⑤昭昭：明白。冥冥：愚昧。⑥"化而欲作"二句：语见《老子》第三十七章。

[译文]

武王问太公说："我讨伐并取代纣王，天下都认为臣下杀死君主、下属讨伐主上是对的。我担心后世会用兵不停，争斗不止，怎么办呢？"太公说："大王的这个问题提得好。没有捕获野兽的时候，唯恐刺杀野兽的伤口太小；已经捕获野兽，又担心损伤的兽肉太多。君王如果想长久地拥有天下，那么就要堵塞人民的感官，引导他们做没有用的事情，开展繁琐教育，使他们都喜欢自己的事业，满足自己的性情，由明白人变成糊涂人。……这样来改变风气，那就可以长久地拥有天下而不会丧失了。"所以《老子》说："自然变化而有私欲发生，我将用没有名字的道来镇压它。"

卷十三　泛论训

[题解]

《泛论训》是《淮南子》的第十三篇。泛，广泛。论，议论。本篇广泛讨论的许多问题，主题比较分散，其中比较重要的话题是文明的起源和发展，在此话题之下，本篇认为没有不可改变的法则，应该根据时代的变迁而改变具体的措施，但是，道是至高的，千变万化，最终还是要以道为根据。

古者有鍪而绻领，①以王天下者矣。其德生而不辱，予而不夺。天下不非其服，同怀其德。当此之时，阴阳和平，风雨时节，万物蕃息。乌鹊之巢可俯而探也，禽兽可羁而从也，岂必褒衣博带，句襟委章甫哉！②

[注释]

①鍪（móu）：形似头盔的帽子。绻（quǎn）领：翻领。②褒：衣襟宽大。博：大。褒衣博带：宽衣大带，古代儒生服饰。句（gōu）襟：曲领衣。委：周代的一种礼帽。章甫：殷时冠名，即缁布冠。

[译文]

古时候有戴着头盔、翻着衣领而称王天下的，他们的品格是繁育而不刑杀，给予而不夺取。天下不非议他们的服饰，而感怀他们的德泽。那时候，阴阳和平，风雨准时，万物繁衍生息。乌鸦喜鹊的窝可以俯身摸到，禽兽可以牵着走，不一定要穿宽衣大带，曲领衣衫，戴委帽或者缁布冠。

古者民泽处复穴，①冬日则不胜霜雪雾露，夏日则不胜暑热蚊虻。圣人乃作，为之筑土构木以为宫室，上栋下宇，以蔽风雨，以避寒暑，而百姓安之。

伯余之初作衣也，②緂麻索缕，手经指挂，其成犹网罗。③后世为之，机杼胜复，④以便其用，而民得以揜形御寒。

古者剡耜而耕，⑤摩蜃而耨，⑥木钩而樵，抱甀而汲，⑦民劳而利薄。后世为之耒耜耰锄，斧柯而樵，桔皋而汲，⑧民逸而利多焉。

[注释]

①复穴：双层洞穴。②伯余：传说是黄帝臣，始作衣裳者。③緂(tián)：搓。索：使成绳状。手经指挂：一手提着经线，另一只手来结织网布。④机杼(zhù)：织布机，机以转轴，杼以穿梭。胜复：繁复。⑤剡(yǎn)：锐利。耜(sì)：农具，类似锹。⑥摩：通"磨"。耨(nòu)：除草。⑦木钩：用木头做成弯形砍具。樵：打柴。甀(zhuì)：古时坛子一类瓦器。⑧桔皋：井中汲水的工具。

[译文]

古时候人民生活在水泽之上、洞穴之中，冬天不能抵挡霜雪雾露的侵袭，夏天不能防备暑热蚊虻的折磨。于是有圣人出来，为他们夯土架木，修建宫室，上有正梁，下有屋檐，以便遮风挡雨，躲避寒暑，老百姓因此可以安适居住。

伯余刚开始做衣裳的时候，用手搓麻线，手提着经线，手缠指绕地操作，制成的衣服像罗网。后世制衣，织机反复织造，非常方便，人民也因此能够掩蔽身体，抵御寒冷。

古时候磨快了耜来耕田，磨砺蛤蜊壳来除草，用弯木钩来打柴，抱着瓦瓮打水，人民辛苦而获利微薄。后世制作了耒耜耰锄，用斧头砍柴，用桔槔汲水，人民安逸而获利很多。

古者大川名谷，冲绝道路，①不通往来也。乃为窬木方版，②以为舟航。故地势有无，得相委输。③乃为鞈蹻而超千里，④肩荷负儋之勤也，而作为之楺轮建舆，⑤驾马服牛，民以致远而不劳。为鸷禽猛兽之害伤人，而无以禁御也，而作为之铸金锻铁以为兵刃，猛兽不能为害。故民迫其难则求其便，⑥困其患则造其备。人各以其所知，去其所害，就其所利。常故不可循，⑦器械不可因也，则先王之法度有移易者矣！……

[注释]

①冲绝：横绝。②窬（yú）：空。窬木：挖空树木，制成独木舟。方：并。方版：把木板并起来。③委输：运送。把货物搬到车船上叫委，转运他处交卸叫输。④鞈（dá）：柔软的皮革。蹻（juē）：通"屩"，草鞋。⑤楺轮：使木弯曲制成车轮。建舆：制作车子。⑥迫：逼迫。迫其难：受到危难的逼迫。⑦常故：习惯的做法。

[译文]

古时候大川深谷，道路阻绝，不能相互往来。于是将木头掏空，把木板拼在一起，做成舟船。因而地势条件不再影响各地之间的运输。又因为穿着皮靴草鞋远行千里，有肩挑背担的劳累，所以楺木为轮，制造车子，驾驭马，使唤牛，人民能够到达远方而不劳累。又因为凶禽猛兽伤害人，没有办法禁绝防御，所以熔铸金属，打制铁器，做成刀具，使猛兽不能为害。所以，人民受到危难的逼迫，就会寻找应对的方式，受到祸患的困扰，就会制造抵御的器械。分别以自己的智慧去消除危害，求取利益。常规不可能遵循不改，器械不可能沿用不变，那么，先王的法度也是有迁移改变的了！……

夏后氏殡于阼阶之上,①殷人殡于两楹之间,周人殡于西阶之上,②此礼之不同者也。有虞氏用瓦棺,③夏后氏堲周,④殷人用椁,⑤周人墙置翣,⑥此葬之不同者也。夏后氏祭于暗,殷人祭于阳,周人祭于日出,以朝,⑦此祭之不同者也。尧《大章》,舜《九韶》,禹《大夏》,汤《大濩》,周《武象》,⑧此乐之不同者也。故五帝异道而德覆天下,三王殊事而名施后世。此皆因时变而制礼乐者。……先王之制,不宜则废之;末世之事,善则著之。是故礼乐未始有常也,故圣人制礼乐而不制于礼乐。

[注释]

①夏后氏:夏朝。殡:停柩。阼(zuò)阶:大堂前东面的台阶。②两楹:厅堂的柱子。两楹之间:即厅堂正中。西阶:大堂前西面的台阶。③有虞氏:传说中的部落,以舜为首领。瓦棺:土烧制的棺。④堲(jí):烧土为砖。堲周:用烧成的土砖砌成棺。⑤椁(guǒ):套在棺外的大棺。⑥墙:装饰灵柩的布帐。翣(shà):一种扇形棺饰,在路以障车,入椁以障柩。⑦暗:黄昏。阳:这里指白天。以朝:在日出时分。⑧《大章》、《九韶》、《大夏》、《大濩》、《武象》:皆传说中古乐曲名。

[译文]

夏朝人在东阶上停柩,殷朝人在两楹之间停柩,周朝人在西阶上停柩,这是礼节不同。有虞氏用瓦棺,夏朝人用砖砌棺,殷朝人用套棺,周朝人用布帐和翣,这是丧葬礼俗不同。夏朝人在黄昏祭祀,殷朝人在白天祭祀,周朝人在日出也就是早晨祭祀,这是祭祀习俗不同。尧用《大章》,舜用《九韶》,禹用《大夏》,汤用《大濩》,周用《武象》,这是音乐不同。所以五帝的道路不同,但德泽同样覆盖天下;三王的事务不同,但声名同样流传后世。他们都是顺应时世的变化而制定礼乐的人。……先王的制度,不适宜的就废除;后代的措施,良善的就使用。可见礼乐没有一成不变的,所以圣人创制礼乐而不受制于礼乐。

治国有常，而利民为本。政教有经，而令行为上。苟利于民，不必法古；苟周于事，不必循旧。夫夏商之衰也，不变法而亡；三代之起也，不相袭而王。故圣人法与时变，礼与俗化。衣服器械，各因其宜。故变古未可非，而循俗未足多也。百川异源，而皆归于海；百家殊业，而皆务于治。……

[译文]

治理国家有常规，有利人民是根本。政令教化有常法，令行禁止是目的。如果有利人民，不一定效法古代；如果适宜事务，不一定遵循旧制。夏朝和商朝的衰亡，是不改变旧法而灭亡的；三代的兴起，并没有相互沿袭而都称了王。所以，圣人的法令，根据时世而改变，圣人的礼节，根据风俗而变化。衣服器械，各因其宜。所以，改变古法不应该非议，因循世俗不值得赞扬。百川源头不同，都流向大海；百家学说相异，都致力于治理天下。……

周公事文王也，行无专制，①事无由己。身若不胜衣，言若不出口。②有奉持于文王，洞洞属属，③如将不能，恐失之，可谓能子矣。武王崩，成王幼少，周公继文王之业，履天子之籍，④听天下之政。平夷狄之乱，诛管、蔡之罪，负扆而朝诸侯，⑤诛赏制断，无所顾问。威动天地，声慑海内，可谓能武矣。成王既壮，周公属籍致政，北面委质而臣事之。⑥请而后为，复而后行。无擅恣之志，无伐矜之色，可谓能臣矣。故一人之身而三变者，所以应时矣。……故圣人所由曰道，所为曰事。道犹金石，一调不更；事犹琴瑟，每弦改调。故法制礼义者，治人之具也，而非所以为治也。故仁以为经，义以为纪，⑦此万世不更者也。若乃人考其才，而时省其用，⑧虽日变可也，天下岂有常法哉！当于世事，得于人理，顺于天地，祥于鬼神，则可以正治矣。……法度者，所以论民俗而节缓急也；器械者，因时变而制宜适也。

[注释]

①专制：独断。②身若不胜衣：弓腰俯身，好像承受不住衣服的重量似的。言若不出口：好像说不出话的样子。③洞洞属属：空洞而没有实质的样子。比喻柔顺。④籍：位。⑤扆（yǐ）：帝王宫殿上设在户牖之间的屏风。负扆：背朝屏风，面向南面，比喻执政。⑥质：形体。委质：臣子对君主行跪拜礼。⑦经：经线，比喻常规、法则。纪：丝线的头绪，引申为纲纪。⑧省：考察。

[译文]

周公侍奉文王的时候，行动不擅自决定，事情不自行做主。非常恭敬，好像身体不能承受衣服的重量，非常谨慎，好像嘴巴不会说话。有东西捧给文王，战战兢兢，好像就要捧不住，生怕倾倒了，这可以说是会做儿子了。武王死后，成王年幼，周公继续文王的事业，登上天子之位，处理天下政事。平定了夷狄的叛乱，诛杀了有罪的管叔和蔡叔，面向南，背靠屏风朝见诸侯，该赏的赏，该罚的罚，完全自己决定。威风震动天地，声名慑服四海，这可以说是勇武果断了。成王长大后，周公交出帝位，归还政权，面向北，向成王行臣子的跪拜礼。经过请示才做事，禀报之后才行动，没有擅自做主恣意专权的念头，没有居功骄傲的神色，这可以说是会当臣下了。同一个人，却有三种变化，是为了适应时势的需要啊。……圣人所遵循的叫做道，所从事的叫做事。道好像金钟石磬，调定音准就不能改变了；事却像琴瑟，每根弦都可以重新调整。所以，法制礼义是治理的具体措施，而不是制定措施的依据。所以，仁作为常道，义作为纲目，是万世不变的。至于考察人才，省视时变，即使每天都变，也是可以的，天下哪里有一成不变的规则！只要符合时世，协和人理，顺应天地，和顺鬼神，就可以治理天下了。……法令制度，是根据民间习俗来调节轻重缓急的；器物用具,是根据时势变化来满足恰当用途的。

夫圣人作法而万民制焉,①贤者立礼而不肖者拘焉。制法之民不可与远举,拘礼之人不可使应变。②耳不知清浊之分者不可令调音,心不知治乱之源者不可令制法。必有独闻之耳,独见之明,然后能擅道而行矣。③夫殷变夏、周变殷、春秋变周,三代之礼不同,何古之从!大人作而弟子循,知法治所由生,则应时而变。不知法治之源,虽循古终乱。今世之法籍与时变,礼义与俗易。为学者循先袭业,据籍守旧教,以为非此不治,是犹持方枘而周员凿也,④欲得宜适致固焉,⑤则难矣。……

[注释]

①制:被动用法,被控制。②制法:被动用法,被法控制。"拘礼"也是一样。远举:高飞。③擅:任意。擅道:任意地选择道路。④枘(ruì):榫头。周:合。员:通"圆"。凿:卯眼。⑤宜适:指方圆合适。致固:指方枘圆凿而套得牢靠。

[译文]

圣人制定法度,而普通人被法度制约,贤人建立礼制,而无能的人被礼制束缚。被法度制约的人,不能够与他高飞;被礼制束缚的人,不能够让他应对变化。耳朵分不清声音清浊的人,不能让他调音;内心不明白治乱根源的人,不能让他制定法令。一定要有独到的听觉,独到的视觉,然后才能自由地选择可以行走的道路。商朝改变夏朝的制度,周朝改变商朝的制度,春秋时期改变周朝的制度,三代的礼制各不相同,哪里有古礼可以依从!师长创制,子弟遵循,知道法度产生的根源,就可以适应时世的变化。不知道法度产生的根源,虽然遵循古制,终究会乱。现在,法籍与时代一起变化,礼义与世俗一起迁移。从事学问的人,却因循前辈,承袭旧业,依据典籍,持守旧教,认为不这样就不能治理,就好像拿着方的榫头塞进圆的卯眼,想要彼此合适,套得牢靠,那就难了。……

天地之气,莫大于和。和者,阴阳调,日夜分而生物。春分而生,秋分而成。生之与成,必得和之精。故圣人之道,宽而栗,①严而温,柔而直,猛而仁。太刚则折,太柔则卷,圣人正在刚柔之间,乃得道之本。……昔者齐简公释其国家之柄而专任其大臣,②将相摄威擅势,私门成党而公道不行,故使陈成田常、鸱夷子皮得成其难,③使吕氏绝祀而陈氏有国者。④此柔懦所生也。郑子阳刚毅而好罚,⑤其于罚也,执而无赦。舍人有折弓者,畏罪而恐诛,则因猘狗之惊以杀子阳。⑥此刚猛之所致也。今不知道者,见柔懦者侵,则矜为刚毅;见刚毅者亡,则矜为柔懦。此本无主于中,而见闻舛驰于外者也,⑦故终身而无所定趋。……

[注释]

①栗:恐惧;瑟缩。这里是威严的意思。②齐简公:春秋时齐国君,名壬,公元前484至前481年在位。③陈成田常:田常名常,谥成子,故或称田常,或称陈成子。其先祖姓陈,在陈国为大夫,后奔齐,以田为氏。鸱夷子皮:事迹不详,大约是陈氏同党。④吕氏绝祀:齐国的开国君主为姜太公,姜姓吕氏,所以失国被认为是吕氏失去奉祀。⑤子阳:人名,郑国的相国。⑥猘(zhì)狗:狗发疯。⑦舛(chuǎn):相违背。

[译文]

天地之气,没有比和气更重要的。和气使阴阳协调,日夜平分并生养万物。春分时候,万物产生,秋分时候,万物成熟。产生和成熟,一定要得到天地的精华。所以圣人的做法是,宽厚而威严,严厉而温和,柔和而刚直,威猛而仁慈。太刚烈就会折断,太柔软就会卷曲,圣人在刚柔之间,把握住了道的根本。……从前,齐简公放手国家权柄,一味任用大臣,将相们依仗权势,专横跋扈,结党营私,公室的政令不能推行,所以陈成子和鸱夷子皮的篡权能够成功，使吕氏的齐国灭亡而陈氏得到了齐国。这正是懦弱导致的啊。郑子阳刚毅，倚重刑罚，他惩罚别人，抓住就不放。门客有人把弓弄断了，害怕因为这一过错被诛杀，于是利用追杀疯狗的机会杀了子阳。这正是刚猛导致的啊。现在那些不懂得道理的人，看见温柔懦弱的被人欺负，便夸耀刚毅；看到刚毅的灭亡，便夸耀柔懦。这是心中没有主见，根据外在的见闻盲目追随，所以终身没有明确的目标。……

夫弦歌鼓舞以为乐，盘旋揖让以修礼，①厚葬久丧以送死，孔子之所立也，而墨子非之。兼爱、上贤、右鬼、非命，②墨子之所立也，而杨子非之。③全性保真，不以物累形，杨子之所立也，而孟子非之。趋舍人异，各有晓心，故是非有处，得其处则无非，失其处则无是。丹穴、太蒙、反踵、空同、大夏、北户、奇肱、修股之民，④是非各异，习俗相反，君臣上下，夫妇父子，有以相使也。此之是，非彼之是也。此之非，非彼之非也。譬若斤斧椎凿之各有所施也。……

[注释]

①盘旋：周旋，形容礼节的繁复周到。②兼爱、上贤、右鬼、非命：这些是墨子的基本主张，也是《墨子》中的重要篇名。右鬼，崇尚鬼神。③杨子：杨朱，战国时哲学家。④"丹穴"句：皆传说中的边远部族。

[译文]

弹琴歌唱，击鼓跳舞，这样来表达欢乐；周旋问候，谦让致礼，这样来修饰礼节；丰厚的陪葬，长久的服丧，这样来送别死者，这是孔子的主张，而墨子加以非议。泛爱万物、推崇贤能、崇尚鬼神、不信天命，这是墨子的主张，而杨朱加以非议。保全天性，不因为外物而拖累形体，这是杨朱的主张，而孟子加以非议。追求和放弃因人而异，各人都有自己的领会，所以是非是有立场的，在自己的立场上就没有什么不对，不在自己的立场上就什么都不对。丹穴、太蒙、反踵、空同、大夏、北户、奇肱和修股之民，是非的标准不同，生活的习俗相反，君臣上下和夫妇父子之间，也有维系彼此关系的方式。这里认为对的，不一定那里也认为对，这里认为不对，不一定那里也认为不对。就像斧头、木棰和凿子，各有各的用途。……

国之所以存者，道德也。①家之所以亡者，理塞也。尧无百户之郭，舜无置锥之地以有天下。禹无十人之众，汤无七里之分以王诸侯。②文王处岐周之间也，地方不过百里，而立为天子者，有王道也。夏桀、殷纣之盛也，人迹所至，舟车所通，莫不为郡县，然而身死人手而为天下笑者，有亡形也。③故圣人见化以观其征。德有盛衰，风先萌焉。故得王道者虽小必大，有亡形者虽成必败。夫夏之将亡，太史令终古先奔于商，④三年而桀乃亡。殷之将败也，太史令向艺先归文王，朞年而纣乃亡。⑤故圣人之见存亡之迹，成败之际也，非待鸣条之野、甲子之日也。⑥……故乱国之君务广其地，而不务仁义；务高其位，而不务道德。是释其所以存，而造其所以亡也。故桀囚于焦门，而不能自非其所行，而悔不杀汤于夏台。纣居于宣室，而不反其过，而悔不诛文王于羑里。二君处强大势位，⑦修仁义之道，汤、武救罪之不给，何谋之敢当！若上乱三光之明，下失万民之心，虽微汤、武，⑧孰弗能夺也？今不审其在己者，而反备之于人，⑨天下非一汤、武也，杀一人则必有继之者也。且汤、武之所以处小弱而能以王者，以其有道也。桀纣之所以处强大而见夺者，以其无道也。今不行人之所以王者，而反益己之所以夺，是趋亡之道也。……

[注释]

①德：得。②分：分封的封地。③亡形：败亡的征象。④太史令：官名，

史官和历官之长。终古:人名,据说是夏桀时的太史令。⑤向艺:人名,据说是商纣王时的太史令。朞:期,一周年。⑥鸣条:地名,商汤在此击败夏桀的军队。甲子之日:武王伐纣,在甲子日战胜商纣。⑦二君:指夏桀、商纣。⑧微:没有。表示与实际相反的假设,意思是如果没有或假如没有。⑨备:防备。

[译文]

国家之所以能保存,是因为有道。家族之所以灭亡,是因为无理。尧没有百户人家的城郭,舜没有尺寸之地,却最终拥有天下。禹没有十个人的民众,汤没有七里大的封地,却最终在诸侯中称王。文王统治岐山周原的时候,土地不过百里,最终立为天子,是因为他施行王道。夏桀、殷纣兴盛的时候,凡是有人的地方,车船能够到达的地方,都建立了郡县,然而他们却死在别人手里,被天下耻笑,是因为他们有了灭亡的征兆。所以圣人从变化中看到预兆。德性的旺盛衰败,首先会在民风上表现出来。所以,得到王道的人,即使弱小,必定会强大,有败亡征兆的人,虽然成功,必定会败亡。夏朝快要灭亡的时候,太史令终古先逃奔到商,三年后夏朝就灭亡了。殷朝快要灭亡的时候,太史令向艺先逃归文王,一年后殷朝就灭亡了。所以圣人观察生存和灭亡的迹象,成功和失败的转变,不需要看到鸣条对阵的场面、等到武王伐纣的时刻。……所以动乱国家的君主,只想拓宽土地,而不追求仁义;只想增加权势,而不追求道德。这是放弃国家存在的依靠,而制造导致国家灭亡的条件啊。所以夏桀被囚禁在焦门,不检讨自己的行为,却后悔当初没有在夏台杀死商汤。纣王在宣室自杀,不反省自己的过错,却后悔当初没有在羑里诛杀文王。夏桀和商纣当初处于强有力的位置,如果那时推行仁义之道,汤、武弥补自己的过错都来不及,哪里敢图谋改朝换代!如果向上搅乱了日月星辰的光明,向下失去了天下民众的拥护,就算是没有汤、武,谁不能夺取他们的政权呢?

现在不检点自己的德行，却防备他人，天下又不是只有一个汤、武，杀了他们，必定有继承者。况且，汤、武之所以处在弱小的地位而最终能够称王，是因为能够推行王道。桀、纣之所以处在强大的位置而最终被剥夺政权，是因为没有道德。现在不推行汤、武借以称王的大道，反而增加导致自己被剥夺的行为，这是走向灭亡的道路啊。……

使天下荒乱，礼义绝，纲纪废，强弱相乘，力征相攘，[①]臣主无差，贵贱无序，甲胄生虮虱，燕雀处帷幄，[②]而兵不休息，而乃始服属臾之貌，恭俭之礼，[③]则必灭抑而不能兴矣。天下安宁，政教和平，百姓肃睦，上下相亲，而乃始立气矜、奋勇力，[④]则必不免于有司之法矣。是故圣人者，能阴能阳，能弱能强，随时而动静，因资而立功。物动而知其反，事萌而察其变，化则为之象，运则为之应，是以终身行而无所困。……

[注释]

①相乘：互相攻击。相攘：互相排斥。②"甲胄"二句：指长期处于战争状态，甲胄生出了虱子，燕雀在营帐中垒巢。③服：表现。属臾：恭顺。④气矜：骄狂的气势。

[译文]

如果天下混乱，礼义绝灭，纲纪废弛，强大的压制弱小的，彼此以武力相斗，臣下和君主没有分别，高贵和卑贱没有秩序，甲胄生出了虮虱，燕雀在帷幄垒窝，战争正在进行，这时候开始做出恭顺的样子，施行谦让的礼节，那么必定被压制，而不能兴起了。如果天下安宁，政教和平，百姓庄重和睦，上下互相亲善，这时候开始张扬骄狂的气势，斗力奋勇，那么必定逃不掉法令的惩处。所以，圣人既能够阴，又能够阳，既能够弱，又能够强，根据时机决定行动还是静观，凭借各种条件来建立功业。事物运动便知道它的结果，事情萌生便察觉它的变化，变化则知道它的趋势，运动则知道如何应对，所以一辈子做事都不会陷入困境。……

今世之祭井、灶、门、户、箕、帚、臼、杵者，非以其神为能飨之也，恃赖其德，烦苦之无已也。①是故以时见其德，所以不忘其功也。触石而出，肤寸而合，②不崇朝而雨天下者，③唯太山。赤地三年而不绝流，泽及百里而润草木者，唯江河也。是以天子秩而祭之。④故马免人于难者，其死也葬之。牛其死也，葬以大车为荐。⑤牛马有功，犹不可忘，又况人乎！此圣人所以重仁袭恩。故炎帝作火，而死为灶；禹劳天下，而死为社；后稷作稼穑，而死为稷；羿除天下之害，而死为宗布，⑥此鬼神之所以立。……

[注释]

①德：恩德，指上述物品带给人们的便利。②肤寸：古长度单位，一指宽为寸，四指宽为肤。此句谓潮湿的空气在石头上凝成水汽，在很小的地方聚合成雨露。③崇：终。④秩：次序。指纳入天子祭祀的范围。⑤荐：席子，草垫。⑥宗布：禳除水旱之灾的祭祀活动，这里指水旱之神。

[译文]

现在世间祭祀井神、灶神、门神、户神、簸箕神、扫帚神、臼神、杵神等，并不是因为它们有神异而供奉祭品，而是有赖于它们的功能，不断地使用它们。所以按时明显它们的德泽，表示不忘记它们的功劳。接触石头产生云气，在很小的地方渐渐聚合起来，不到一个早晨就变成雨水洒满天下的，只有泰山。大旱三年不会断流，润泽百里，滋养草木的，只有长江和黄河。所以天子把它们列入祭典祭祀。所以，马救过人的命，死后将得到安葬。牛死后，埋的时候要用车席做垫子。牛马有功，都不能忘记，何况人呢！圣人之所以注重仁爱、积累恩德，原因就在于此。所以炎帝发明用火，死后成为灶神；禹为天下操劳，死后成为社神；后稷发明农业，死后成为谷神；羿为天下除害，死后成为水旱之神，这就是鬼神产生的原因。……

物固有大不若小，众不若少者，及至夫强之弱，弱之强，危之安，存之亡也，非圣人孰能观之！大小尊卑，未足以论也，唯道之在者为贵。何以明之？天子处于郊亭,①则九卿趋，大夫走，坐者伏，倚者齐。当此之时，明堂太庙悬冠解剑，缓带而寝。②非郊亭大而庙堂狭小也，至尊居之也。天道之贵也，非特天子之为尊也，所在而众仰之。夫蛰虫鹊巢，皆向天一者，至和在焉尔。③帝者诚能包禀道，合至和，则禽兽草木，莫不被其泽矣，而况兆民乎！④

[注释]

①郊：古以国都百里之内为郊。郊亭：天子在郊外祭地时的行宫。②明堂：天子宣明政教的地方。太庙：天子的祖庙。这句话的意思是，天子在郊外，这些场所轻松无事。③天一：即天。至和：最大的和。④兆民：众多的人民。

[译文]

事物固然有大不如小，多不如少的情况，至于由强变弱，由弱变强，危险的变得安全，存在的走向灭亡，不是圣人，谁能看得清楚！大小尊卑这一套，是不值得谈论的，只有保持道的地方，才是尊贵的。如何说明这一点？天子住在郊外行宫，九卿快走，大夫奔跑，坐着的趴伏，靠着的肃立。这个时候，在明堂和太庙当值的人，倒可以挂起帽子，解下佩剑，宽衣解带，安然歇息。不是因为郊亭宽大而庙堂狭窄，而是因为天子在那里留宿。天道的尊贵，远过于天子的尊贵，它在的地方，万众都仰望着。昆虫蛰伏，鹊巢高筑，都与天一致，这是因为最协调的和气在其中发挥作用。帝王果真能够秉承和拥有道，与伟大的和气吻合，那么禽兽草木都能蒙受他的恩泽，又何况众多的人民呢！

卷十四　诠言训

[题解]

《诠言训》是《淮南子》的第十四篇。诠，阐释。言，精微之言。诠言就是阐释精妙的言论。本篇从太一生物开始论说，而以复归太冲终篇。虚己、循性、反身、治心、适情都是其中的重要话题，而无为则是贯穿全篇的主旨。

洞同天地，①浑沌为朴，未造而成物，谓之太一。同出于一，所为各异，有鸟有鱼有兽，谓之分物。方以类别，②物以群分。性命不同，皆形于有。隔而不通，分而为万物，莫能及宗。③故动而谓之生，死而谓之穷。皆为物矣，非不物而物物者也。④物物者亡乎万物之中。

[注释]

①洞同：浑然一片的样子。②方：大地。这里指大地的出产。③宗：本，指万物的来源，即上文的太一。④物物者：使物成为物的创生者，指道或太一。

[译文]

天地浑然一体，混沌素朴，还没有创造出有形的万物，这叫做太一。共同出自一个本源，但表现各不相同，有的成为鸟，有的成为鱼，有的成为兽，这叫做有分别的物。根据种类不同而分别，根据群体不同而区分。本性各不相同，但都有形体，都实际存在着。分化成为万物，彼此隔离不通，也脱离了本源。所以，动起来，就叫做生存，死掉了，就叫做终结。都是具体的物，而不是非物的造物者。造物者不是万物中的某一个。

稽古太初，①人生于无，形于有。有形而制于物。②能反其所生，若未有形，谓之真人。真人者，未始分于太一者也。

[注释]

①稽：考核。太初：宇宙之初，人类之初。②制于物：陷入事物彼此的限制之中。

[译文]

追溯上古之初，人从无中产生，有了形体。有了形体，就要受制于万物。如果能够返回产生的源头，好像没有形体一样，这就叫做真人。所谓真人，是没有与太一分离的人。

圣人不为名尸，①不为谋府，②不为事任，不为智主。藏无形，行无迹，游无朕。③不为福先，不为祸始。保于虚无，动于不得已。

欲福者或为祸，欲利者或离害。④故无为而宁者，失其所以宁则危；无事而治者，失其所以治则乱。星列于天而明，故人指之；义列于德而见，故人视之。人之所指，动则有章；人之所视，行则有迹。动有章则词，⑤行有迹则议。故圣人掩明于不形，藏迹于无为。

[注释]

①尸：祭祀祖先时，由一人（通常是孙辈男童）坐在上面代表祖先接受祭祀，此代表者称尸。名尸：声名的承受者。②府：储藏财物之处。谋府：谋略的府库。③朕：痕迹。④离：通"罹"，遭受。⑤词：言词。这里指用言词

评议。

[译文]

圣人不做名声的承担者,不做谋略的储存地,不做事务的执行人,不做智慧的拥有者。隐蔽而没有形体,行动而没有踪影,交游而没有行迹。不做福的先导,不做祸的开始。在虚无中保存自身,在不得已的时候行动。

求福的,也许得了祸,求利的,或者遭了害。所以,以无为获得安宁的,丧失了安宁的条件,就会有危险;以无事进行治理的,丧失了治理的条件,就会有动乱。星辰散列天空,光芒闪烁,所以人们可以指点;道义通过德行表现出来,所以人们能够看到。人们指点的,迁移就有光痕;人们看到的,行动就有形迹。迁移就有光痕的,人们会议论,行动就有形迹的,人们会评论。所以圣人把自己的聪明掩盖在无形之中,以无所作为来隐藏自己的行迹。

王子庆忌死于剑,①羿死于桃棓,②子路菹于卫,苏秦死于口。人莫不贵其所有,而贱其所短,然而皆溺其所贵,而极其所贱。所贵者有形,所贱者无朕也。故虎豹之强来射,猿狖之捷来措。③人能贵其所贱,贱其所贵,可与言至论矣。

[注释]

①庆忌:春秋吴王僚之子,勇武过人。阖闾弑僚,庆忌奔郑,被阖闾的刺客要离杀死。②桃棓:桃木棒。③狖(yòu):长尾猴。措:措施,指捕捉的措施。

[译文]

王子庆忌死在剑下,羿死于桃木棒,子路在卫国被剁成肉酱,苏秦死于口才。人们都看重他们的专长,而忽略他们的不足,又都沉迷在他们的专长中,完全看不到他们的不足了。这是因为人们推重的,是他们表现出来的,人们忽视的,是没有形迹的。所以,虎豹的勇猛招来射杀，猿狄的敏捷招来捕捉。人如果能重视不足，而看轻专长，就可以与他讨论最高妙的问题了。

自信者不可以诽誉迁也，知足者不可以势利诱也。故通性之情者，不务性之所无以为。通命之情者，不忧命之所无奈何。通于道者，物莫足滑其调。①詹何曰：②"未尝闻身治而国乱者也，未尝闻身乱而国治者也。"矩不正，不可以为方；规不正，不可以为员。身者，事之规矩也，未闻枉己而能正人者也。③……

[注释]

①滑：乱。调：和。②詹何：传说是上古有道术的人，以善钓闻名。③枉：曲。

[译文]

自信的人，不会因为诽谤或赞誉改变志向，知足的人，不会被势利诱惑。所以，懂得本性的真谛，不追求本性以外的东西。懂得生命的真谛，不担忧命运不能左右的事情。通晓大道的人，外物不能扰乱他的平和。詹何说："没有听说过自身治理而国家混乱的，没有听说过自身混乱而国家治理的。"矩不正，不可以画出方形；规不正，不可以画出圆形。自身，就是事物的规矩啊，没有听说过自己不正却能使他人端正的。……

为治之本，务在于安民；安民之本，在于足用；足用之本，在于勿夺时；勿夺时之本，在于省事；省事之本，在于节欲；节欲之本，在于反性；反性之本，在于去载。①去载则虚，虚则平。平者道之素也，②虚者道之舍也。

[注释]

①载：负担。去载：除去外物加予的负担。②素：本来面目。

[译文]

治理的根本，在于使人民安定；安定人民的根本，在于食用充足；食用充足的根本，在于不耽误农时；不耽误农时的根本，在于减少事务；减少事务的根本，在于节制欲望；节制欲望的根本，在于返回天性；返回天性的根本，在于去掉外在的负担。去掉负担就空虚了，空虚就平和了。平和，是道的本相，虚无，是道的居所。

能有天下者，必不失其国；能有其国者，必不丧其家；能治其家者，必不遗其身；能修其身者，必不忘其心；能原其心者，必不亏其性；能全其性者，必不惑于道。……

能成霸王者，必得胜者也；能胜敌者，必强者也；能强者，必用人力者也；能用人力者，必得人心也；能得人心者，必自得者也；能自得者，必柔弱也。强胜不若己者，至于与同则格。①柔胜出于己者，其力不可度。故能以众不胜成大胜者，②唯圣人能之。……太王亶父处邠，③狄人攻之，事之以皮币珠玉而不听，乃谢耆老而徙岐周。④百姓携幼扶老而从之，遂成国焉。推此意，四世而有天下，⑤不亦宜乎！

[注释]

①与同：与之相当。格：格斗。②众不胜：各自不利于取胜的条件。③太王亶父：即古公亶父，周文王的祖父，率周族迁徙到周原岐山，开始了周的兴盛，后来被尊为太公。④谢：告罪，辞别。耆（qí）：古称六十岁为耆。耆老：老人。⑤四世：指古公亶父以下四代，即古公亶父、王季、文王、武王。

[译文]

能够拥有天下的，一定不会丧失他的封国；能够拥有封国的，一定不会丧失他的家族；能够治理家族的，一定不会忘记修养自身；能够修养自身的，一定不会忘记自己的内心；能够追问内心的，一定不会亏欠自己的本性；能够保全本性的，一定不会迷失大道。……

能够成为霸王的，一定是取得胜利的人；能够战胜敌人的，一定是强者；能够强大的，一定借助了他人的力量；能够借助他人力量的，一定赢得了人心；能够赢得人心的，一定是自得的人；能够自得的，一定是柔弱的。强硬能够胜过不如自己的，如果碰到同样强硬的，就只能抗衡了。而柔弱能够战胜比自己强硬的，它的力量不可度量啊。所以，能够用各自不利于取胜的条件取得大胜利，只有圣人做得到啊。……太王亶父居住在邠，狄人来进犯，供奉皮毛、布帛、珠玉，狄人不要，于是辞别父老，迁徙到岐山下。老百姓携幼扶老追随他，于是建立了国家。推行太王亶父的意愿，四代就取得了天下，不是挺好的吗！

无以天下为者，必能治天下者。霜雪雨露，生杀万物，天无为焉，犹之贵天也。厌文挠法，①治官理民者，有司也，君无事焉，犹尊君也。辟地垦草者，②后稷也；决河浚江者，禹也；听狱制中者，皋陶也；有圣名者，尧也。故得道以御者，身虽无能，必使能者为己用。不得其道，伎艺虽多，未有益也。……

[注释]

①厌：厌倦。挠：扰，折腾。厌文挠法：指烦劳于文牍，折腾于法令。
②垦草：开垦荒地。

[译文]

不整天想着天下的，必定是能治理天下的人。霜雪雨露，生杀万物，天并没有做什么，受尊敬的却是天。劳形于案牍，折腾于法令，管理官府，治理人民，这是行政部门的事，君主不做这些，受尊敬的却是君主。开荒垦地的，是后稷；疏通江河的，是大禹；审理刑狱的，是皋陶；获得圣王名声的，却是尧。所以，遵循道来驾御天下，自己虽然没有才能，必定能使有才能的人为自己服务。不遵循道，即使技艺压身，也无济于事。……

圣人不为可非之行，不憎人之非己也。修足誉之德，不求人之誉己也。不能使祸不至，信己之不迎也。不能使福必来，信己之不攘也。①祸之至也，非其求所至，故穷而不忧。福之至也，非其求所成，故通而弗矜。②知祸福之制不在于己也，③故闲居而乐，无为而治。

[注释]

①攘：推开。②通：显达。矜：矜持，自傲的样子。③制：控制，把握。

[译文]

圣人不采取可能被非议的行为，不憎恨别人非议自己。修养值得赞誉的品德，不要求别人赞誉自己。不能使灾祸不到来，相信自己不主动迎向它。不能使福气一定到来，相信自己不会拒绝它。灾祸到来，并不是自己找来的，所以困窘也不忧愁。福气到来，也不是自己求来的，所以显达也不自傲。知道祸福的到来不由自己控制，所以悠闲生活，自得其乐，无所作为，从容治理。

圣人守其所以有，不求其所未得。求其所无，则所有者亡矣。修其所有，则所欲者至。故用兵者先为不可胜，以待敌之可胜也。治国者先为不可夺，以待敌之可夺也。舜修之历山，而海内从化。①文王修之岐周，而天下移风。使舜趋天下之利，而忘修己之道，身犹弗能保，何尺地之有！故治未固于不乱，②而事为治者必危。行未固于无非，而急求名者必剉也。③福莫大无祸，利莫美不丧。……

[注释]

①历山：地名，传说舜曾在此耕种。从化：得到教化。②未固于：没有

什么比……更稳固。③剉（cuò）：折伤。

[译文]

圣人持守自己拥有的，不追求自己尚未得到的。追求自己没有的，连自己拥有的也失去了。修养自己拥有的，想要的就到来了。所以，指挥军队的人，先要做到不被战胜，以便等待可以战胜敌人的机会。治理国家，先要做到不被夺取，以便等待夺取敌国的机会。舜在历山修养自己，海内跟着变化。文王在岐周修养自己，天下变了风俗。假如舜追逐拥有天下的利益，而忘记修养自身的道德，那么，自身都不能保全，哪里会拥有土地！所以，最稳固的治理就是不乱，人为治理必定危险。最可靠的行为就是没有错误，而急于求名的人必定遭受挫折。最大的福气就是没有灾祸，最美好的事情就是不损失。……

圣人无思虑，无设储，①来者弗迎，去者弗将。②人虽东西南北，独立中央，故处众枉之中不失其直；天下皆流，独不离其坛域。③故不为善，不避丑，遵天之道；不为始，不专己，循天之理；不豫谋，不弃时，与天为期；④不求得，不辞福，从天之则；不求所无，不失所得。……为者有不成，求者有不得，人有穷而道无不通，与道争则凶。……

[注释]

①设储：储备。②将：送。③流：放荡。坛域：界域。④为期：合时。

[译文]

圣人不忧心忡忡，不储备物资，到来的不迎接，离去的不送别。人们散布在东西南北，圣人却独立中央，所以在众多的偏斜之中，能够保持正直；即使天下都在流转，也能够不离开自己的界域。所以，圣人不刻意为善，不回避丑恶，遵循天的规律；不倡导开始，不独断专行，因顺天的道理；不预先谋划，不错过时机，符合天的节律;不追求获得,不推辞福气,顺随天的法则;不要求自己没有的,因而也就不会丧失自己所拥有的。……做事有不成功的,追求有得不到的,人有穷困,但道无不通,与道抗争,一定会有凶祸啊。……

德可以自修,而不可以使人暴;①道可以自治,而不可以使人乱。虽有圣贤之宝,②不遇暴乱之世,可以全身,而未可以霸王也。汤、武之王也,遇桀、纣之暴也。桀、纣非以汤、武之贤暴也,汤、武遭桀、纣之暴而王也。故虽贤王必待遇。③遇者能遭于时而得之也,非智能所求而成也。君子修行而使善无名,布施而使仁无章。故士行善而不知善之所由来,民赡利而不知利之所由出,故无为而自治。善有章则士争名,利有本则民争功。二争者生,虽有贤者弗能治。故圣人揎迹于为善,而息名于为仁也。……

[注释]

①"德可以自修"二句:修养道德的人,并不能因为自己有道德,就使别人成为残暴的人。②宝:宝物,喻指道德。③待遇:等待机遇。

[译文]

德行可以使自我得到修养,但不能使别人暴虐;道理可以使本土得到治理,但不能使别处混乱。虽然有圣贤之道,不遭遇暴乱的时代,也只能用来保全自己,而不可能因此称霸天下。汤、武称王,是因为遭遇了桀、纣的残暴。并不是桀、纣因为汤、武贤良而变得残暴,而是汤、武遭遇桀、纣的残暴而得以称王。所以,即使是贤王,也需要等待机遇。所谓机遇,就是赶上时机又把握住了,并不是用智谋去追求就能获得的。君子修养自己而不谋求善名,布施恩惠而不夸耀仁慈。所以士人行善却不知道善从哪里来,人民获利却不知道利从何处出,所以无所作为而各得其治。夸耀善,士人会争荣誉；知道了利益的出处，人民就会争抢了。这两种争斗发生了，即使有贤能的人，也不能治理。所以圣人为善不留痕迹，施行仁爱却放弃名声。……

君执一则治，①无常则乱。君道者，非所以为也，所以无为也。何谓无为？智者不以位为事，勇者不以位为暴，仁者不以位为惠，可谓无为矣。夫无为则得于一也。一也者，万物之本也，无敌之道也。凡人之性，少则猖狂，②壮则暴强，老则好利。一人之身既数变矣，又况君数易法，国数易君！人以其位通其好憎，③下之径衢不可胜理。④故君失一则乱，甚于无君之时。……

[注释]

①执一：持守一贯的原则。②猖狂：放肆，没有规矩。③通：通达，这里指不节制。④下：指好憎落实到具体的事务。径衢：小路、大道，喻指人间事务的方方面面。

[译文]

君子持守"一"就能治理，没有一定之规就会混乱。为君之道，不是要有为，而是要无为。什么叫无为？聪明的人不凭借地位闹事，勇敢的人不凭借地位捣乱，仁爱的人不凭借地位施惠，就称得上无为了。无为就符合"一"了。所谓"一"，是万物的根本，所向无敌的法宝。大凡人的秉性，年幼时容易放肆，壮年时容易逞强，老年时容易贪婪。同一个人，都有好几次变化，又何况君主多次变换法令，国家多次更换君主呢！人要是凭借地位放纵好恶，陷入各种纠纷，如何能够治理？所以，君主丧失了"一"，就会造成动乱，甚至比没有国君的时候更乱。……

君好智则倍时而任己，弃数而用虑。①天下之物博而智浅，以浅赡博，未有能者也。独任其智，失必多矣。故好智，穷术也。好勇则轻敌而简备，自负而辞助。一人之力以围强敌，不杖众多而专用身才，[2]必不堪也。故好勇，危术也。好与则无定分，[3]上之分不定，则下之望无止。若多赋敛，实府库，则与民为雠。少取多与，数未之有也。故好与，来怨之道也。仁智勇力，人之美才也，而莫足以治天下。由此观之，贤能之不足任也，而道术之可修明矣。

[注释]

①倍：通"背"，违反。数：道理。②身才：一己的才能。③好（hào）与：喜欢给予。定分：一定的份额。

[译文]

国君爱好智术，就会违背时势，听任自己，抛弃道理而运用思虑。天下的事物广博而人的智能浅薄，以浅薄负担广博，没有人做得到。一味任用自己的才能，失误一定众多。所以，爱好智术会导致困窘。国君自恃勇敢，就会轻视敌人，疏于防备，自恃气力而拒绝援助。用一个人的力量抵御强大的敌人，不依靠众人而专任自身的才干，必定不能胜任。所以，自恃勇敢会导致危险。国君喜欢施予，就会没有分寸，上面的分配没有标准，下面的期望就没有止尽。如果多收赋税，充实府库，就是与人民为敌。少收取而多施予，数量又不够。所以，喜欢给予会招致怨恨。仁爱、智术、勇力，是人美好的才能，然而不足以用来治理天下。由此看来，贤能不足以依靠，而道术却应该遵循，就是很清楚的了。

圣人胜心，[1]众人胜欲。君子行正气，小人行邪气。内便于性，[2]外合于义，循理而动，不系于物者，[3]正气也。重于滋味，淫于声色，发于喜怒，不顾后患者，邪气也。邪与正相伤，欲与性相害，不可两立，一植一废。故圣人损欲，而从事于性。[4]目好色，耳好声，口好味。接而说之，不知利害，嗜欲也。食之不宁于体，听之不合于道，视之不便于性，三官交争，⑤以义为制者，心也。割痤疽非不痛也，⑥饮毒药非不苦也，然而为之者，便于身也。渴而饮水，非不快也，饥而大飧，⑦非不赡也，然而弗为者，害于性也。此四者，耳目鼻口不知所取去，心为之制，各得其所。……

[注释]

①胜：任，用。②便（pián）：安适。③系：束缚。④从事于性：顺从本性。⑤三官：目、耳、口三种感官。⑥痤疽（cuó jū）：毒疮。⑦飧（sūn）：晚餐，引申为熟食。

[译文]

圣人任用心性，众人任用欲望。君子施行正气，小人施行邪气。在内安适本性，在外符合道义，遵循义理行动，不被外物束缚，就是正气。热衷美味，放纵声色，任意喜怒，不顾日后的祸患，就是邪气。邪气与正气相互损伤，欲望与本性相互危害，不可能两者同时进行，只能一个树立，一个废弃。所以圣人减损欲望，顺从本性。眼睛喜欢美色，耳朵喜欢妙音，嘴巴喜欢美味。一接触就喜欢，不知道利害，这就是嗜欲。食美味而不能安适本性，听妙音而不符合大道，看美色而不顺从本性，三种器官竞相满足，以义理加以节制，是心。割毒疮不是不疼，喝烈药不是不苦，然而仍然要做，是因为对身体有好处。渴了猛喝水，不是不痛快，饿了大吃一顿，不是不惬意，但是不这样做，是因为危害身体。这四个方面，耳目鼻口不知道取舍，心却知道节制，使它们各得其所。……

三代之所道者，因也。①故禹决江河，因水也；后稷播种树谷，因地也；汤武平暴乱，因时也。故天下可得而不可取也，霸王可受而不可求也。……圣人内藏，②不为物先倡。事来而制，③物至而应。……故宁而能久。

[注释]

①三代：指夏、商、周。道：遵循。因：顺随。②内藏：有而不露。③制：裁断。

[译文]

三代的行为原则是因顺。所以大禹疏导江河，因顺了水性；后稷播种五谷，因顺了地力；汤武平息暴乱，因顺了时势。所以，天下可以获得，但不可以夺取，霸王的地位可以接受，但不可以求取。……圣人收敛自己，不事先倡导。事情发生了，再加以裁断，事务到来了，再加以回应。……所以能够安宁而长久。

舜弹五弦之琴，而歌《南风》之诗，①以治天下。周公毂臑不收于前，②钟鼓不解于县，③以辅成王，而海内平。……位愈尊而身愈佚，身愈大而事愈少。譬如张琴，小弦虽急，大弦必缓。

[注释]

①《南风》之诗：古诗歌。其辞曰："南风之熏兮，可以解吾民之愠兮；南风之时兮，可以阜吾民之财兮。"②毂：通"肴"。臑（nào）：动物的前肢。毂臑：指饭食。③县：悬。钟鼓不解于县：指频繁使用，钟鼓总是悬挂着。

[译文]

舜弹奏五弦琴，吟唱《南风》诗，就治理了天下。周公顾不上吃饭，钟鼓悬挂着不解下来，这样辅佐成王，也平定了海内。……地位越尊贵，身体越安逸，身份越高，事情越少。比如弹琴，小弦弹奏急迫，大弦一定舒缓。

无为者，道之体也；执后者，道之容也。①无为制有为，术也；执后之制先，数也。放于术则强，②审于数则宁。今与人卞氏之璧，③未受者，先也；求而致之，虽怨不逆者，后也。三人同舍，二人相争，争者各自以为直，不能相听，一人虽愚，必从旁而决之，非以智，不争也。两人相斗，一羸在侧，④助一人则胜，救一人则免。斗者虽强，必制一羸，非以勇也，以不斗也。由此观之，后之制先，静之胜躁，数也。……圣人常后而不先，常应而不唱；不进而求，不退而让。……

[注释]

①客：通"庸"，用。②放（fǎng）：依据。③卞氏之璧：又称和氏璧。春秋时楚国人卞和发现一块玉璞，先后献给楚厉王、楚武王，两位国君不识宝，反诬卞和欺诈。后来，楚文王命人加工玉璞，果然得到稀世之宝。④羸：瘦弱。

[译文]

无为，是大道的本质；持后，是行道的表现。以无为引导有为，是方法；以持后控制抢先，是要领。遵循方法就强大，懂得要领就安宁。把卞氏之璧给人，对方不接受，是因为给的太早；如果等对方来要再给，虽然心里埋怨，却不会不接受，是因为给予在要求之后。三人同住，两人争执，都认为自己是对的，不能听从对方，另一个人即使愚笨，也一定在旁边裁定是非，并不是因为他聪明，而是因为他没有参与争执。两个人斗殴，一个瘦弱的人在旁边，他帮助一个人，这个人就会获胜，他救助一个人，这个人就不会失败。争斗的人虽然强壮，必定受制于这个羸弱的人，并不是因为他骁勇，而是因为他没有参与争斗。由此看来，持后制约抢先，安静战胜躁动，是必定的。……圣人常常持后而不争先，往往呼应而不倡导；不向前追求，不退后谦让。……

古之存己者，乐德而忘贱，故名不动志；乐道而忘贫，故利不动心；名利充天下，不足以概志，①故廉而能乐，静而能澹。故其身治者，可与言道矣。

自身以上，至于荒芒，^②亦远矣。自死而天地无穷，亦滔矣。^③以数杂之寿，^④忧天下之乱，犹忧河水之少，泣而益之也。龟三千岁，浮游不过三日，^⑤以浮游而为龟忧养生之具，^⑥人必笑之矣。故不忧天下之乱，而乐其身之治者，可与言道矣。

[注释]

①慨：通"慨"，感慨。②荒芒：远古洪荒之时。③滔：水流远大，这里指时间的长久。④杂：匝。从子至亥为一匝，一匝十二年。⑤浮游：即蜉蝣，一种小昆虫，寿命短促。⑥具：才具。

[译文]

古代那些保养自己的人，乐于德性，不在意卑贱，所以名誉不能改变他的志向；乐于大道，不在意贫穷，所以利益不能动摇他的心志；功名利禄充斥天下，不足以牵动他的心思，所以清廉而快乐，宁静而安适。因此，能修养自身的人，才可以与他谈论大道。

在自身之前，到远古洪荒，也很久远了。身死之后，到天地无穷，也很漫长了。以几十年的寿命，却忧虑天下的动乱，就像担心河水浅少，哭出眼泪去增加一样。龟能够活三千岁，蜉蝣只活三天，身为蜉蝣，却担忧龟的养生能力，必定被人们笑话。因此，不担忧天下的治乱，而喜欢颐养自身的人，才可以与他谈论大道。

君子为善，不能使福必来；不为非，而不能使祸无至。福之至也，非其所求，故不伐其功；^①祸之来也，非其所生，故不悔其行。内修极而横祸至者，皆天也，非人也。故中心常恬漠，累积其德，狗吠而不惊，自信其情。故知道者不惑，知命者不忧。

万乘之主，葬其骸于旷野之中，祀其鬼神于明堂之上，神贵于形也。故神制则形从，形胜则神穷。^②聪明虽用，必反诸神，谓之太冲。^③

[注释]

①伐：夸耀功劳。②神制：精神发挥制约作用。形胜：形体发挥主导作用。③冲：调。太冲：指一种大调和状态。

[译文]

君子做善事，不能使福气一定到来；不做坏事，不能使灾祸一定不来。福气的到来，不是追求得到的，所以不夸耀自己的功劳；灾祸的到来，不是自己招致的，所以不后悔自己的行为。内在修养很好，却遭遇横祸，这是天意，不是人为。所以心常恬淡，累积德行，狗狂叫不感到惊慌，相信自己是真诚的。所以，懂得道的人不困惑，了解命的人不忧虑。

万乘大国的君主死去，骸骨埋葬在旷野之中，却在庙堂上祭祀他的灵魂，因为精神比形体更宝贵。所以，精神宰制形体，形体就顺从，形体主导精神，精神就困穷。人的聪明才智虽然要使用，但一定要返回到精神上来，这就叫做大调和。

卷十五　兵略训

[题解]

《兵略训》是《淮南子》的第十五篇。兵略，用兵的谋略和法则。本篇是一篇军事专论，广泛论述了战争的性质、用兵的战略战术、将帅的行为原则和军队的内部管理等诸多问题。虽然重点论述用兵的战略战术，但是作者一再指出，政治的治乱、人心的向背才是取得胜利的根本条件。

古之用兵者，非利土壤之广，而贪金玉之略，①将以存亡继绝，平天下之乱，而除万民之害也。

凡有血气之虫，含牙带角，②前爪后距，③有角者触，有齿者噬，有毒者螫，有蹄者趹。④喜而相戏，怒而相害，天之性也。

人有衣食之情，而物弗能足也，故群居杂处，分不均，求不赡，则争。争则强胁弱而勇侵怯。人无筋骨之强，爪牙之利，故割革而为甲，烁铁而为刃。贪昧饕餮之人，⑤残贼天下，万人搔动，莫宁其所。有圣人勃然而起，⑥乃讨强暴，平乱世，夷险除秽，以浊为清，以危为宁，故不得不中绝。⑦兵之所由来者远矣。黄帝尝与炎帝战矣，⑧颛顼尝与共工争矣。⑨故黄帝战于涿鹿之野，尧战于丹水之浦，⑩舜伐有苗，⑪启攻有扈，⑫自五帝而弗能偃也，又况衰世乎！

[注释]

①略：通"掠"，掠夺。②带：通"戴"。带角：头上长角。③距：雄鸡足后突出像脚趾的尖骨。④趹（jué）：骡马等用后蹄踢人。⑤贪：贪婪。昧：隐藏。贪昧：贪财昧利。饕餮：传说中的一种贪食的恶兽。这里指贪夺他人财物的恶人。⑥勃然而起：因激怒而挺立。⑦中绝：没有活到头就死去了。⑧黄帝、炎帝：皆传说中上古帝王。贾谊《新书》说："炎帝者，黄帝同父母弟也，各有天下之半，黄帝行道而炎帝不听，故战涿鹿之野，血流漂杵。"黄帝获得胜利。⑨颛顼：传说中的古帝名。共工：传说是炎帝的后代。《天文训》说："昔者共工与颛顼争为帝，怒而触不周之山，天柱折，地维绝。"本篇下文亦有"共工为水害，故颛顼诛之"之说。⑩浦：水滨。《吕氏春秋·召类》载："尧战于丹水之浦以服南蛮。"⑪有苗：也叫三苗，上古南方部族。⑫启：大禹之子。有扈：古国名。

[译文]

古代用兵，不是为了扩大疆土，掠夺黄金珠玉，而是为了保存将要灭亡的国家，延续已经断绝的宗祀，平定天下的动乱，清除对万民的危害。

凡是有生命的动物，嘴里有牙，头上长角，前面有爪，后面有距，长角的撞，有牙的咬，带毒刺的螫，有蹄子的踢。高兴时相互嬉戏，发怒时相互伤害，这是天性。

人有衣食的需要，而物品不能充分满足，所以聚居在一起，分配不均匀，需求不能满足，就会争斗。争斗则强壮的威胁羸弱的，骁勇的侵害胆小的。人没有强劲的筋骨，锋利的爪牙，所以切开皮革制成铠甲，熔炼金属制成刀枪。贪财昧利的残暴之人，为害天下，使人民动荡，不得安宁。圣人愤怒地挺身而出，讨伐强暴，安定乱世，夷平危险，清除污秽，使浑浊的变得清澈，使危险的变得安宁，所以不得不有人员伤亡。战争的发生已经很久远了。黄帝曾经与炎帝交战，颛顼曾经与共工争斗。所以黄帝在涿鹿的原野上作战，尧在丹水的河滨作战，舜讨伐三苗，启进攻有扈，五帝都不能止息战争，又何况衰败的时代呢！

夫兵者，所以禁暴讨乱也。炎帝为火灾，故黄帝擒之；共工为水害，故颛顼诛之。教之以道，导之以德而不听，则临之以威武。临之威武而不从，则制之以兵革。①故圣人之用兵也，若栉发耨苗，②所去者少，而所利者多。杀无罪之民，而养无义之君，害莫大焉。殚天下之财，③而赡一人之欲，祸莫深焉。使夏桀、殷纣有害于民而立被其患，不至于为炮烙。晋厉、宋康行一不义而身死国亡，不至于侵夺为暴。④此四君者，皆有小过，而莫之讨也，故至于攘天下，⑤害百姓，肆一人之邪，而长海内之祸，此大伦之所不取也。⑥所为立君者，以禁暴讨乱也。今乘万民之力，而反为残贼，是为虎傅翼，⑦曷为弗除！

[注释]

①制：制裁。②栉（zhì）发：梳理头发。③殚：尽。④晋厉：晋厉公，春秋晋国君，公元前580至前573年在位，以残暴著称。宋康：宋康王，战国宋国君，公元前329至前286年在位。所为残暴，耽于酒色，后齐、魏、楚伐宋，杀康王，瓜分其地。⑤攘：搅乱。⑥伦：道理。⑦傅：添上。

[译文]

战争，是为了禁止暴行，讨伐暴乱。炎帝制造火灾，所以黄帝擒获他；共工制造水害，所以颛顼诛灭他。用道理来教育，用德行来引导，如果不听从，就用威武的气势来震慑。用威武的气势来震慑还不听从，那么就用军队来制裁。所以圣人使用军队，就像梳理头发，除草间苗一样，去掉的很少，而获利很多。杀害无辜百姓，奉养没有道义的君主，是最大的危害。穷尽天下的资财，满足一人的欲望，是最大的祸患。如果夏桀和殷纣一开始危害人民，就立刻蒙受祸患，就不至于使用炮烙酷刑。如果晋厉公和宋康王刚做一件不义的事，就身死国亡，就不至于侵夺暴虐。这四位君主，都是有小过失的时候没有人讨伐,所以发展到扰乱天下,残害百姓。放纵一个人的邪恶,而增加天下的祸害,这是基本伦理所不允许的。之所以设立君王,就是为了禁止暴行,讨伐暴乱。现在凭借万民的力量,却成为凶残的人,这是为虎添翼,为什么不除掉他!

夫畜池鱼者必去猵獭,^①养禽兽者必去豺狼,又况治人乎!故霸王之兵,以论虑之,^②以策图之,以义扶之,非以亡存也,将以存亡也。故闻敌国之君有加虐于民者,则举兵而临其境,责之以不义,刺之以过行。兵至其郊,乃令军师曰:^③"毋伐树木,毋抉坟墓,毋爇五谷,^④毋焚积聚,毋捕民虏,^⑤毋收六畜。"乃发号施令曰:"其国之君,傲天侮鬼,决狱不辜,杀戮无罪,此天之所以诛,民之所以仇也。兵之来也,以废不义,而复有德也。有逆天之道,帅民之贼者,^⑥身死族灭。以家听者禄以家,以里听者赏以里,以乡听者封以乡,以县听者侯以县。"克国不及其民,^⑦废其君而易其政,尊其秀士而显其贤良,振其孤寡,恤其贫穷,出其囹圄,赏其有功。百姓开门而待之,淅米而储之,^⑧唯恐其不来也。此汤武之所以致王,而齐桓晋文之所以成霸也。故君为无道,民之思兵也,若旱而望雨,渴而求饮,夫有谁与交兵接刃乎!故义兵之至也,至于不战而止。

[注释]

①猵獭(biān tǎ):一种水獭,在水中捕食鱼类为生。②论:通"伦",伦理。③军师:军队。④爇(ruò):焚烧。⑤民房:俘获敌国人民。⑥帅:率。⑦克:战胜。克国:战胜敌国。⑧淅(xī):淘米。

[译文]

在池塘里养鱼,必定要清除水獭,蓄养飞禽走兽,必定要清除豺狼,又何况是治理人民呢!所以霸王的军队,以伦理思考问题,以策略谋求发展,以道义扶持自身,不是用来灭亡存在的国家,而是用来保存将要灭亡的国家。所以，听到敌国的君主对人民施加暴虐，就调动军队逼近他的国境，斥责他的不义，批评他的错误。军队行进到都城的郊外，就命令军队："不许砍树，不许挖坟，不许焚烧庄稼，不许焚烧仓库，不许俘获人民，不许掠夺牲畜。"又发布号令说："该国君主，傲视上天，侮辱鬼神，监禁无辜者，杀害无罪的人，上天因此要诛灭他，人民因此而仇视他。军队到来，就是要废除不义，恢复道德。有违背天道，带领民众为非作歹的，本人处死，家族灭绝。带领全家听从的，享受一家的俸禄；带领全里听从的，赏赐全里；带领全乡听从的，封赐全乡；带领全县听从的，封侯，食邑全县。"战胜敌国而不伤害它的人民，只是废黜它的国君，改变它的政治，尊重优秀人才，表彰贤良之人，赡养孤儿寡母，救助贫穷人家，释放监狱囚犯，奖励有功人员。（如果是这样）老百姓将敞开大门等待大军，淘好米储存着，唯恐大军不来。这正是汤、武之所以称王天下，齐桓公、晋文公之所以成就霸业的原因啊。所以，君主的行为不合道义，人民就盼望军队到来，就像干旱盼望下雨，口渴想要喝水一样，谁会与军队交战呢！所以正义之师到来，可以做到不交战就收兵。

晚世之兵，君虽无道，莫不设渠堑，傅堞而守。①攻者非以禁暴除害也，欲以侵地广壤也。是故至于伏尸流血，相支以日，②而霸王之功不世出者，自为之故也。夫为地战者，不能成其王；为身战者，不能立其功。举事以为人者，众助之；举事以自为者，众去之。众之所助，虽弱必强；众之所去，虽大必亡。兵失道而弱，得道而强。将失道而拙，得道而工。国得道而存，失道而亡。……

[注释]

①渠堑：护城河。傅：靠着。堞（dié）：城墙上加筑的齿状矮墙，也称

女墙。②相支：相互对抗。相支以日：旷日持久地对抗。

[译文]

晚世的军队，君主虽然无道，也都会开挖护城河，派兵在城墙上守护。进攻者不是为了禁止暴行、讨伐暴乱，而是为了侵占土地，扩张领土。因此，以至于尸横血流，长期对抗，霸王的功业却不能代代出现，这是因为只为自己的缘故啊。为了土地而战，不能成就王者的事业；为了自身而战，不能建立功勋。兴起战事是为了人民，众人都来帮助；兴起战事是为了自己，众人都会离开。众人帮助的，虽然弱小也必定刚强；众人离弃的，虽然强大也必定灭亡。军队失去道义就会衰弱，拥有道义就会强大。将帅失去道义就会拙劣，拥有道义就会精明。国家拥有道义就能存在，丧失道义就会灭亡。……

故明王之用兵也，①为天下除害，而与万民共享其利。民之为用，犹子之为父，弟之为兄。威之所加，若崩山决塘，敌孰敢当！故善用兵者，用其自为用也；②不能用兵者，用其为己用也。③用其自为用，则天下莫不可用也；用其为己用，所得者鲜矣。

[注释]

①明王：英明的君王。②自为用：兵卒感到是在为自己而战。③为己用：兵卒感到是在为君王而战。

[译文]

英明的君王动用军队，是为天下清除祸害，与人民共享利益。人民为他出力，就像儿子为了父亲，弟弟为了兄长一样。军威所到，就像山峰崩塌、池塘决口，敌人哪敢抵挡！所以，善于利用军队的人，会让兵卒感到他是为自己而战；不善于使用军队的人，会让兵卒感到他是为了君主而战。使用为自己而战的力量，天下没有不能使用的力量；使用为君主而战的力量，能够得到的就很少了。

兵有三柢：①治国家，理境内，行仁义，布德惠，立正法，塞邪隧，②群臣亲附，百姓和辑，③上下一心，君臣同力，诸侯服其威，而四方怀其德，修政庙堂之上，而折冲千里之外，④拱揖指挥而天下响应，⑤此用兵之上也。地广民众，主贤将忠，国富兵强，约束信，号令明，两军相当，鼓錞相望，⑥未至兵交接刃而敌人奔亡，此用兵之次也。知土地之宜，习险隘之利，明奇正之变，⑦察行陈解续之数，⑧维枹绾而鼓之，⑨白刃合，流矢接，涉血属肠，⑩舆死扶伤，⑪流血千里，暴骸盈场，⑫乃以决胜，此用兵之下也。今夫天下皆知事治其末，而莫知务修其本，释其根而树其枝也。

[注释]

①柢（dǐ）：通"柢"，根本，基础。②隧：地道，这里指邪路。③辑：和同，齐一。④冲：攻城的战车。折冲：击退敌人的攻城。⑤拱揖：抱拳拱手。挥：通"挥"。指挥：指挥。⑥錞（chún）：古代的军乐器，也叫錞于。⑦奇：偷袭、诱陷等战术。正：列队正面冲击。⑧赎：通"续"。解续：解散和集合。⑨维枹：用丝绳缠绕鼓槌。绾：系。这里指把鼓槌套在手腕上。⑩涉（dié）血：流血。属肠：肠子流出体外。⑪舆：车，这里指乘坐战车的将士。扶：扶翼车轮，这里指在战车两旁拥进的士卒。⑫场：战场。

[译文]

用兵有三种基本情况：国家治理，境内整齐，推行仁义，广施恩惠，建立严正的法规，堵塞奸邪的路径，群臣亲近依附，百姓和谐齐一，上下一心，君臣同力，诸侯臣服于他的威望，天下缅怀着他的德泽，在庙堂上处理政务，可以在千里之外的战场上击退敌人，从容指挥而天下响应，这是用兵的最高境界。疆土宽广，人民众多，君主贤明，将帅忠诚，国家富裕，军队强大，纪律严正，号令分明，两军对阵，军乐对面排开，兵卒还没有交战，敌人就奔走逃亡，这是用兵的次等境界。懂得利用地形，知道利用险隘，交错使用正面交锋和偷袭诱陷的不同战术，明白审察行军布阵和聚散军队的方法，鼓槌系在手上，击鼓进攻，白刃相交，流矢如雨，血流满身，肚肠流露，战车上下的士卒非死即伤，流血千里，尸骨遍布战场，这样才能决定胜负，这是用兵的最低境界。现在，天下都只知道追求末节，而不懂得从事根本，这是抛弃树根而种植树枝的行为啊。

夫兵之所以佐胜者众，而所以必胜者寡。甲坚兵利，车固马良，畜积给足，士卒殷轸，①此军之大资也，而胜亡焉。②明于星辰日月之运，刑德奇賌之数，③背乡左右之便，此战之助也，而全亡焉。④良将之所以必胜者，恒有不原之智，⑤不道之道，难以众同也。

夫论除谨，⑥动静时，吏卒辨，兵甲治（此司马之官也）。⑦正行伍，连什伯，⑧明鼓旗，此尉之官也。前后知险易，⑨见敌知难易，发斥不忘遗，⑩此候之官也。隧路亟，行輜治，⑪赋丈均，⑫处军辑，井灶通，⑬此司空之官也。收藏于后，迁舍不离，⑭无淫舆，无遗輜，此舆之官也。凡此五官之于将也，犹身之有股肱手足也。必择其人，技能其才，使官胜其任，人能其事。告之以政，申之以令，使之若虎豹之有爪牙，飞鸟之有六翮，莫不为用。然皆佐胜之具也，非所以必胜也。

[注释]

①殷轸（zhěn）：众多。②亡：无。胜亡焉：胜利不在这里。③刑德：汉人以阴阳言刑德，刑为阴，德为阳，刑主杀，德主生。賌（gāi）：通"赅"。奇賌：用兵的诡秘方法。④背乡：前进还是退却。左右：布阵时向左还是向右。全：保全。亡焉：不在于此。⑤原：追究，测度。⑥论：通

"抢"，挑选，选拔。除：授官。⑦此司马之官也：原文脱漏此句，据王引之之说补。⑧行伍、什伯：皆古代军队编制，五人为伍，二十五人为行。十人为什，百人为伯。⑨前后：前进和后退。⑩斥：侦察。发斥：派人侦察。遗：留守。⑪隧路：不为人知的暗道。亟：快速到达，意指道路通畅。行辎：军用物资。⑫赋丈：分派士卒修筑营垒等差役。均：平等。⑬处军：驻扎军队。辑：和睦。井灶：军队驻扎时使用的水井和炊灶。⑭收藏：指收敛战利品。迁：搬徙。舍：驻扎。

[译文]

　　用兵时，能够帮助取胜的因素很多，但能够必定取胜的条件很少。铠甲坚固，兵器锋利，战车稳固，马匹精良，积蓄丰富，给养充足，兵卒众多，这是军队的重要资本，但是胜利不取决于这些因素。知道日月星辰的运行，刑德奇技的方法，背乡左右的便利，这有助于作战，但还不是保全军队的方法。良将之所以必定取得胜利，常常有不可测度的智慧、不可言说的方法，很难和众人相同。

　　说到任命谨慎，动静适时，官兵管理有方，武器保养得当（这是司马的职责）。军队编制整齐，组织严密，鼓旗号令明确，这是尉官的职责。前进后退知道是危险还是安全，面对敌人知道战斗的难易程度，派人侦察同时不忽视留守，这是候官的职责。道路通畅，辎重整齐，士卒差役平均，军队上下和睦，凿井取水，挖灶煮饭，这是司空的职责。在后面收藏战利品，迁移、驻扎都不离弃，没有过量的装备，没有遗留的辎重，这是舆官的职责。这五种官职对于将帅来说，就好像身体有大腿、胳膊和手足一样。一定要选择恰当的人，考察他们的才能，使之胜任职责，每个人都能完成自己的任务。把政令告诉他们，向他们申明军令，任用他们就像虎豹使用爪牙，飞鸟使用劲羽一样，无不发挥作用！但是，这些都只是辅助取胜的因素，还不是必定取胜的条件。

兵之胜败，本在于政。政胜其民，下附其上，则兵强矣。民胜其政，下畔其上，①则兵弱矣。故德义足以怀天下之民，②事业足以当天下之急，③选举足以得贤士之心，④谋虑足以知强弱之势，此必胜之本也。

[注释]

①畔：通"叛"，背叛。②怀：怀柔，安抚。③事业：治国的成就。④选举：选拔和推举。

[译文]

军事上的胜败，根本在于政治。政府指挥人民，臣下亲附主上，军队就强大。人民指挥政府，臣下叛离主上，军队就弱小。所以，德义足以安抚天下的人民，治国的成就足以抵御天下的危机，选拔推举足以赢得贤士的拥护，计谋思虑足以了解强弱的形势，这才是必定取胜的根本啊。

地广人众，不足以为强；坚甲利兵，不足以为胜；高城深池，不足以为固；严令繁刑，不足以为威。为存政者，虽小必存；为亡政者，虽大必亡。①……二世皇帝，②势为天子，富有天下，人迹所至，舟楫所通，③莫不为郡县。然纵耳目之欲，穷侈靡之变，不顾百姓之饥寒穷匮也，兴万乘之驾而作阿房之宫，发闾左之戍，④收大半之赋，百姓之随逮肆刑，⑤挽辂首路死者，⑥一旦不知千万之数！天下敖然若焦热，倾然若苦烈，⑦上下不相宁，吏民不相憀。⑧戍卒陈胜，⑨兴于大泽，攘臂袒右，⑩称为"大楚"，而天下响应。当此之时，非有牢甲利兵，劲弩强冲也，伐棘枣而为矜，周锥凿而为刃，⑪剡摋箊，奋儋镢，⑫以当修戟强弩，攻城略地，莫不降下。天下为之麇沸蚁动，⑬云彻席卷，方数千里。势位至贱，而器械甚不利，然一人唱而天下应之者，积怨在于民也。……

[注释]

①存政、亡政：使国家保存或导致国家灭亡的政治措施。②二世皇帝：秦二世胡亥。③楫：船桨。④闾：古代以二十五家为闾。闾左：秦制，富贵人家居住在闾右，贫寒人家居住在闾左。戍：守边。⑤随逮：随时逮捕。肆刑：任意用刑。⑥挽辂：拉车。首路：指用力拉车，头向地面低垂的样子。⑦敫：通"熬"，煎熬。儴然：奄奄待毙的样子。⑧憀（liáo）：依赖。⑨陈胜：即陈涉，公元前 209 年，陈胜被征伐屯戍渔阳，途中因雨误期，秦法，误期是死罪，陈胜联合吴广，一起发动同行戍卒九百人起义。⑩袒右：露出右肩。⑪棘枣：酸枣树。矜：矛柄。周：插入。⑫剡（yǎn）：削尖。揱（shàn）：芟除。这里也是削尖的意思。筡（tú）：一种中空的竹子。儋：通"担"，扁担。镢：大锄。⑬糜：烂。糜沸、蚁动：形容动乱。

[译文]

　　土地宽广，人口众多，不足以成就强大；铠甲坚固，兵器锋利，不足以取得胜利；高筑城墙，深挖壕沟，不足以保持坚固；政令严正，刑罚繁琐，不足以维持威严。施行使国家长治久安的政治，虽然弱小，也能够保存；施行使国家走向灭亡的政治，虽然强大，也必定灭亡。……秦二世皇帝，拥有天子的位势，占有天下的财富，人迹所到之地，舟船通行之处，都设立了郡县。然而他放纵耳目欲望，穷尽奢侈享受，不顾百姓的饥寒穷困，调用上万辆车马，修建阿房宫，征用贫寒人家戍边，收敛天下收入的大半作为赋税，百姓随时可能被捕，任意施用刑罚，拉着车子倒地而死的，每天成千上万！天下好像被炙烤一样痛苦，像奄奄待毙一样难受，上下不得安宁，官吏和百姓不能互相依靠。戍卒陈胜在大泽乡造反，他们捋起衣袖，露出右肩，号称"大楚"，天下纷纷响应。当时，并没有坚固的铠甲，锋利的兵器，强劲的弩机，高大的冲车，不过砍下酸枣枝当做矛柄，插入铁锥、凿子作为兵器，削尖竹竿、挥动扁担大锄，当做长枪强弩去攻打城池，占领土地，没有不能攻克的。天下因此动乱不安，风起云涌，席卷天下，震撼方圆数千里。

陈胜的权势地位都很低贱，器械也很简陋，但是一人倡导而天下响应，这是因为人民积蓄了怨恨啊。……

故善用兵者，先弱敌而后战者也，故费不半而功自倍也。汤之地方七十里而王者，修德也；智伯有千里之地而亡者，^①穷武也。故千乘之国行文德者王，万乘之国好用兵者亡。故全兵先胜而后战，败兵先战而后求胜。德均则众者胜寡，力敌则智者胜愚，智侔则有数者禽无数。^②

凡用兵者必先自庙战。主孰贤？将孰能？民孰附？国孰治？蓄积孰多？士卒孰精？甲兵孰利？器备孰便？故运筹于庙堂之上，而决胜千里之外矣。……

[注释]

①智伯：春秋末晋国大夫，拥有晋国最大的封地，后被赵襄子联合韩、魏攻灭，三分其地。②侔（móu）：相等。

[译文]

所以善于用兵的人，先使敌人衰弱，然后再开战，因此花费不到一半，却有成倍的功效。商汤依靠七十里土地而称王天下，是因为修养道德；智伯拥有上千里封地却灭亡，是因为穷兵黩武。因此，千乘之国推行文德，可以称王；万乘之国滥用武力，必定灭亡。所以，能够保全的军队先创造获胜的条件，然后才开战；将要失败的军队先开战，再谋求取胜。双方的德行相当，那么人多的战胜人少的；力量相当，那么聪明的战胜愚笨的；智慧相当，那么有战术的擒获没有战术的。

大凡用兵，首先较量的是朝廷的决策。谁的君主贤明？谁的将帅能干？人民依附谁？谁的国家安定？谁的积蓄丰厚？谁的兵卒精良？铠甲兵器，谁的更坚固锋利？武器装备，谁的更便利完善？所以，庙堂上的谋划，能够决定千里之外的胜利。……

兵有三势，有二权。有气势，有地势，有因势。将充勇而轻敌，①卒果敢而乐战，三军之众，百万之师，志厉青云，②气如飘风，声如雷霆，诚积逾而威加敌人，③此谓气势。硖路津关，④大山名塞，龙蛇蟠，却笠居，⑤羊肠道，发笱门，⑥一人守隘，而千人弗敢过也，此谓地势。因其劳倦怠乱，饥渴冻暍，⑦推其摇摇，挤其揭揭，⑧此谓因势。善用间谍，审错规虑，设蔚施伏，⑨隐匿其形，出于不意，敌人之兵无所适备，此谓知权。陈卒正，前行选，⑩进退俱，什伍抟，⑪前后不相捻，左右不相干，⑫受刃者少，伤敌者众，此谓事权。

[注释]

①充勇：斗志昂扬。轻敌：藐视敌人。②厉：疾飞。③诚：专一的心志。积逾：集聚、超越。④硖（xiá）：山峡。津关：设在渡口的关卡。⑤却笠：形容地势险峻，人抬头看时，头上的斗笠都会掉下来。⑥笱（gǒu）：捕鱼的竹笼，鱼能进不能出。发笱门：形容隘口险要，如同竹笼，人能进不能出。⑦暍（yē）：中暑。⑧摇摇：摇摇欲坠。揭揭：快要脱出的样子。⑨蔚：草木茂盛貌。⑩陈卒：布阵。正：严正。选：齐整。⑪什伍：原指军队的建制，这里指军队。抟：聚合。⑫捻：践踏。干：冒犯。

[译文]

用兵有三势，有二权。三势指气势、地势、因势。将帅斗志昂扬，藐视敌人，士卒勇敢，乐于参战，三军之众，百万之师，斗志直冲云霄，豪气如同旋风，呐喊如同雷霆，万众一心，威慑敌人，这叫做气势。崎岖窄路，水道关卡，大山名塞，像龙蛇蟠踞，高耸入云，羊肠小道，狭隘关口，一人把守，千人不敢通过，这叫做地势。利用敌军的劳累困倦，懈怠混乱，饥饿干渴，寒冻暑热，推倒摇摇欲坠的，挤出即将脱落的，这叫做因势。善于使用间谍，慎重行事，周密考虑，设置疑阵，安排伏兵，隐藏自己的真实情况，出其不意,故军无法适应和防备,这叫做智谋的权变。布阵严正,行进整齐,进退一致,队形严谨,前后不互相踩踏,左右不互相妨碍,受伤的少,杀伤敌人多,这叫做处事的权变。

权势必形,^①吏卒专精,选良用才,官得其人,计定谋决,明于死生,举错得时,莫不振惊。故攻不待冲隆云梯而城拔,^②战不至交兵接刃而敌破,明于必胜之数也。

故兵不必胜,不苟接刃;攻不必取,不为苟发。故胜定而后战,钤县而后动。^③故众聚而不虚散,兵出而不徒归。唯无一动,动则凌天振地,抗泰山,荡四海,鬼神移徙,鸟兽惊骇。如此,则野无校兵,^④国无城守矣。……

[注释]

①权势:指三势、二权。②冲隆:攻城的冲车。云梯:攀爬城墙的梯子。③钤:通"权",秤锤。县:通"悬"。钤县:称量,衡量。④校:军营。校兵:驻扎在军营的兵卒。

[译文]

三势和二权已经充分表现出来,官吏和兵卒都忠诚精良,选拔贤良,任用人才,任官恰当,计谋确定,明察死生之变,举措符合时宜,令敌人感到震惊。所以进攻时还未使用冲车、云梯,敌人的城池已被攻下,战斗时还未进至两军交锋,敌军已被打败,这是因为明了必定胜利的道理。

因此,军队没有必胜的把握,不轻易交锋;进攻没有必取的把握,不随便发动。胜利已经确定无疑,然后才开战,权衡审度之后,才开始行动。所以士卒集合了,就不无功解散,军队出发了,就不空手回来。要么纹丝不动,动则惊天动地,动摇泰山,振荡四海,鬼神为之迁移,鸟兽为之惊恐。这样,野外就没有驻军,都城就没有守城的兵士了。……

善用兵者，当击其乱，不攻其治。是不袭堂堂之寇，不击填填之旗。①容未可见，以数相持。②彼有死形，因而制之。敌人执数，动则就阴。③以虚应实，必为之禽。④虎豹不动，不入陷阱；麋鹿不动，不离罝罘；⑤飞鸟不动，不絓网罗；⑥鱼鳖不动，不擐唇喙。⑦物未有不以动而制者也，是故圣人贵静。静则能应躁，后则能应先，数则能胜疏，博则能禽缺。⑧

[注释]

①堂堂：军容盛大。填填：排列整齐。②容：外在表现。这里指敌军的败象。数（cù）：密。这里指严密的准备。③执数：指有严密准备。阴：隐蔽。④禽：同"擒"。⑤离：通"罹"。罝、罘（jū fú）：都是捕兽的网。⑥絓（guà）：挂住，绊住。⑦擐（huàn）：套，穿。喙（huì）：鸟嘴。这里指鱼嘴。⑧禽：擒。

[译文]

善于用兵的人，应当趁敌人混乱时进行攻击，而不在它整齐有序的时候发动进攻。因此，不袭击阵容严整的敌军，不打击排列整齐的军队。敌人的情况还不清楚，自己严密防守，以待时机。敌人有灭亡的迹象，趁机顺势制服。敌人周密部署，就要行动隐蔽。以目标不明确的行动应对部署严密的防守，必定被敌人擒获。虎豹不动，不会跌入陷阱；麋鹿不动，不会撞上兽网；飞鸟不动，不会被罗网绊住；鱼鳖不动，不会被钓钩钓起。事物没有不是因为躁动而被制服的，所以圣人珍视清静。清静就能应对躁动，居后就能应对抢先，周密就能胜过疏漏，博大就能擒获残缺。

故良将之用卒也，同其心，一其力，勇者不得独进，怯者不得独退，止如丘山，发如风雨，所凌必破，靡不毁沮，①动如一体，莫之应圉。②是故伤敌者众，而手战者寡矣。③夫五指之更弹，不若卷手之一挃。④万人之更进，不如百人之俱至也。今夫虎豹便捷，熊罴多力，然而人食其肉，而席其革者，不能通其知而壹其力也。⑤夫水势胜火，章华之台烧，以升勺沃而救之，⑥虽涸井而竭池，无奈之何也。举壶榼盆盎而以灌之，⑦其灭可立而待也。今人之与人，非有水火之胜也，而欲以少耦众，不能成其功亦明矣。兵家或言曰："少可以耦众。"此言所将，非言所战也。或将众而用寡者，势不齐也，将寡而用众者，用力谐也。若乃人尽其才，悉用其力，以少胜众者，自古及今未尝闻也。

[注释]

①毁沮：败坏。②围：阻挡。③手战：肉搏。指战争的危急时刻。④挃(zhì)：捣，撞。⑤知：通"智"。⑥章华：章华台，春秋楚灵王所造的高台。沃：灌，浇。⑦壶榼(kē)盆盎：皆古代盛酒或贮水的器具，体量较大。

[译文]

所以，优秀的将领指挥士卒，会协同他们的心志，统一他们的力量，勇敢的不许独自前进，怯懦的不许独自后退，停止就像丘山纹丝不动，发动如同风雨迅猛交作，所攻击的必定被打败，无不崩溃瓦解，行动如同一个身体，没有人能够抵挡。因此伤亡敌人众多，而肉搏交战的情况很少。五个指头交替弹击，不如握紧拳头猛然一击。一万人轮番前进，不如一百人蜂拥而至。虎豹灵巧便捷，熊罴体大力壮，然而人吃它们的肉，铺它们的皮革，是因为它们不能交流智慧，统一力量。水能够克制火，章华台焚烧起来，用升勺浇水扑救，即使把井水舀干，把池塘舀尽，也无法浇灭。用大壶大盆装水浇灌，立即就扑灭了。现在人与人之间没有水火克制的关系，想要以少胜多，显然是不可能的。有的军事家说："少的可以对付多的。"这是说将领统帅士卒，而不是说战场上对阵交战。或者，是说统帅的人多，但能够使用的人少，士卒的力量不整齐，而另一方统帅的人少，但能够使用的人多，士卒同心协力。至于每个人都发挥了才能，都用尽了力量，这样还能以少胜多，这样的事情，从古至今，还没有听说过。

神莫贵于天，势莫便于地，动莫急于时，用莫利于人。凡此四者，兵之干植也。①……兵之所隐议者天道也，②所图画者地形也，所明言者人事也，所以决胜者钤势也。③故上将之用兵也，上得天道，下得地利，中得人心，乃行之以机，发之以势，是以无破军败兵。及至中将，上不知天道，下不知地利，专用人与势，虽未必能万全，胜钤必多矣。下将之用兵也，博闻而自乱，多知而自疑，居则恐惧，发则犹豫，是以动为人禽矣。……

[注释]

①干植：躯干，主体。②隐：精微。隐议：细致商议。③钤：通"权"。钤势：力量对比。

[译文]

最神妙的是天道，最方便的是地势，行动的关键是时机，用来获利的是人力。这四点，是用兵的主要方面。……用兵，要了解天道阴阳，要画出地形走势，要清楚人事安排，而决定胜负的，是力量对比。所以上等将领用兵，上得天道的规律，下得地势的便利，中得人心的拥护，再把握时机行事，凭借威势发力，所以他的军队不会被击溃，他的士卒不会被打败。到了中等将领，上不知天道，下不知地利，只用人力和威势，虽然不一定做到万无一失，但取胜的可能还是很大的。下等将领用兵，消息多却自相混乱，主意多却自己疑惑，驻扎则惶恐不安，发动则犹豫不决，因此动辄被人擒获。……

兵之所以强者，民也；民之所以必死者，义也；义之所以能行者，威也。是故合之以文，齐之以武，是谓必取。①威仪并行，是谓至强。夫人之所乐者生也，而所憎者死也，然而高城深池，矢石若雨，平原广泽，白刃交接，而卒争先合者，②彼非轻死而乐伤也，为其赏信而罚明也。是故上视下如子，则下视上如父；上视下如弟，则下视上如兄。上视下如子，则必王四海；下视上如父，则必正天下。上亲下如弟，则不难为之死；下事上如兄，则不难为之亡。是故父子兄弟之寇不可与斗者，积恩先施也。故四马不调，造父不能以致远，③弓矢不调，羿不能以必中；君臣乖心，则孙子不能以应敌。④是故内修其政，以积其德；外塞其丑，⑤以服其威。察其劳逸，以知其饱饥。故战日有期，视死若归。故将必与卒同甘苦，俟饥寒，⑥故其死可得而尽也。故古之善将者，必以其身先之。暑不张盖，⑦寒不被裘，所以程寒暑也；⑧险隘不乘，上陵必下，所以齐劳佚也；军食熟然后敢食，军井通然后敢饮，所以同饥渴也；合战必立矢射之所及，以共安危也。故良将之用兵也，常以积德击积怨，以积爱击积憎，何故而不胜！

[注释]

①必取：必胜。②合：交战。③造父：传说是周穆王时的善御者。④孙子：孙武，春秋末兵家，著有《孙子兵法》。⑤塞：杜绝。⑥俟（sì）：等候。这里指承受。⑦盖：用来遮阳的帏盖。⑧程：等量。

[译文]

使军队强大的，是人民；使人民为之献身的，是正义；使正义能够推行的，是权威。所以，用文化来聚合人民，用武力来整肃国家，就叫做必定胜利。威势和文化一起推行，就叫做最为强大。人所热爱的是生命，所憎恶的是死亡，然而冲向高墙深沟，冒着雨点般的飞箭石块，在平原广泽上挥刀砍杀，士卒争先交战，并不是他们轻视死亡，喜欢受伤，而是因为赏罚明确而且必定兑现。所以，主上看待下民像儿子，下民看待主上就像父亲；主上看待下民像弟弟,下民看待主上就像兄长。主上看待下民像儿子,就一定能够在天下称王;下民看待主上像父亲,就一定能够使天下安定。主上看待下民像弟弟,就愿意为人民献身;下民看待主上像兄长,就愿意为主上牺牲。所以,不可与上下关系如同父子兄弟的敌人作战,因为他们事先集聚了恩德。驾车的四匹马不协调,造父也不能驾驭它到达远方,弓和箭不搭配,羿也不一定能射中目标;君主和臣下离心离德,孙子也不能带领他们抵御敌人。因此要对内整饬政治,由此蓄积恩德;对外杜绝恶行,以便建立声威。考察士卒的劳逸,知道他们的饱饥。因此士卒等待着战日的到来,个个视死如归。所以将帅一定要与士卒同甘共苦,忍受饥寒,才可能充分获得士卒的效死之心。所以古时候善于带兵的人,必定身先士卒。暑热不张帷盖,寒冷不穿皮衣,为的是与士卒一同经受寒暑;险要的关隘不乘马,上山的时候必下车,为的是与士卒一样受累;士卒的饭食熟了,然后才敢进食,驻地的水井出水了,然后才敢饮水,为的是与士卒一同忍受饥渴;交战时,必定站在敌人的射程之内,为的是与士卒一样承受危险。所以优良的将帅用兵,常常用积累的恩德攻击积累的怨恨,用积累的爱心攻击积累的恶意,怎么会不胜利呢!

　　主之所求于民者二:求民为之劳也,欲民为之死也。民之所望于主者三:饥者能食之,①劳者能息之,有功者能德之。②民以偿其二责,而上失其三望,国虽大,人虽众,兵犹且弱也。若苦者必得其乐,劳者必得其利,斩首之功必全,死事之后必赏,③四者既信于民矣,主虽射云中之鸟,而钓深渊之鱼,弹琴瑟,声钟竽,④敦六博,⑤投高壶,⑥兵犹且强,令犹且行也。是故上足仰则下可用也,德足慕则威可立也。……

[注释]

①食(sì):使食。②德:奖赏。③死事之后:为国捐躯者的后人。

④声：发声。这里指敲钟吹竽。⑤敦：投掷。六博：古代的一种游戏，两人参加，每人六个棋子。⑥投高壶：即投壶，古代的一种游戏，游戏者依次向壶中投掷箭支，多中为胜。

[译文]

君主要求人民的有两项：要求人民为他服役，要求人民为他战斗。人民希望君主的有三项：饥饿时能获得食物，劳累时能得到休息，有功劳能获得奖赏。人民承担了两项责任，君主却不满足他们的三项期望，国家虽然大，人口虽然多，兵力还是衰弱。如果辛苦的人必定得到欢乐，辛劳的人必定得到利益，斩首杀敌者的功劳必定兑现，为国捐躯者的后人必定奖赏，这四方面都取信于民之后，君主即使高射云中的飞鸟，垂钓深渊的游鱼，弹奏琴瑟，敲钟吹竽，游戏六博，投掷高壶，兵力仍然强盛，号令仍然通行。所以，君主值得景仰，人民就可以使用，德行使人敬慕，威风就可以树立。……

盖闻善用兵者，必先修诸己，而后求诸人；先为不可胜，而后求胜。修己于人，求胜于敌。己未能治也，而攻人之乱，是犹以火救火，以水应水也，何所能制！……

兵贵谋之不测也，形之隐匿也，出于不意，不可以设备也。谋见则穷，形见则制。故善用兵者，上隐之天，下隐之地，中隐之人。隐之天者，无不制也。何谓隐之天？大寒甚暑，疾风暴雨，大雾冥晦，因此而为变者也。何谓隐之地？山陵丘阜，①林丛险阻，可以伏匿而不见形者也。何谓隐之人？蔽之于前，望之于后，出奇行陈之间，②发如雷霆，疾如风雨，搴巨旗，③止鸣鼓，而出入无形，莫知其端绪者也。……夫气之有虚实也，若明之必晦也，故胜兵者非常实也，败兵者非常虚也。善者能实其民气以待人之虚也，不能者虚其民气以待人之实也。故虚实之气，兵之贵者也。

[注释]

①阜：土山。②行：行军。陈：阵，布阵。③搴（qiān）：拔取。

[译文]

听说善于用兵的人，必定先修养自身，然后才要求他人；先做到不可战胜，然后再追求胜利。面对他人修养自己，面对敌人争取胜利。自己没有修养好，却想趁乱攻击别人，就像用火救火、用水堵水一样，哪里能够控制！……

用兵，最重要的是谋略不可预测，行迹隐藏不露，举动出人意料，使敌人不能预先防备。谋略暴露就会受困，行迹显露就会被制。所以善于用兵的人，上隐匿于天，下隐匿于地，中隐匿于人。隐匿于天，就没有什么不能制服。什么叫做隐匿于天？严寒酷暑，狂风暴雨，浓雾昏暗，都能相应采取不同的行动。什么叫做隐匿于地？山陵高坡，丛林险阻，都可以利用来埋伏隐藏，不露行迹。什么叫做隐匿于人？不事先暴露行动，加强后卫警戒，出奇兵，排奇阵，进攻如同雷霆，快速如同风雨，拔取大旗，抢夺战鼓，进攻和退守都不见痕迹，没有人知道战斗的来龙去脉。……气有虚有实，就像有光明就必定有黑暗一样，所以胜利的军队并不总是坚实的，失败的军队并不总是空虚的。能干的人能够充实人民的志气而等待敌人的空虚，无能的人使人民的志气空虚而等待敌人充实。所以，虚实之气，是用兵所珍视的。

凡国有难，君自宫召将，诏之曰："社稷之命在将军，即今国有难，愿请子将而应之。"将军受命，乃令祝史太卜斋宿三日，①之太庙，②钻灵龟，卜吉日，以受鼓旗。君入庙门，西面而立。将入庙门，趋至堂下，③北面而立。主亲操钺，持头，授将军其柄，曰："从此，上至天者，将军制之。"复操斧，持头，授将军其柄，曰："从此，下至渊者，将军制之。"将已受斧钺，答曰："国不可从外治也，军不可从中御也，二心不可以事君，疑志不可以应敌。臣既以受制于前矣，④鼓旗斧钺之威，臣无还请，⑤愿君亦无垂一言之命于臣也。君若不许，臣不敢将。君若许之，臣辞而行。"乃爪鬋，⑥设明衣也，凿凶门而出。⑦乘将军车，载旄旗斧钺，累若不胜。⑧其临敌决战，不顾必死，无有二心。是故无天于上，无地于下，无敌于前，无主于后。进不求名，退不避罪，唯民是保，利合于主。国之宝也，上将之道也。如此，则智者为之虑，勇者为之斗。气厉青云，疾如驰骛，⑨是故兵未交接，而敌人恐惧。若战胜敌奔，毕受功赏。吏迁官，益爵禄，割地而为调。决于封外，⑩卒论断军中。顾反于国，放旗以入斧钺，⑪报毕于君，曰："军无后治。"⑫乃缟素辟舍，⑬请罪于君。君曰："赦之。"退斋服。大胜三年反舍，中胜二年，下胜期年。⑭兵之所加者，必无道之国也，故能战胜而不报，⑮取地而不反，民不疾疫，将不夭死，五谷丰昌，风雨时节，战胜于外，福生于内。是故名必成，而后无余害矣。

[注释]

①祝史：古祭官名，主管祭祀时作辞向神祷告。太卜：官名，卜筮官之长。斋宿：斋戒独宿，祭祀前整洁身心。②太庙：国君的祖庙。③趋：身体前倾小步快走，以示尊敬。④制：国君的诏令。⑤鼓旗斧钺：军权的象征。还请：向朝廷请示汇报。⑥鬋（jiǎn）：剪除。爪鬋：古葬礼，入殓时为死者剪去手足趾甲。⑦明衣：冥衣，死者所穿衣服。凶门：向北开的门户。古俗宅门不向北开。将军出征时，凿一扇向北的门，由此出发。设明衣，凿凶门而出，都表示必死的决心。⑧累：忧虑。⑨驰骛：快马奔驰。⑩封：疆界。封外：国境之外。⑪放旗：把旗帜从旗杆上解下收好。入斧钺：交纳斧钺。⑫此句的意思是不再处理军中事务。⑬缟素：白色的丧服。辟舍：离开府第，寝于别处，以示不敢安处。⑭期（jī）年：一周年。⑮报：报复。

[译文]

当国家发生战祸，国君在宫中召见将军，命令他说："国家的命运在将军手中，现在国家危难，希望您带领军队迎击敌人。"将军接受命令，于是命令祭祀官和卜筮官斋戒三天，然后前往太庙，钻灼灵验的龟甲，占卜吉利的日子，来接受战鼓军旗。君主进入庙门，向西站立。将军进入庙门，快步走到台阶下，向北站立。国君亲自操起大钺，手持钺头，把钺柄授予将军，说："从现在起，上至苍天，由将军指挥。"又操起斧头，手持斧头，把斧柄授予将军，说："从现在起，下至深渊，由将军指挥。"将军接受斧钺，回答说："国家不可以从外面治理，军队不可以在宫廷中指挥，三心二意不可以事奉君主，犹豫不决不可以迎击敌人。臣下既然接受了诏令，就要维护战鼓、军旗和斧钺的威严，不再回朝廷请示，希望君王也不要对臣下下令。君王如果不许，臣下不敢率领军队。君王如果允许，臣下告辞出发。"于是剪掉指甲，准备丧衣，凿开北门出发。乘坐将军车，载着旌旗斧钺，满脸忧愁，好像不能胜利。而面对敌人展开决战，又不顾死亡的危险，一心报效君主。交战时好像上没有天，下没有地，前面没有敌人，后面没有君主。进攻不是为了名声，后退不害怕获罪，只求保护百姓，为君主谋利益。这是国家的珍宝，上等将领的做法。这样的话，智慧的人会为他出谋划策，勇敢的人会为他奋力拼杀。豪气直冲云霄，迅猛如快马奔驰，所以，两军还未交锋，敌人已经恐惧。这样，战斗胜利，敌人奔逃，全军都立功受赏。官吏升迁，增加爵禄，分割土地让立功者转迁。在境外就做出了决定，全部事务都在军中处理完毕。返回国内，降下军旗，交回斧钺，向君主报告战事结束，说："不再指挥军队。"于是穿上素服，离开府第，住在别的地方，向国君请罪。国君说："免罪。"于是脱掉斋戒的素服。大胜利三年返回府第，中胜两年返回，小胜一年返回。军队讨伐的，一定是无道的国家，所以能够战胜敌人而不遭受报复,夺取土地而不引起反对,人民不会发生疫病,将帅不会短命夭折,五谷丰登,风调雨顺,在外战胜敌人,在内造福人民。所以名声一定能够树立,往后也不会遗留祸患。

卷十六　说山训

[题解]

《说山训》是《淮南子》的第十六篇。说，论说，解说。山，堆积如山。本篇汇聚了许多散碎的故事和寓言，以说明各种道理，是锦言集性质的篇章。

魄问于魂曰：①"道何以为体？"曰："以无有为体。"魄曰："无有，有形乎？"魂曰："无有。""何得而闻也？"魂曰："吾直有所遇之耳。②视之无形，听之无声，谓之幽冥。幽冥者，所以喻道而非道也。"魄曰："吾闻得之矣。乃内视而自反也。"魂曰："凡得道者，形不可得而见，名不可得而扬。③今汝已有形名矣，何道之所能乎？"魄曰："言者独何为者？""吾将反吾宗矣。"④魄反顾魂，忽然不见。反而自存，亦以沦于无形矣。

[注释]

①魄、魂：皆指人的精神。魄依附身体而存在，称阴神。魂可以离开身体而存在，称阳神。②直：只是。③扬：称颂。④宗：本。这里指无形。

[译文]

魄问魂说："道以什么作为本体？"魂说："以无有作为本体。"魄问："无有，有形体吗？"魂说："没有。""那么，怎么知道它呢？"魂说："我只是遭遇它而已。看，却没有形体，听，却没有声音，称之为幽冥。所谓幽冥，是比喻道，并不就是道。"魄说："听你这样说，我明白道了。它是反观内心，回归自我。"魂说："凡是得道的，没有形体，因此看不见，没有名号，因此不可称呼。现在你已经有了形体和名号，你能够得到什么道呢？"魄说："你这么说又是为什么呢？""我要返回来处。"魄回头看魂，突然就不见了。魄也返回自我，隐没在无形之中。

人不小学，不大迷；不小慧，不大愚。

[译文]

人不拘泥于小学问，不会陷入大迷惑；不卖弄小聪明，不会表现大愚昧。

人莫鉴于沫雨，而鉴于澄水者，以其休止不荡也。……

[译文]

没有人把浑浊的雨水当成镜子，而以清水当镜子，因为它静止不晃动。……

人无为则治，有为则伤。无为而治者，载无也，① 为者不能无为也。不能无为者，不能有为也。人无言而神，有言者则伤。无言而神者载无，有言则伤其神之神者。② 鼻之所以息，耳之所以听，终以其无用者为用矣。③ 物莫不因其所有，而用其所无。以为不信，视籁与竽。……水定则清正，动则失平。故惟不动，则所以无不动也。江河所以能长百谷者，④ 能下之也。夫惟能下之，是以能上之。……

[注释]

① 载：装载。这里指施行。② 神之神：精神的主宰。③ 无用者：指耳鼻的中空处。④ 长百谷：为百谷之长。

[译文]

人，无为就可以治理，有意作为就会损伤。无为而治的人没有成见，有意作为的人不可能没有成见。不能做到无为的，也不可能有所作为。人不说话，就神秘莫测，人说话，就容易出现漏洞。不说话而神秘的人没有成见，好说话的人容易劳心伤神。鼻子之所以能呼吸，耳朵之所以能倾听，靠的是中间的空洞来实现功能。事物都有自己的实体，但发挥功能的却是它们的空虚。如果不相信，请看看籁与竽吧。……水安定就清澈平稳，动荡就不再平定。只有自身坚定，才能撼动他人，长江黄河之所以能够成为百谷之长，正是因为它们比百谷低下。只有居于低下的，才能阔大。……

兰生幽谷，不为莫服而不芳；舟在江海，不为莫乘而不浮；君子行义，不为莫知而止休。①……

[注释]

①休：美善。

[译文]

兰生长在幽深的山谷，不会因为没有人佩戴而不吐芬芳；舟航行在江海，不会因为没有人乘坐而不漂浮；君子奉行正义，不会因为没有人了解就放弃立场。……

人有嫁其子而教之曰：①"尔行矣，慎无为善。"曰："不为善，将为不善邪？"应之曰："善且由弗为，况不善乎？"此全其天器者。②

[注释]

①子：女儿。②天器：天性。

[译文]

有人嫁女儿而告诫她说："你去吧，谨慎些，不要做善事。"女儿问："不做善事，难道做坏事吗？"回答说："善事尚且不去做，何况坏事？"这是保全自己天性的人啊。

拘囹圄者，以日为修；①当死市者，以日为短。②日之修短有度也，有所在而短，有所在而修也，则中不平也。③故以不平为平者，其平不平也。……

[注释]

①修：长。②死市：在市场被砍头。古代，执行死刑有一定时辰，所以说被执行的人感到时间过得快。③中：内心。

[译文]

关在监狱里的人，感到日子很长；将要在街市上被砍头的人，感到时辰变得很短。时间的长短是确定的，在有的情况下感到短，有的情况下感到长，是因为内心不平正。所以，根据不平正的内心来判断平正，这样的平正是不平正的。……

钟之与磬也，近之则钟音充，①远之则磬音章。②物固有近不若远，远不如近者。……

[注释]

①充：声音洪亮。②章：明显。

[译文]

钟和磬，近处则钟声洪亮，远处则磬声明显。事物本来就有近不如远，远不如近的情况。……

亡羊而得牛，则莫不利失也。断指而免头，则莫不利为也。故人之情，于利之中则争取大焉，于害之中则争取小焉。……

[译文]

丢失羊，却能因此得到牛，那就没有人不愿意丢东西。截断手指,却能因此保全头颅,那就没有人不愿意这样做。所以,人之常情,是在利益中争取大的,在危害中争取小的。……

因媒而嫁,而不因媒而成。因人而交,不因人而亲。……
[译文]
依靠媒人而嫁娶,但不会为了媒人而成婚。通过别人介绍而交往,但不会为了介绍人而亲密。……

东家母死,其子哭之不哀。西家子见之,归谓其母曰:"社何爱速死?①吾必悲哭社。"夫欲其母之死者,虽死亦不能悲哭矣。谓学不暇者,虽暇亦不能学矣。……
[注释]
①社:母亲。爱:爱惜,舍不得。
[译文]
东家的母亲死了,她的儿子哭泣却不悲哀。西家的儿子看见,回去对他的母亲说:"母亲为什么舍不得快点死呢?我一定悲哀地哭您。"想母亲快死的人,即使母亲死了,也不会悲哀哭泣的。说学习没有时间的人,有了时间也不会学习。……

纣为象箸而箕子唏,①鲁以偶人葬而孔子叹。②故圣人见霜而知冰。……
[注释]
①象箸:象牙筷子。箕子:商纣王叔父。唏(xī):叹息。②偶人:用土木制成的人像,古人用来殉葬。
[译文]
商纣王用象牙做筷子,箕子叹息,鲁国人用偶人殉葬,孔子叹息。所以圣人看见下霜,就知道冰雪将要到来。……

郓人有鬻其母，^①为请于买者曰："此母老矣，幸善食之而勿苦。"^②此行大不义而欲为小义者。……

[注释]

①鬻：卖。②食（sì）：给……吃。

[译文]

郓城有个人卖掉他的母亲，替他母亲请求买主说："这位母亲老了，请你让她吃好，别太辛苦。"这种人，做大不义的事情，却想施行小义。……

为孔子之穷于陈、蔡而废六艺，^①则惑。为医之不能自治其病，病而不就药，则悖矣。

[注释]

①穷于陈、蔡：孔子周游列国时，在陈国、蔡国之间曾遭到陈、蔡大夫的围困。六艺：有二义：一指礼、乐、射、御、书、数六种技能；二指《诗》、《书》、《礼》、《易》、《乐》、《春秋》六部典籍。这里指后者。

[译文]

因为孔子曾经在陈、蔡被围困，就废除六艺，是糊涂。因为医生不能治好他自己的病，就有病也不服（他的）药，是错误。

卷十七　说林训

[题解]

《说林训》是《淮南子》的第十七篇。说，论说，解说。林，林木，比喻众多。此篇与《说山训》相似，也是锦言隽语的汇集，但是比《说山训》更散碎。这里略选几条，以存篇目。

以一世之度制治天下，①譬犹客之乘舟，中流遗其剑，遽契其舟桅，②暮薄而求之，其不知物类亦甚矣。夫随一隅之迹，而不知因天地以游，惑莫大焉。……

[注释]

①一世：一个时代，一个时期。②桅：据王念孙说当为"樴（fàn）"，船舷。

[译文]

用一个时代的制度治理天下，就像旅人乘船，航行时剑落入水中，旅人在船舷上刻上记号，傍晚停船时再下水寻找，也太不懂事物的道理了。追寻一个角落的痕迹，不知道顺从天地的变化而遨游，也太糊涂了。……

短绠不可以汲深，①器小不可以盛大，非其任也。

[注释]

①绠：井中打水的桶绳。

[译文]

短绳不能汲取深水，小器皿不能装下大东西，那不是它们能够胜任的。

怒出于不怒，为出于不为。视于无形，则得其所见矣。听于无声，则得其所闻矣。至味不慊，①至言不文，②至乐不笑，至音不叫，大匠不斫，③大豆不具，④大勇不斗，得道而德从之矣。譬若黄钟之比宫、太簇之比商，⑤无更调焉。……

[注释]

①慊（qiè）：满足，惬意。②文：文饰。③斫（zhuó）：本义为大锄，引申为砍。④豆：一种高足器皿。具：摆设。⑤黄钟、太簇：古代音乐十二律名中的两个。宫、商：五声中的两个。参见《天文训》。

[译文]

愤怒出自不愤怒，有为出自无为。在没有行迹的地方看，就能看到要看的。在没有声音的地方听，就能听到要听的。最美妙的滋味不满足快感，最重要的言语不加修饰，最深刻的快乐不需要欢笑，最大的声音不用吼叫，高明的工匠不用砍削，巨大的器皿不用摆设，伟大的勇敢不会打斗，获得了道，德就跟随来了。就像黄钟与宫声相配，太簇与商声相配，不需要重新调音。……

人莫欲学御龙，而皆欲学御马；莫欲学治鬼，而皆欲学治人：急所用也。……

[译文]

没有人学习驾驭龙，都想学习驾驭马；没有人学习治理鬼，都想学习治理人：是因为关注有用的东西。……

水静则平，平则清，清则见物之形，弗能匿也，故可以为正。……

[译文]

水静止就平稳，平稳就清澈，清澈就能照出物体的形状，使事物不能隐藏，所以可以作为标准。……

非规矩不能定方圆，非准绳不能正曲直，用规矩准绳者，亦有规矩准绳焉。……

[译文]

没有规矩不能确定方圆，没有准绳不能判断曲直，使用规矩准绳的人，也要遵守规矩准绳的规范。……

杨子见逵路而哭之，①为其可以南，可以北；墨子见练丝而泣之，②为其可以黄，可以黑。……

[注释]

①逵路：四通八达的道路。②练丝：经过漂煮，柔软洁白的熟绢。

[译文]

杨子看见四通八达的大路而哭泣，因为这样的路可以向南，也可以向北；墨子看见洁白的熟绢而落泪，因为这样的绢可以染黄，也可以染黑。……

忧父之疾者子，治之者医。进献者祝，①治祭者庖。②

[注释]

①祝：负责祭祀的人。②治祭：烹饪祭品。庖：厨师。

[译文]

担心父亲疾病的人是儿子，治病的是医生。进贡祭品的是祝人，烹饪祭品的是厨师。

卷十八 人间训

[题解]

《人间训》是《淮南子》的第十八篇。顾名思义,此篇论述的是人世间的各种事情。该篇讲述了许多故事,并通过叙事揭示故事中蕴含的普遍道理,给人提供教训。

清净恬愉,人之性也;仪表规矩,事之制也。①知人之性,其自养不勃;②知事之制,其举错不惑。③……

[注释]

①制:法度。②自养:自我修养。勃:乱。③错:通"措"。

[译文]

清净恬愉,是人的本性;标准规矩,是事的规定。知道人的本性,自我修养就不会混乱;知道事的规定,举止行为就不会迷惑。……

天下有三危:少德而多宠,一危也;才下而位高,二危也;身无大功而有厚禄,三危也。故物或损之而益,或益之而损。何以知其然也?昔者楚庄王既胜晋于河雍之间,①归而封孙叔敖,②辞而不受。病疽将死,③谓其子曰:"吾则死矣,王必封女。④女必让肥饶之地,而受沙石之间。有寝丘者,其地确石而名丑,⑤荆人鬼,越人禨,⑥人莫之利也。"孙叔敖死,王果封其子以肥饶之地。其子辞而不受,请有寝之丘。⑦楚国之俗,功臣二世而爵禄,唯孙叔敖独存。此所谓损之而益也。

[注释]

①楚庄王:春秋楚国君,公元前614至前597年在位。公元前597年,楚与晋战于邲,大败晋军。河雍之间:黄河与雍水之间,指邲。邲之战是春秋时代的一场著名战争。②孙叔敖:楚国人,楚庄王时为令尹。③疽:毒疮。④女:汝。下同。⑤寝丘:春秋楚地,在今河南荥阳北。确:瘠瘠。寝有貌丑之义,所以说寝丘的名称丑恶。⑥禨(jī):迷信鬼神和灾祥。⑦有寝之丘:即寝丘。有、之为语助词,没有实义。

[译文]

天下有三种危险:德行不足而多受宠爱,这是第一种危险;才能低下而地位崇高,这是第二种危险;没有建立大功勋却享受丰厚俸禄,这是第三种危险。所以,事物有的是减少反而增加,有的是增加反而减少。

怎么知道是这样呢?从前楚庄王在邲打败了晋军,回国后封赏孙叔敖,孙叔敖推辞,没有接受。他得恶疮,快要死了,对他的儿子说:"我就要死了,国君一定会封赐你。你一定要辞让肥饶的土地,接受沙石荒地。有个地方叫寝丘,土地贫瘠,多乱石,地名也难听,楚国人迷信鬼神,越国人相信预兆,没有人喜欢那里。"孙叔敖死后,楚王果然以肥饶之地封给他的儿子。他的儿子坚辞不受,请求赐予寝丘。楚国的习俗,功臣传到第二代就收回爵禄,只有孙叔敖的封地保持着。这就叫做减少反而增加。

何谓益之而损?昔晋厉公南伐楚,①东伐齐,西伐秦,北伐燕,兵横行天下而无所绻,威服四方而无所诎,②遂合诸侯于嘉陵。③气充志骄，淫侈无度，暴虐万民。内无辅拂之臣，④外无诸侯之助。戮杀大臣，亲近导谀。⑤明年出游匠骊氏，⑥栾书、中行偃劫而幽之。⑦诸侯莫之救，百姓莫之哀，三月而死。夫战胜攻取，地广而名尊，此天下之所愿也，然而终于身死国亡。此所谓益之而损者也。夫孙叔敖之请有寝之丘，沙石之地，所以累世不夺也；晋厉公之合诸侯于嘉陵，所以身死于匠骊氏也。

[注释]

①晋厉公：春秋时晋国君，公元前581年即位，公元前573年被杀。②缱（quǎn）：曲。诎（qū）：屈服。③合诸侯：公元前575年，晋与楚、郑战于鄢陵，大败楚、郑。嘉陵，即鄢陵。公元前574年，晋、宋、曹、卫等在嘉陵会盟。④拂（bì）：通"弼"。辅拂：即辅弼，辅佐的大臣。⑤导谀：阿谀迎奉。⑥匠骊氏：晋国大夫。⑦栾书：晋国大夫。中行偃：晋国大夫。《左传》成公十七年、十八年载，栾书、中行偃趁晋厉公到匠骊氏家游玩时劫持拘禁了他，次年杀晋厉公。

[译文]

什么叫做增加反而减少？从前晋厉公向南征伐楚国，向东征伐齐国，向西征伐秦国，向北征伐燕国，军队横行天下，从未遭到挫折，声威震服四方，没有遇过阻碍，于是与诸侯在嘉陵会盟。傲气十足，骄横异常，奢侈无度，暴虐万民。国内没有辅佐的大臣，国外没有诸侯的援助。戮杀大臣，亲近阿谀迎奉的人。第二年到匠骊氏家游玩，栾书、中行偃劫持并拘禁了他。诸侯不援救，百姓不同情，三个月后就被杀了。交战能取胜，进攻能夺取，领土扩张，声名尊显，这是天下人的愿望，然而最后却为此丧命亡国。这就是所说的增加反而减少。孙叔敖请求封赐寝丘的沙石之地，所以代代相传，不被剥夺；晋厉公在嘉陵会盟诸侯，所以死在匠骊氏家。

众人皆知利利而病病也，①唯圣人知病之为利，知利之为病也。夫再实之木根必伤,②掘藏之家必有殃,③以言大利而反为害也。张武教智伯夺韩、魏之地而擒于晋阳,④申叔时教庄王封陈氏之后而霸天下。⑤孔子读《易》至《损》、《益》,未尝不愤然而叹曰:"益损者,其王者之事与!"

[注释]

①利利:以利为有利。病:危害。病病:以害为有害。②再实:一年中两次结果实。③掘藏:盗墓。④张武:智伯家臣。擒于晋阳:指智伯被韩、赵、魏三家联合打败。⑤申叔时:楚国大夫。楚庄王灭陈,申叔时劝楚庄王恢复陈国,迎立陈灵公之子为君。

[译文]

众人都知道获利是好事,遭遇挫折不好,只有圣人知道挫折也有好处,获利也有坏处。一年两次结果的树,树根必受损伤;掘墓的人家,一定遭受祸患,这是说获得大利反而受害。张武教智伯夺取韩、魏两家的领地,导致智伯在晋阳被打败;申叔时教庄王恢复陈国,促使楚庄王称霸天下。孔子读《易》,读到《损》、《益》两卦时,总是无限感慨,叹息说:"增加和减少,大概就是王者的事业吧!"

事或欲以利之,适足以害之;或欲害之,乃反以利之。利害之反,祸福之门户,不可不察也。

阳虎为乱于鲁,①鲁君令人闭城门而捕之。②得者有重赏,失者有重罪。围三匝,而阳虎将举剑而伯颐。③门者止之曰:"天下探之不穷,④我将出子。"阳虎因赴围而逐,扬剑提戈而走,门者出之。顾反取其出之者以戈推之,攘袪薄腋。⑤出之者怨之曰:"我非故与子反也,为之蒙死被罪,而乃反伤我!宜矣,其有此难也!"鲁君闻阳虎失,大怒,问所出之门,使有司拘之,以为伤者受大赏,而不伤者被重罪。此所谓害之而反利者也。

[注释]

①阳虎：鲁国贵族季氏家臣，曾专鲁国国政。公元前502年，阳虎劫鲁定公和叔孙州仇以伐孟氏，事败奔齐。②鲁君：鲁定公，公元前510至前495年在位。③匝：圈。伯：迫。颐：面颊。举剑而伯颐：指举剑对着自己的脸，准备自杀。④探：探索，这里指出路。⑤攘：挑起。祛（qū）：袖口。薄：迫。薄腋：指戈顺着手臂插入腋下。

[译文]

有的事情本来想让人得利，却恰好使人受害；有的事情本来想让人受害，却恰好使人得利。利害的转变，是致祸还是得福的路径，不能不考察明白。

阳虎在鲁国作乱，鲁君命令关闭城门搜捕他。抓获他有重赏，放走他要重罚。包围了三圈，阳虎举剑准备自杀。守门人制止他说："天下的出路很多，我将放您出城。"阳虎因此突围冲出，挥舞着剑，高举着戈，向前猛跑，守门人放他出城。阳虎却回过头，抓住放他出城的守门人，用戈推搡他，戈挑开他的袖口，一直刺入腋下。放阳虎出城的守门人怨恨说："我并没有参与您的造反，现在为了您冒死获罪，你反而击伤我！真是活该啊，你有这样的灾难！"鲁君听说阳虎跑了，大怒，问从哪个门跑掉的，让司法部门拘捕守门的人，受伤的给予大赏，没伤的处以重罪。这就是所说的伤害他却让他得利。

何谓欲利之而反害之？楚恭王与晋人战于鄢陵，①战酣，恭王伤而休。司马子反渴而求饮，②竖阳谷奉酒而进之。③子反之为人也，嗜酒而甘之，不能绝于口，遂醉而卧。恭王欲复战，使人召司马子反，辞以心痛。王驾而往视之，入幄中而闻酒臭。恭王大怒，曰："今日之战，不谷亲伤，④所恃者司马也，而司马又若此，是亡楚国之社稷，而不率吾众也。⑤不谷无与复战矣！"于是罢师而去之，斩司马子反为僇。⑥故竖阳谷之进酒也，非欲祸子反也，诚爱而欲快之也，而适足以杀之。此所谓欲利之，而反害之者也。……

[注释]

①楚恭王：即楚共王，公元前590至前560年在位。公元前575年，楚国与晋国在鄢陵大战，楚国战败。②司马：古代官名，主管军政。子反：楚公子侧，楚中军将领。③竖：侍仆。阳谷：人名。④谷：善。不谷：古代王侯的谦称。⑤亡、率：王念孙说："亡与忘同。率当为恤。"⑥僇（lù）：侮辱。这里指陈尸示众。

[译文]

什么叫做想让人得利却害了他？楚恭王和晋国人在鄢陵交战，战斗正激烈，恭王被射伤眼睛而休战。司马子反口渴要喝的，侍仆阳谷捧来酒给他。子反这个人，嗜酒而贪杯，喝起来就停不住，于是喝醉躺下了。楚恭王准备重新开战，派人召司马子反，子反推辞说心口痛。恭王乘车前去看望，一进营帐就闻到酒臭。恭王大怒，说："今天的战斗，我自己都受伤了，所依赖的就是司马您，司马又这个样子，这是忘记了楚国的社稷，不体恤我们的部下啊。我也不打了！"于是收兵撤退，杀了司马子反，陈尸示众。侍仆阳谷献酒，不是想祸害子反，而是真心爱戴他，想让他快意，却恰好杀死了他。这就是所说的想让人得利却害了他。……

有功者人臣之所务也，有罪者人臣之所辟也。或有功而见疑，或有罪而益信。何也？则有功者离恩义，有罪者不敢失仁心也。

魏将乐羊攻中山，①其子执在城中，城中县其子以示乐羊。②乐羊曰："君臣之义，不得以子为私。"攻之愈急。中山因烹其子，而遗之鼎羹与其首。③乐羊循而泣之，④曰："是吾子已！"为使者跪而啜三杯。使者归报，中山曰："是伏约死节者也，⑤不可忍也。"遂降之。为魏文侯大开地有功。自此之后，日以不信。此所谓有功而见疑者也。

[注释]

①乐羊：战国魏文侯的将领。中山：春秋战国时的小国，其中心在河北定县一带。②执：拘捕。县：悬。这里指吊在城楼上让乐羊看。③遗：送给。鼎羹：一鼎肉汤。④循：抚摩。⑤伏约：信守誓约。死节：为气节献身。

[译文]

立功，是臣下努力追求的，犯罪，是臣下竭力避免的。有时候立功反而被怀疑，有时候犯罪反而更被信任。为什么呢？因为有功的人背离了恩义，犯罪的人不敢失去仁爱之心。

魏国大将乐羊进攻中山，他的儿子被拘留在城中。城中的人把他儿子吊在城上，让乐羊看。乐羊说："君臣大义，不能因为儿子徇私情。"进攻更加猛烈。中山把他的儿子煮了，送给乐羊一鼎肉汤和他儿子的头。乐羊抚摩着儿子的头，哭着说："是我的儿啊！"面对使者跪下，喝了三杯肉汤。使者回去报告，中山国君说："此人信守誓约，能为气节献身，很难恐吓。"于是投降了。乐羊为魏文侯开疆拓土，大有功劳。但从此之后，一天天不被信任。这就是所说的立功反而被怀疑。

何谓有罪而益信？孟孙猎而得麑，使秦西巴持归烹之。①麑母随之而啼。秦西巴弗忍，纵而予之。孟孙归，求麑安在，秦西巴对曰："其母随而啼，臣诚弗忍，窃纵而予之。"孟孙怒，逐秦西巴。居一年，取以为子傅。②左右曰："秦西巴有罪于君，今以为子傅，何也？"孟孙曰："夫一麑而不忍，又何况于人乎？"此谓有罪而益信者也。……

[注释]

①孟孙：鲁国大夫。秦西巴：人名，孟孙氏侍从。②取：召回。傅：师傅。

[译文]

什么叫做有罪反而更被信任？孟孙打猎，获得一只幼鹿，让秦西巴拿回家去煮。母鹿跟在后面哀啼。秦西巴不忍心，放开幼鹿让它回到母鹿身边。孟孙回来，问幼鹿在哪里，秦西巴回答说："它妈妈跟在后面哀啼，我实在不忍心，私自放了，让它随母鹿去了。"孟孙很生气，赶走了秦西巴。过了一年，又召回秦西巴做他儿子的师傅。身边的人问："秦西巴犯了错误，现在却让他当您儿子的师傅，为什么呢？"孟孙说："对一头幼鹿都不忍心，何况对人呢？"这就是所说的有罪反而更被信任。……

事或夺之而反与之，或与之而反取之。

智伯求地于魏宣子，①宣子弗欲与之。任登曰：②"智伯之强，威行于天下。求地而弗与，是为诸侯先受祸也。不若与之。"宣子曰："求地不已，为之奈何？"任登曰："与之使喜，必将复求地于诸侯，诸侯必植耳，③与天下同心而图之。一心所得者，非直吾所亡也！"④魏宣子裂地而授之。又求地于韩康子，⑤韩康子不敢不予。诸侯皆恐。又求地于赵襄子，⑥襄子弗与。于是智伯乃从韩、魏围襄子于晋阳。三国通谋，擒智伯而三分其国。此所谓夺人而反为人所夺也。

[注释]

①魏宣子：晋国大夫，名驹。②任登：魏宣子谋臣。③植耳：竖起耳朵。形容警惕。④直：仅仅。⑤韩康子：晋国大夫，名虎。⑥赵襄子：晋国大夫，名毋恤。

[译文]

事情有时候夺取它，反而给予它，有时候给予它，反而夺取它。

　　智伯向魏宣子索要土地，宣子不想给。任登说："智伯强大，声威横行天下。索要土地不给他，（他就会来攻打我们，我们）这是替别的诸侯先承受灾祸。不如给他。"宣子说："不停地要，怎么办？"任登说："给他让他高兴，他一定会再向别的诸侯索要，诸侯们一定都竖起耳朵警惕他，那时候就可以与天下同心协力一起对付他。与天下一条心所能够得到的，哪里只是我们失去的这些！"魏宣子分割土地送给智伯。智伯又向韩康子索要土地，韩康子不敢不给。诸侯都很恐慌。智伯又向赵襄子索要土地，襄子不给。于是智伯率领韩、魏在晋阳包围赵襄子。韩、魏、赵三国合谋，擒获智伯，把他的封国分为三份。这就是所说的夺取别人反而被别人夺取。

　　何谓与之而反取之？晋献公欲假道于虞以伐虢，① 遗虞垂棘之璧与屈产之乘。② 虞公惑于璧与马，而欲与之道。宫之奇谏曰：③ "不可。夫虞之与虢，若车之有轮，轮依于车，车亦依轮。虞之与虢，相恃而势也。若假之道，虢朝亡而虞夕从之矣。"虞公弗听，遂假之道。荀息伐虢，遂克之。④ 还反伐虞，又拔之。此所谓与之而反取者也。……

[注释]

①晋献公：春秋晋国君，公元前677至前651年在位。假道：借道。虞：春秋诸侯国名，地在今山西平陆东北。虢：春秋诸侯国名，在虞之南。②垂棘、屈产：皆晋国地名。乘：马。③宫之奇：虞国大夫。④荀息：晋大夫。克：战胜。

[译文]

　　什么叫做给予反而夺取？晋献公想向虞国借路去征伐虢国，送给虞国垂棘的玉璧和屈产的良马。虞公贪图玉璧和良马，打算借路给晋国。宫之奇劝阻说："不行。虞国和虢国，就像车辆有轮子，轮子依赖于车子，车子也依赖轮子。虞国和虢国是相互依恃的形势。如果借路给晋国，虢国早晨灭亡，虞国晚上就跟着灭亡。"虞公不听，于是借路给晋国。荀息征伐虢国，攻克了它。回来的路上征伐虞国，又夺取了它。这就是所说的给予它反而夺取它。……

何谓亏于耳忤于心而合于实？靖郭君将城薛，①宾客多止之，弗听。靖郭君谓谒者曰："无为宾通言。"齐人有请见者，曰："臣请道三言而已，②过三言，请烹。③"靖郭君闻而见之。宾趋而进，再拜而兴，④因称曰："海大鱼。"则反走。⑤靖郭君止之曰："愿闻其说。"宾曰："臣不敢以死为熙。"⑥靖郭君曰："先生不远道而至此，为寡人称之。"宾曰："海大鱼，网弗能止也，钓弗能牵也，荡而失水，则蝼蚁皆得志焉。今夫齐，君之渊也，君失齐，则薛能自存乎？"靖郭君曰："善。"乃止不城薛。此所谓亏于耳忤于心而得事实者也。夫以"无城薛"止城薛，其于以行说，乃不若海大鱼。……

[注释]

①靖郭君：孟尝君之父田婴，号靖郭君，相齐十一年，封于薛。城薛：在薛修筑城墙。②三言：三个字。③烹：古代煮活人的酷刑。④趋：小步快走的步姿，以示尊敬。兴：站起来。⑤称：说。反走：回身跑开。⑥熙：通"嬉"，嬉戏。

[译文]

什么叫做不顺耳、不顺心却符合实际？靖郭君打算在薛地修城，宾客纷纷劝阻，他都不听。他对通报官说："别为宾客通报了。"齐国有个人求见，说："我只说三个字，超过三字，把我活煮了。"靖郭君听说后接见了他。客人快步进来，拜了两次，站起来说："海大鱼。"说完回身就跑。靖郭君叫住他，说："想听听你的高见。"客人说:"我可不敢拿命闹着玩。"靖郭君说:"先生不惜远道而来,还是为我说说吧。"客人说:"海中大鱼,网不能捕获,钩不能钓起,但是如果它跳离水面,那么蝼蚁都来啃食了。现在齐国是您的深海,您失去齐国,薛还能独立保存吗?"靖郭君说:"说得对。"于是停工,不再修城。这就是所说的不顺耳、不顺心却符合实际。用"不要在薛地修城"来劝止在薛地修城,对于达到劝止的目的来说,不如说"海大鱼"有效。……

或无功而先举,或有功而后赏。何以明之?

昔晋文公将与楚战城濮,①问于咎犯曰:"为奈何?"咎犯曰:"仁义之事,君子不厌忠信;战陈之事,②不厌诈伪。君其诈之而已矣。"辞咎犯,问雍季。雍季对曰:"焚林而猎,愈多得兽,后必无兽。以诈伪遇人,虽愈利,后亦无复。君其正之而已矣。"于是不听雍季之计,而用咎犯之谋,与楚人战,大破之。还归赏有功者,先雍季而后咎犯。左右曰:"城濮之战,咎犯之谋也,君行赏先雍季,何也?"文公曰:"咎犯之言,一时之权也。雍季之言,万世之利也。吾岂可以先一时之权,而后万世之利也哉!"……

[注释]

①晋文公:名重耳,春秋晋国君,公元前636至前630年在位。公元前633年,晋楚在城濮对阵,晋军以弱胜强,击败楚军。②战陈:战阵。指布阵作战。

[译文]

有时候没有功劳却先被表彰,有时候有功劳却后受赏赐。怎么说明这一点呢?

从前晋文公将要与楚国在城濮开战,问咎犯说:"怎么打?"咎犯说:"仁义的事情,君子坚持忠诚守信;战场对阵,只管使用诈伪。君王使用诈谋就行了。"晋文公告辞咎犯，又问雍季。雍季回答说："烧林捕兽，得到的野兽会很多，但是后来就肯定没有野兽了。用诈伪来对待人，虽然能更多获利，但是不会有第二次。君王还是用正规的战阵吧。"晋文公没有听从雍季的策略，而采用了咎犯的谋划，与楚人交战，大败楚军。回国后赏赐有功人员，先奖赏雍季，然后才赏咎犯。身边的人问："城濮之战，是咎犯的谋划，君王行赏却先赏雍季，为什么呢？"晋文公说："咎犯说的，是一时的权宜之计。雍季说的，是造福万世的正理。我怎么能够先赏一时的权宜，而把造福万世的正理放在后面呢！"……

或有罪而可赏也，或有功而可罪也。

西门豹治邺，①廪无积粟，府无储钱，库无甲兵，官无计会。人数言其过于文侯。文侯身行其县，果若人言。文侯曰："翟璜任子治邺而大乱。②子能道则可，不能，将加诛于子。"西门豹曰："臣闻王主富民，霸主富武，亡国富库。今王欲为霸王者也，臣故稸积于民，③君以为不然，臣请升城鼓之，④甲兵粟米，可立具也。"于是乃升城而鼓之。一鼓民被甲括矢，⑤操兵弩而出。再鼓负辇粟而至。⑥文侯曰："罢之。"西门豹曰："与民约信，非一日之积也。一举而欺之，后不可复用也。燕常侵魏八城，⑦臣请北击之，以复侵地。"遂举兵击燕，复地而后反。此有罪而可赏者也。

[注释]

①西门豹：魏文侯时任邺令。邺：战国魏县名，今河北临漳县西南邺镇。②翟璜：魏大夫。③稸（xù）：积蓄。④升城：登城。⑤括：箭的末端。括矢：泛指箭。⑥负：背负。辇：车载。⑦燕：燕国，在魏东北方。常：尝，曾经。

[译文]

有时候有罪却可以被奖赏,有时候有功却可能被治罪。

西门豹治理邺县,粮仓里没有积蓄存粮,府库里没有储存钱财,兵库里没有盔甲兵器,官府里没有会计。有人屡次向魏文侯报告他的过失。文侯亲自到邺县视察,果然像人们所说的那样。文侯说:"翟璜任用你治理邺县,你却搞得乱七八糟。你能说清楚就罢了,说不清楚,治你的罪。"西门豹说:"我听说奉行王道的君主使人民富裕,奉行霸道的君主使武备强盛,亡国的君主使仓库丰盈。现在君王您是希望成为霸王的,所以我把财富积蓄在人民之中,君王如果不信,请让我登城击鼓,铠甲、兵器和粮食,可以马上备齐。"于是登城击鼓。一通鼓,人民身披铠甲、手握兵器拥出门来。二通鼓,人民背着粮食拉着辎重到来。文侯说:"让他们回去吧。"西门豹说:"与人民约定信用,不是一天就能完成。一次行动欺骗他们,以后就不管用了。燕国曾经侵占我们魏国八座城,我请求向北进攻,收复失地。"于是率兵攻打燕国,收复失地后返回。这就是有罪却可以被奖赏。

解扁为东封,①上计而入三倍,②有司请赏之。文侯曰:"吾土地非益广也,人民非益众也,入何以三倍。"对曰:"以冬伐木而积之,于春浮之河而鬻之。"③文侯曰:"民春以力耕,暑以强耘,秋以收敛,冬间无事。以伐林而积之,负轭而浮之河,④是用民不得休息也,民以敝矣!虽有三倍之入,将焉用之!"此有功而可罪也。……

[注释]

①解扁:战国魏臣。封:疆界。为东封:管理东面边境的官员。②上计:战国时的官员考评制度,年终向中央报告赋税收入等情况。③浮:漂流。④轭:马具。形状略作人字形,套在马的颈部。负轭:给马套上轭,指驾车。

[译文]

解扁治理东部边境,上计时收入增加了三倍,主管官员请求奖赏他。魏文侯说:"我的土地没有扩大,人民没有增加,收入为什么增加三倍。"回答说:"冬天砍伐木头堆起来,春天顺河漂流下来卖掉。"魏文侯说:"人民春天勤勉耕种,夏暑尽力耕耘,秋天收割贮藏,冬天才得空闲。你却让他们冬天伐木堆积,驾车拉到河边漂流,这样使用人民,不让他们休息,人民疲惫不堪!虽然有三倍的收入,也不任用你了!"这就是有功却被治罪。……

或誉人而适足以败之,或毁人而乃反以成之。何以知其然也?

费无忌复于荆平王曰:①"晋之所以霸者,近诸夏也。②而荆之所以不能与之争者,以其僻远也。楚王若欲从诸侯,不若大城城父,③而令太子建守焉,以来北方。④王自收其南,是得天下也。"楚王悦之,因命太子建守城父,命伍子奢傅之。居一年,伍子奢游人于王,⑤侧言太子甚仁且勇,能得民心。王以告费无忌。无忌曰:"臣固闻之。太子内抚百姓,外约诸侯,齐晋又辅之,将以害楚,其事已构矣。"王曰:"为我太子,又尚何求?"曰:"以秦女之事怨王。"⑥王因杀太子建而诛伍子奢。此所谓见誉而为祸者也。

[注释]

①费无忌:楚国大夫。复:报告。荆平王:楚平王,名居,公元前528至前516年在位。荆:楚的古称。②夏:中原地区。诸夏:中原各诸侯国。③城父:春秋楚邑。大城城父:在城父修筑大城。④来:招徕。这里指加强与北方的联系。⑤游人:指伍子奢派来向楚王游说进言的人。⑥秦女之事:楚平王派费无忌到秦国为太子娶亲,费无忌见秦女漂亮,劝楚平王自己娶纳,另外给太子娶妇。楚平王听从了。所以费无忌谗言太子怨恨。

[译文]

有时候赞誉人却恰好伤害他,有时候诋毁人却反而成全他。怎么知道是这样呢?

费无忌对楚平王说:"晋国之所以能够称霸,是因为靠近中原。楚国之所以不能与它竞争,是因为地处偏远。君王如果想让诸侯追随自己,不如把城父修成大城,让太子建镇守,以加强与北方的联系。君王自己管理南方,这样就可以得到天下了。"楚平王很高兴,命令太子建镇守城父,命令伍子奢辅佐他。过了一年,伍子奢派人到楚平王跟前游说,假装无意地称费太子仁慈并且骁勇,能够获得民心。楚平王告诉费无忌。费无忌说:"我已经听说了。太子在内安抚百姓,在外结盟诸侯,齐国和晋国又辅助他,将要为害楚国,这件事情已经在谋划了。"楚平王说:"他是我的太子,还想要什么?"费无忌说:"因为秦女的事情怨恨您。"楚平王因此杀了太子建,把伍子奢也杀了。这就是赞誉人却恰好伤害了他。

何谓毁人而反利之?唐子短陈骈子于齐威王,①威王欲杀之。陈骈子与其属出亡奔薛②。孟尝君闻之,③使人以车迎之。至而养以刍豢黍粱,五味之膳日三至。冬日被裘罽,④夏日服絺纻,⑤出则乘牢车,⑥驾良马。孟尝君问之曰:"夫子生于齐,长于齐,夫子亦何思于齐?"对曰:"臣思夫唐子者。"孟尝君曰:"唐子者非短子者耶?"曰:"是也。"孟尝君曰:"子何为思之?"对曰:"臣之处于齐也,粝粱之饭,藜藿之羹,⑦冬日则寒冻,夏日则暑伤。自唐子之短臣也,以身归君,食刍豢,饭黍粱,服轻暖,乘牢良。臣故思之。"此谓毁人而反利之者也。是故毁誉之言,不可不审也。……

[注释]

① 唐子:战国齐大夫。短:说坏话。陈骈子:战国齐人。齐威王:战国

齐国国君,公元前 365 至前 320 年在位。②薛:孟尝君的封地。③孟尝君:战国名公子,以好养士著名。④罽(jì):一种毛织品。⑤絺(chī):细葛布。纻(zhù):苎麻织成的粗布。⑥牢车:牢固的好车。⑦粝粢(lì cí):粗糙的饭食。藜藿(lí huò):两种野菜。

[译文]

什么叫做诋毁人却反而使人得利?唐子在齐威王面前说陈骈子的坏话,齐威王要杀陈骈子。陈骈子和他的随从向薛逃亡。孟尝君听说了,派人驾车迎接他。到薛后,提供肉食米饭、美味佳肴每天三次送来。冬天穿毛皮,夏天穿葛麻,出门乘坐好车,驾驭良马。孟尝君问他:"您生在齐国,长在齐国,您想念齐国的什么?"陈骈子回答说:"我想念唐子啊。"孟尝君说:"唐子,不是说您坏话的人吗?"陈骈子说:"是啊。"孟尝君:"您怎么思念他呢?"回答说:"我在齐国的时候,吃的是糙米饭,喝的是野草汤,冬天挨寒冻,夏天受暑热。自从唐子说我坏话,我投靠您,吃肉食米饭,穿轻暖衣服,乘好车良马。我因此想念唐子。"这就叫做诋毁人反而使人得利。所以,说诋毁和赞誉的话,不能不谨慎啊。……

人皆务于救患之备,而莫能知使患无生。夫使患无生,易于救患,而莫能加务焉,则未可与言术也。晋公子重耳过曹,曹君欲见其骈胁,①使之袒而捕鱼。厘负羁止之曰:"公子非常也,从者三人,皆霸王之佐也。遇之无礼,必为国忧。"君弗听。重耳反国,起师而伐曹②,遂灭之。身死人手,社稷为墟,祸生于袒而捕鱼。齐、楚欲救曹,不能存也。听厘负羁之言,则无亡患矣。……

[注释]

①曹君:曹共公,名襄,公元前 652 至前 618 年在位。骈(pián)胁:指肋骨粘连。②反国:指回国继承王位。起师:调动军队。

[译文]

人们都为解除祸患做准备,却不知道使祸患不产生。使祸患不产生,比解除祸患更容易,不能在这上面用心,就没有办法对他们说如何避免灾祸。晋国公子重耳流亡经过曹国,曹君想看他粘连的肋骨,让他裸露上身去捕鱼。厘负羁制止说:"公子不是平常人,随从的三个人,也都是佐王之才。对他们无礼,必定给国家带来祸患。"曹君不听。重耳回到晋国,调动军队讨伐曹国,灭了曹国。曹君丧命,社稷成为废墟,灾祸就产生于让晋公子裸体捕鱼。齐国和楚国想援救曹国,也不能保全它。若听从厘负羁的话,就不会有这样的祸患了。……

人或问孔子曰:"颜回何如人也?"曰:"仁人也,丘弗如也。""子贡何如人也?"曰:"辩人也,丘弗如也。""子路何人也?"曰:"勇人也,丘弗如也。"宾曰:"三人皆贤夫子,①而为夫子役,②何也?"孔子曰:"丘能仁且忍,辩且讷,勇且怯。以三子之能,易丘一道,丘弗为也。"孔子知所施之也。……

[注释]

①贤夫子:贤能超过了孔子。②为夫子役:为孔子服役,指当孔子的学生。

[译文]

有人问孔子说:"颜回是怎样的人?"孔子说:"是仁爱的人,我不如他。""子贡是怎样的人?"孔子说:"是善辩的人,我不如他。""子路是怎样的人?"孔子说:"是勇敢的人,我不如他。"客人说:"这三个人都比您贤能,却当您的学生,为什么呢?"孔子说:"我能够仁爱并且坚忍,善辩同时木讷,勇敢而且退让。用他们三人的才能,来交换我的一贯之道,我不愿意。"孔子懂得该怎么做。……

或争利而反强之，或听从而反止之。何以知其然也？鲁哀公欲西益宅，①史争之以为西益宅不祥。②哀公作色而怒，左右数谏不听，乃以问其傅宰折睢曰：③"吾欲益宅，而史以为不祥，子以为何如？"宰折睢曰："天下有三不祥，西益宅不与焉。"哀公大悦而喜。顷复问曰：④"何谓三不祥？"对曰："不行礼义，一不祥也；嗜欲无止，二不祥也；不听强谏，三不祥也。"哀公默然深念，愤然自反，⑤遂不西益宅。夫史以争为可以止之，而不知不争而反取之也。……

[注释]

①鲁哀公：春秋鲁国君，公元前496至前468年在位。西益宅：向西扩建住宅。②史：史官，负责记录君主言行的官员。③傅：太傅，国君的老师。宰折睢：人名。④顷：片刻之后。⑤愤然：感慨的样子。自反：自我反省。

[译文]

有时候争执反而强化了对方的立场，有时候听从反而制止了他。怎么知道是这样呢？鲁哀公打算向西扩建住宅，史官劝阻，认为向西扩建住宅不吉利。鲁哀公变了脸色，非常生气，身边的人一再劝谏，他都不听。他问太傅宰折睢说："我想向西扩建住宅，史官认为不吉利，您认为怎么样？"宰折睢说："天下有三件不吉利的事情，向西扩建住宅不在其中。"哀公十分高兴，眉开眼笑。过了片刻又问："什么叫做三不吉利？"宰折睢回答说："不施行礼义，一不吉利；嗜欲没有节制，二不吉利；不听众人劝说，三不吉利。"哀公沉默了，想了一阵，感慨地放弃了原来的想法，不再向西扩建住宅。史官认为争执可以劝阻哀公，而不知道不争执反而能取得这样的效果。……

或明礼义、推道体而不行，或解构妄言而反当。①何以明之？

孔子行游，马失，食农夫之稼。野人怒，②取马而系之。子贡往说之，卑辞而不能得也。孔子曰："夫以人之所不能听说人，譬以大牢享野兽，③以《九韶》乐飞鸟也。予之罪也，非彼人之过也。"乃使马圉往说之。④至见野人曰："子耕于东海，至于西海，吾马之失，安得不食子之苗？"野人大喜，解马而与之。说若此，其无方也而反行。⑤事有所至，而巧不若拙。故圣人量凿而正枘。⑥夫歌《采菱》、发《阳阿》，⑦鄙人听之，不若此《延路》、《阳局》。非歌者拙也，听者异也。故交画不畅，连环不解，⑧物之不通者，圣人不争也。

[注释]

①道体：道理的基础。解构妄言：随便顺着乱说。②野人：乡野之人。③大牢：即太牢，古代宴会或祭祀时，以牛、羊、豕（猪）齐备为太牢。④马圉：养马的人。⑤方：方法。反行：反而行得通。⑥凿：卯眼。枘：榫头。⑦发：发声，指歌唱。⑧交画不畅，连环不解：交错的线条不畅通，相扣的玉环解不开。

[译文]

有时候阐明礼义、推演道理反而行不通，有时候随便乱说反而恰当。怎么说明它呢？孔子出游，马走失了，啃了农夫的庄稼。农夫很生气，抓住马拴起来。子贡去求情，好话说尽了，就是要不回马。孔子说："用别人不喜欢听的话去劝说，就像端太牢给野兽吃，奏《九韶》给飞鸟听。是我们的错误，不是别人的过失。"于是派马夫去求情。马夫前去，见到在田地里耕作的农夫，说："您耕作的田地从东海到达西海，我的马跑失了，怎么能不吃您的庄稼？"农夫非常高兴，解开马还给马夫。说辞像这样没有准则，反而行得通。可见事情有它的方向，灵巧不一定比得上朴拙。所以圣人量好了卯眼，再校定榫头。歌唱《采菱》、《阳阿》，粗鄙的人听了，还不如《延路》、《阳局》。并不是歌者唱得不好，而是听者的要求不同。所以，交错的线条不畅通，相扣的玉环不可解，事物有的不能通达，圣人不强求。

仁者，百姓之所慕也；义者，众庶之所高也。为人之所慕，行人之所高，此严父之所以教子，而忠臣之所以事君也。然世或用之而身死国亡者，不同于时也。①昔徐偃王好行仁义，②陆地之朝者三十二国。王孙厉谓楚庄王曰：③"王不伐徐，必反朝徐。"王曰："偃王，有道之君也，好行仁义，不可伐。"王孙厉曰："臣闻之，大之与小，强之与弱也，犹石之投卵，虎之啗豚，④又何疑焉！且夫为文而不能达其德，为武而不能任其力，乱莫大焉。"楚王曰："善。"乃举兵而伐徐，遂灭之。知仁义而不知世变者也。……

[注释]

①同：同步。不同于时：即不合于时代。②徐偃王：春秋时徐国君。年代不详。③王孙厉：楚臣。楚庄王：春秋楚国君，公元前613至前591年在位。④啗（dàn）：食。

[译文]

仁，是老百姓所仰慕的；义，是大众所推崇的。做人们仰慕的事情，行人们推崇的行为，这正是父亲教育儿子，忠臣事奉君主的准则。然而世上有奉行仁义却身死国亡的人，是因为不合时宜啊。从前徐偃王喜欢施行仁义，海内来觐见的有三十二个国家。王孙厉对楚庄王说："大王不去讨伐徐国，一定会去朝拜徐国。"楚庄王说："徐偃王是有道德的君主，喜欢施行仁义，不能讨伐。"王孙厉说："我听说，大与小比，强与弱比，好像石头砸鸡蛋，猛虎吃小猪一样，哪里需要疑虑！况且，施行文治却不能推广德泽，崇尚武备却不能使用力量，祸乱没有比这更大的了。"楚庄王说："好。"于是调动军队征伐徐国，灭了徐国。徐偃王知道仁义，但是不懂得时世已经改变了。……

田子方见老马于道,①喟然有志焉,②以问其御曰:"此何马也?"其御曰:"此故公家畜也,老罢而不为用,③出而鬻之。"田子方曰:"少而贪其力,老而弃其身,仁者弗为也。"束帛以赎之。④罢武闻之,⑤知所归心矣。

[注释]

①田子方:战国时魏人,学于子夏,为魏文侯师。《庄子》有《田子方》篇。②喟然:感慨的样子。这里指老马奋蹄响鼻,有奔驰的意向。③罢(pí):通"疲"。④束帛:古制,帛五匹为一束。⑤罢武:年老疲弱的武士。

[译文]

田子方在路上看见一匹老马,奋蹄响鼻,有奔驰的意向,问牵马人说:"这是一匹什么马?"牵马人说:"这原是公室的马,老了,不用了,拉出来卖掉。"田子方说:"在它少壮时贪图它的气力,在它老弱时丢弃它的身体,仁者不该做这样的事。"用五匹帛赎回了马。疲弱的武士听说了,都衷心归附田子方。

齐庄公出猎,①有一虫举足将搏其轮。问其御曰:"此何虫也?"对曰:"此所谓螳螂者也。其为虫也,知进而不知却,不量力而轻敌。"庄公曰:"此为人,而必为天下勇武矣。"回车而避之。勇武闻之,知所尽死矣。故田子方隐一老马,而魏国载之。②齐庄公避一螳螂,而勇武归之。

[注释]

①齐庄公:春秋齐国君,公元前794至前731年在位。②隐:怜悯。载:通"戴",拥戴。

[译文]

齐庄公外出打猎,有一只小虫举起足迎击车轮。庄公问驾车人说:"这是什么虫?"回答说:"这叫做螳螂。这种虫子只知道前进而不知道后退,不估计自己的力量,轻视敌人。"庄公说:"它要是人,一定是天下的勇敢武士。"掉转车头避开它。那些勇敢武士听说了,都知道如何为国家效力了。所以,田子方怜悯一匹老马,魏国人拥戴他。齐庄公回避一只螳螂,勇敢的武士们都归附他。

汤教祝网者,①而四十国朝。文王葬死人之骸,而九夷归之。②武王荫暍人于樾下,③左拥而右扇之,而天下怀其德。越王句践一决狱不辜,④援龙渊而切其股,⑤血流至足,以自罚也,而战武(士)必其死。⑥故圣人行之于小,则可以覆大矣;审之于近,则可以怀远矣。……

[注释]

①汤:商汤王。祝:祈祷。《史记·殷本纪》载:"汤出,见野张网四面,祝曰:'自天下四方皆入吾网。'汤曰:'嘻,尽之矣。'乃去其三面,祝曰:'欲左,左;欲右,右。不用命,乃入吾网。'诸侯闻之,曰:'汤德至矣,及禽兽。'"②文王:周文王。传说文王修筑灵台,挖出骨骸,文王以五大夫礼安葬。九夷:华夏族之外的东部民族。③武王:周武王。暍(yē):中暑。樾(yuè):树荫凉。④越王句践:战国越国君,公元前496至前465年在位。决狱:判决诉讼。⑤龙渊:著名宝剑。⑥"士"字衍。战武:战士。

[译文]

商汤王教诲张网捕鸟的人,四十位国君朝拜他。周文王安葬死人的骸骨,九夷部族归附他。周武王把中暑的人安置在树荫下,左手抱着,右手为他扇凉,天下人都感念他的恩德。越王句践一次断案错杀了无罪的人,拿起龙渊剑刺自己的大腿,血一直流到脚上,这样来处罚自己,战士不惜为他献命。所以圣人在小处做事,可以影响广大;在近处明察,可以安抚远方。……

鲁哀公为室而大。公宣子谏曰：[1]"室大，众与人处则哗，少与人处则悲。愿公之适。"公曰："寡人闻命矣。"筑室不辍。[2]公宣子复见，曰："国小而室大，百姓闻之必怨吾君，诸侯闻之必轻吾国。"鲁君曰："闻命矣。"筑室不辍。公宣子复见曰："左昭而右穆，[3]为大室以临二先君之庙，得无害于子乎？"公乃令罢役，除版而去之。[4]鲁君之欲为室，诚矣。公宣子止之，必矣。然三说而一听者，其二者非其道也。……

[注释]

[1]公宣子：鲁国大夫。[2]辍（chuò）：停止。[3]左昭而右穆：古代宗法制度，宗庙次序，始祖居中，往下一左一右，顺代排列，左为昭，右为穆。[4]版：筑墙的夹板。

[译文]

鲁哀公建造宫室，造得很大。公宣子劝谏说："宫室太大，住的人多就喧闹，住的人少就冷清。希望国君考虑大小适度。"鲁哀公说："我听到您的意见了。"然后继续建造，没有停工。公宣子再次进见，说："国家小而宫室大，百姓听说一定怨恨国君，诸侯听说一定轻视我国。"鲁哀公说："听到意见了。"还是继续建造，没有停工。公宣子又一次进见，说："左昭右穆，建造的大室逼近二位先君的宗庙，不会对您造成危害吗？"鲁哀公这才下令停工，拆除夹板离开了。鲁哀公想要修建宫室，这是肯定的。公宣子要制止它，也是坚决的。然而三次劝说才听从一次，其他两次没有说中心思。……

何谓若然而不然？子发为上蔡令，[1]民有罪当刑，狱断论定，决于令前，子发喟然有凄怆之心。罪人已刑，而不忘其恩。此其后子发盭罪威王而出奔，[2]刑者遂袭恩者，[3]逃之于城下之庐。追者至，踹足而怒曰：[4]"子发亲决吾罪而被吾刑，怨之惨于骨髓,⑤使我得其肉而食之,其知厌乎!"⑥追者以为然,而不索其内,果活子发。此所谓若然而不然者。

[注释]

①子发:战国时楚国将领。上蔡:地名,在今河南上蔡县西南。②盘:构。盘罪:构罪,得罪。威王:战国楚国君,公元前339至前329年在位。③刑者:上文有罪受刑的人。袭:掩护。恩者:指子发。④踹(shuàn):顿足。⑤惨:痛。⑥厌:满足。

[译文]

什么叫做像是这样却不是这样?子发在上蔡当县令,有个人犯罪,当处以刑罚,判决之后,送到县令面前来确认,子发感叹,流露出悲伤的神色。罪人已经受刑,却忘不了子发的恩德。后来子发得罪威王,被迫逃亡,受刑的人便掩护对他有恩的子发逃到城墙下的一间小屋。追赶的人到了,受刑的人踩脚发怒说:"子发亲自判决我的罪,给我施刑,我对他恨之入骨,即使扒他的肉来吃,也不解恨!"追赶的人认为是这样,就没有进小屋搜查,果然救了子发。这就叫做像是这样却不是这样。

何谓不然而若然者?昔越王句践卑下吴王夫差,请身为臣,妻为妾,奉四时之祭祀,①而入春秋之贡职。②委社稷,效民力,居为隐蔽,而战为锋行。礼甚卑,辞甚服,其离叛之心远矣。然而甲卒三千人,以擒夫差于姑胥。③……物类相似若然,而不可从外论者,众而难识矣。是故不可不察也。

[注释]

①四时:四季。奉四时之祭祀:古代天子、诸侯四季都要祭祀祖先。这里指句践在吴王四季祭祀祖先时都奉上祭品。②贡职:诸侯向天子进贡物产赋税。这里指句践向吴王称臣进贡。③姑胥:山名,即姑苏,山上建有姑苏台。在今苏州市西南。

[译文]

什么叫做不是这样却像是这样？从前越王勾践卑身侍奉吴王夫差，请求允许自己当臣仆，妻妾为侍女，进奉四季祭祀的祭品，春秋交纳贡品。把国家委托给吴国，让老百姓为吴国服役，居住在简陋的偏僻处，打仗时充当前锋。礼节非常谦卑，言辞极其驯顺，好像没有叛离之心。然而却以甲卒三千人，在姑苏台擒获了夫差。……事物相似，好像是这样，但是不可以根据外表来断定，这样的情况很多，很难辨别。所以，不能不仔细考察。

卷十九　修务训

[题解]

《修务训》是《淮南子》的第十九篇。修，修养，研习。务，事务。本篇持儒家劝学的立场，论述如何努力学习，加强人格修养和技能培养，为文明社会作贡献。据此，它批评了道家立场的因顺和无为，认为文明是一个创制的过程，圣人的创制造就了文明社会，也成就了圣人的名声。圣人是人的榜样。

或曰：无为者，寂然无声，漠然不动，引之不来，推之不往，如此者，乃得道之像。①吾以为不然。尝试问之矣：若夫神农、尧、舜、禹、汤，可谓圣人乎？有论者必不能废。②以五圣观之，则莫得无为明矣。

[注释]

①像：模样。②废：否定。

[译文]

有人说：无为，就是闭着嘴不说话，傻呆着不做事，拉不过来，推不过去，这样才是获得了道的样子。我认为不是这样。试问一问：像神农、尧、舜、禹、汤这样的人，称得上是圣人吧？发议论的人一定不能否认。从这五位圣人来看，不能够奉行这样的无为原则，是很显然的。

古者民茹草饮水，①采树木之实，食蠃蚌之肉。②时多疾病、毒伤之害。于是神农乃始教民播种五谷，相土地宜燥湿肥硗高下，③尝百草之滋味，水泉之甘苦，令民知所避就。当此之时，一日而遇七十毒。

尧立孝慈仁爱，使民如子弟。西教沃民，④东至黑齿，⑤北抚幽都，⑥南道交趾。⑦放讙兜于崇山，⑧窜三苗于三危，流共工于幽州，殛鲧于羽山。⑨

舜作室，筑墙茨屋，⑩辟地树谷，令民皆知去岩穴，各有家室。南征三苗，道死苍梧。

禹沐浴霪雨，栉扶风，⑪决江疏河。凿龙门，辟伊阙，修彭蠡之防。⑫乘四载，⑬随山刊木，平治水土，定千八百国。

汤夙兴夜寐，以致聪明；轻赋薄敛，以宽民氓；⑭布德施惠，以振困穷；吊死问疾，以养孤孀。百姓亲附，政令流行，乃整兵鸣条，⑮困夏南巢，⑯谯以其过，⑰放之历山。

[注释]

①茹：吃。②蠃（luó）：通"螺"。螺类动物的统称。蚌：蚌蛤。③硗（qiāo）：瘦瘠的土地。④沃民：传说中的西方国名。《山海经·大荒西经》："西有……有沃之国，沃民是处。"⑤黑齿：传说中的东方国名。《东夷传》："倭国东四十余里有裸国，裸国东南有黑齿国。"⑥幽都：即幽州，地在今河北北部及辽宁一带。⑦交趾：泛指今五岭以南地区。⑧讙（huān）兜：传说是尧舜时代的恶人，被放逐。⑨殛（jí）：诛戮。鲧（gǔn）：相传是大禹的父亲，尧时治水无功，被舜杀于羽山。⑩茨屋：用茅草、芦苇等盖屋顶。⑪栉（zhì）：梳头。扶风：狂风。⑫龙门：山名，在今陕西河津西北。伊阙：山名，在今河南洛阳市南。彭蠡：即今鄱阳湖。防：堤防。⑬四载：四种交通工具，即下文的"水之用舟，沙之用鸠，泥之用輴，山之用樏"。⑭民氓：人民。⑮鸣条：地名，相传商汤伐桀，战于鸣条之野。⑯南巢：地名，今安徽巢县。相传商汤流放夏桀于此。⑰谯（qiào）：同"诮"，责问。

[译文]

古时候人民吃野草、喝生水，采摘树木的果实，敲食螺蚌的肉，经常有生病、中毒、受伤的危害。于是神农开始教导人民播种五谷，考察土地的干燥、湿润、肥沃、贫瘠和地势的高低，看适宜种植什么，品尝百草的滋味、泉水的甘苦，使人民知道避开和趋就。在那个时候，神农一天就中毒七十多次。

尧确立孝敬慈爱的仁爱原则，使人民相处如父子兄弟。在西部教导沃民，东边到达黑齿，在北边安抚幽州，南边到达交趾。流放讙兜到崇山，驱赶三苗到三危，流放共工到幽州，在羽山诛杀了鲧。

舜建造房屋，夯筑土墙，用茅草盖顶，开辟土地种植谷物，让人民都知道离开岩洞，各有各的家室。向南征讨三苗，死在了途经苍梧的路上。

禹冒着暴雨，顶着狂风，疏通江河。凿通龙门，辟开伊阙，在彭蠡修筑堤防。乘坐不同的交通工具，遇山砍树开路，平整土地，疏导河流，安定了一千八百个国家。

汤早起晚睡，招徕有才干的人；赋税轻，收纳少，使人民宽裕；布德泽，施恩惠，以救济困穷；哀悼死者，慰问病人，抚养孤儿寡妇。百姓亲近归附，政令通行无阻，于是在鸣条整顿军队，在南巢围困夏桀，责问他的过失，把他流放到历山。

此五圣者，天下之盛主。劳形尽虑，为民兴利除害而不懈。奉一爵酒，不知于色，①挈一石之尊，②则白汗交流，又况赢天下之忧，③而任海内之事者乎！其重于尊亦远也。且夫圣人者，不耻身之贱，而愧道之不行；不忧命之短，而忧百姓之穷。是故禹之为水，以身解于阳盱之河；④汤旱，以身祷于桑山之林。圣人忧民如此，其明也，而称以无为，岂不悖哉！

[注释]

①爵：古代饮酒器。不知于色：意谓酒杯轻，捧起来不吃力，不会改变脸色。②挈：提起。石（dàn）：古代重量单位。《汉书·律历志上》："三十斤为钧，四钧为石。"尊：古代盛酒器。③赢：负担。④解：祈祷神灵，解除祸患。以身解：与下文"以身祷"同义，都是以自己的身体为牺牲来祈祷神灵。

[译文]

这五位圣王，都是天下有盛德的君主。他们劳累形体，竭尽思虑，为人民兴利除害，毫不懈怠。捧起一杯酒，轻而易举，提起一个大酒缸，就会汗流满面了，又何况担负天下的忧患，负责海内的事务呢！这可比一个酒缸重多了。况且，圣人不以身份卑贱为耻辱，惭愧的是大道不能通行；不担忧生命的短暂，而操心百姓的穷苦。所以大禹治水，亲自在阳盱河边祈祷，愿意以自己为牺牲来解除水患；商汤遭遇大旱，亲自在桑林祈祷，愿意以自己为牺牲来解除旱灾。圣人忧虑人民到这种地步，这很清楚，却硬说这是无为，多么荒谬！

且古之立帝王者，非以奉养其欲也；圣人践位者，非以逸乐其身也。为天下强掩弱，①众暴寡，诈欺愚，勇侵怯，怀知而不以相教，积财而不以相分，故立天子以齐之。为一人聪明而不足以遍照海内，故立三公九卿以辅翼之。绝国殊俗、僻远幽闲之处，不能被德承泽，故立诸侯以教诲之。是以地无不任，时无不应，官无隐事，国无遗利，所以衣寒食饥、养老弱而息劳倦也。若以布衣徒步之人观之，②则伊尹负鼎而干汤，③吕望鼓刀而入周，④伯里奚转鬻，⑤管仲束缚，⑥孔子无黔突，墨子无暖席。⑦是以圣人不高山、不广河，蒙耻辱以干世主，非以贪禄慕位，欲事起天下利，而除万民之害。盖闻传书曰："神农憔悴，尧瘦臞，舜霉黑，禹胼胝。"⑧由此观之，则圣人之忧劳百姓甚矣。

[注释]

①掩：袭击。②布衣徒步之人：指普通百姓。古代礼制，服饰按等级区别，普通百姓只能穿粗布衣服，徒步行走。③伊尹：商汤的重要谋臣。鼎：烹调的锅。干：谋求任用和参与。传说伊尹想向汤陈说政事而没有门路，便充当厨师以便接近汤。④吕望：即姜太公吕尚。周文王的重要谋臣。鼓刀：操刀。史载姜太公曾经在朝歌宰牛。⑤伯里奚：原为虞大夫，虞亡时被晋俘虏，作为陪嫁之臣送入秦国，逃往楚国，又被楚人俘获，后来秦穆公听说他贤能，以五张羊皮把他赎回。鬻：卖。⑥管仲：春秋齐桓公相。最初辅佐齐公子纠，用箭射中公子小白的衣钩。后来小白为齐君，是为齐桓公，鲁国将管仲囚缚，送回齐国，齐桓公任管仲为相。⑦黔突、暖席：都形容匆忙，来不及烧黑烟囱、坐热座垫就走了。黔，黑。突，烟囱。⑧臞（qú）：消瘦。霉黑：脏黑。胼胝（pián zhī）：手掌、足底长的茧。

[译文]

况且，古代拥立帝王，不是为了满足他们的欲望；圣人承继大位，不是为了逸乐自己的身体。而是因为天下强的袭击弱的，多的伤害少的，狡诈的欺骗忠厚的，刚勇的侵犯怯懦的，拥有知识不互相交流，积累财富不与人分享，所以立天子来统一天下。因为一个人的聪明不能够普遍照顾到四海之内，所以立三公九卿来辅佐他。又因为远方异邦，风俗不同，偏僻荒凉的地方不能够承蒙德泽，所以立诸侯来教化他们。这样，土地无不使用，时节无不适宜，官府没有失职的事情，国家没有遗漏的利益，所以能够让寒冷的人有衣穿，饥饿的人有饭吃，老弱得到赡养，劳累疲倦的人得到休息。在普通百姓看来，伊尹背着饭锅到商汤那里谋求任用，吕望操刀宰牛进入周国，伯里奚被一次次转卖，管仲被囚禁捆绑，孔子没有烧黑烟囱，墨子没有坐热座垫（，是很辛苦的）。圣人之所以不顾山高、不怕河宽，蒙受耻辱去游说当世国君，并不是贪图爵禄，向往权势，而是要兴起天下的利益，除去万民的祸害。听古书上说："神农憔悴,尧干瘦,舜又脏又黑,禹的手足长满老茧。"由此看来,圣人为百姓操心受累,是很深切的啊。

故自天子以下至于庶人,四肢不动,思虑不用,事治求澹者,①未之闻也。夫地势水东流,人必事焉,然后水潦得谷行。②禾稼春生,人必加功焉,故五谷得遂长。听其自流,待其自生,则鲧、禹之功不立,而后稷之智不用。若吾所谓无为者,私志不得入公道,③嗜欲不得枉正术,循理而举事,因资而立功,④权自然之势,而曲故不得容者,⑤事成而身弗伐,⑥功立而名弗有,非谓其感而不应,攻而不动者。若夫以火熯井,⑦以淮灌山,此用己而背自然,故谓之有为。若夫水之用舟,沙之用鸠,泥之用輴,山之用樏,⑧夏渎而冬陂,⑨因高为田,因下为池,此非吾所谓为之。……

[注释]

①澹(shàn):通"赡"。供给,供应。这里指达到目的,获得满足。②水潦:盛大的水流。谷:山谷,这里指水道。谷行:水流顺着河道流动,不泛滥成灾。③私志:个人的意愿。公道:公共的道理。④资:凭借。这里指客观实际。⑤曲:不正。故:有意。这里指故意歪曲。⑥伐:夸耀。⑦熯(hàn):用火烘干。⑧舟、鸠、輴(chūn)、樏(léi):即前文所说的四载。鸠:一种在沙地上使用的小车。輴:古代用于泥路的交通工具。樏:(藤制的)筐子。⑨渎(dú):沟渠。陂(bēi):池塘的岸。

[译文]

所以,从天子以下,直到普通百姓,四肢不动,思虑不用,就能够办成事情、达到目的,还从来没有听说过呢!地势导致水向东流,人必须加以疏导,洪水才能顺着河道奔流。庄稼春天生长,人必须耕耘除草,五谷才能长成。听任它自由流动,由着它随便乱长,鲧和禹的功业就不会建立,后稷的智慧也就没有用处了。至于我所说的无为，是指个人意愿不妨碍客观道理，私人欲望不扭曲正当方法，遵循道理来做事，根据实际情况施加人为努力，权衡自然的态势，不许故意歪曲，事业成功了但不自我夸耀，功名建立了但不占有荣誉，而不是说触动却没有感觉，摇晃却没有反应。至于说用火烤干水井，引淮河浇灌山岗，这是主观蛮干，违背了自然规律，所以称它为"刻意做"。至于航行用船，沙地用鸠，泥地用辅，爬山用蕝，夏天疏导沟渠，冬天修筑池塘，高地上修田，低洼处挖塘，这不是我所说的"刻意做"。……

世俗衰废，而非学者多："人性各有所修短，若鱼之跃，若鹊之驳，①此自然者，不可损益。"吾以为不然。夫鱼者跃，鹊者驳也，犹人马之为人马，筋骨形体所受于天，不可变。以此论之，则不类矣。夫马之为草驹之时，跳跃扬蹄，翘尾而走，人不能制。龁咋足以嚼肌碎骨，②蹶蹄足以破卢陷匈。③及至圉人扰之，④良御教之，掩以衡扼，连以辔衔，则虽历险超堙，弗敢辞。故其形之为马，马不可化，其可驾御，教之所为也。马，聋虫也，而可以通气志，犹待教而成，又况人乎！

[注释]
①驳：杂。②龁（hé）：咬。咋（zé）：咬。嚼：(zǎn)：咬。③蹶：用脚踢。卢：通"颅"，头骨。匈：同"胸"。④圉人：养马人。

[译文]
社会风气败坏，非议学习的人很多，他们说："人性各有长短，好像鱼跃有高低，鸟鹊毛色杂，自然如此，不可改变。"我认为不是这样。鱼跃有高低，鸟鹊毛色杂，就好像人是人，马是马，筋骨形体受之于天，不可改变。但学习一事说的不是这个。马还是马驹的时候，扬着蹄子跳跃，甩着尾巴奔跑，人不能控制它。它奋蹄嘶咬，能够咬碎肌肉骨头，踢破头颅胸膛。等到养马人来驯服它，高

明的骑手来驾驭它,给它套上缰绳,戴上辔头,那么,即使走险路、跨沟堑,也不敢不听从。作为马,它的形体没有改变,能够被人驾驭,则是教育的结果。马没有智慧,都能够听懂人话,经过教育成为良马,何况人呢!

且夫身正性善,发愤而成仁,慨凭而为义,①性命可说,②不待学问而合于道者,尧、舜、文王也;沉湎耽荒,③不可教以道,不可喻于德,严父弗能正,贤师不能化者,丹朱、商均也。④曼颊皓齿,形夸骨佳,⑤不待脂粉芳泽而性可说者,西施、阳文也;嫫䐿哆㖤,⑥籧篨戚施,⑦虽粉白黛黑弗能为美者,嫫母、仳倠也。夫上不及尧、舜,下不及商均;美不及西施,恶不若嫫母,此教训之所喻也,而芳泽之所施。

[注释]

①慨(wèi)凭:慷慨。②说:悦。③湎(miǎn):沉溺于酒。耽荒:沉溺于欢乐。④丹朱:传说是尧的儿子,不肖,尧禅位于舜而不传丹朱。商均:传说是舜的儿子,不肖,舜禅位于禹而不传商均。⑤曼:细腻。夸:同"姱"(kuā),美好。⑥嫫:同"颠"。䐿(kuí):貌丑。哆(chǐ):张口。㖤(huī):(口)不正。⑦籧篨(qú chú):不能俯者。籧篨是古代钟鼓架下兽形的柎,该兽蹲其后足,以前足据持其身,仰首不能俯视,因以比喻身有残疾不能俯视之人。戚施:不能仰者。戚施本是蟾蜍,四足据地,无颈,不能仰视,因以比喻貌丑驼背之人。

[译文]

身心端正,本性善良,发愤为仁,慷慨行义,性情使人欢悦,不依赖学问就符合大道的,是尧、舜、文王这样的人;沉湎酒色,荒淫无度,不能用道理来教诲,不能用德行来引导,严厉的父亲不能纠正,贤良的师傅不能转化的,是丹朱、商均这样的人。皮肤细嫩,牙齿洁白,体态优美,身材匀称,不需要涂脂抹粉就婀娜迷人的，是西施、阳文这样的美女；高颧骨，厚嘴唇，龅牙歪嘴，鸡胸驼背，虽然抹粉描眉也不会好看的，是嫫母、仳倠这样的丑女。那些达不到尧、舜圣明，又不至于像商均那样不肖；不如西施美丽，也不至于像嫫母那样丑陋的，就需要用教训来引导、用脂粉来打扮了。

且子有弑父者，然而天下莫疏其子，何也？爱父者众也。儒有邪辟者，而先王之道不废，何也？其行之者多也。今以为学者之有过而非学者，则是以一噎之故，绝谷不食；以一蹪之难，①辍足不行，惑也。今有良马，不待策锬而行，②驽马，虽策锬之不能进，为此不用策锬而御，则愚矣。夫怯夫操利剑，击则不能断，刺则不能入，及至勇武，攘卷一捣，则折胁伤干，③为此弃干将、镆铘而以手战，④则悖矣。

[注释]

①蹪（tuí）：跌倒。②策：马鞭。锬：马刺。③攘：侵犯。卷：通"拳"。干：躯干。④干将、镆铘：皆名剑名。

[译文]

儿子有杀父亲的，但天下人不会疏远自己的儿子，为什么？因为热爱父亲的人多。儒士有行为不轨的，但先王之道不会废弃，为什么？因为奉行正道的人多。现在若因为学者有过失就否定学习，就像噎着一次就不再吃饭，跌了一跤就不再走路，这是糊涂啊。良马不需要鞭策马刺就能奔驰，驽马鞭抽锥刺也不能前进，若因为这样就不用马鞭马刺来驾驭马匹，这是愚蠢啊。懦夫手持利剑，砍，不能砍断，刺，不能刺入，勇武的人，挥拳一击，就打断肋骨，打伤身体，若因为这样就丢弃干将、镆铘而空手搏斗，这是荒谬啊！

所为言者，齐于众而同于俗。今不称九天之顶，则言黄泉之底,是两末之端议,①何可以公论乎!夫桔柚冬生,而人曰冬死,死者众;荠麦夏死,人曰夏生,生者众。江河之回曲,亦时有南北者,而人谓江河东流;摄提、镇星日月东行,②而人谓星辰日月西移者,以大氐为本。③胡人有知利者,而人谓之駤;④越人有重迟者,而人谓之訬,⑤以多者名之。若夫尧眉八彩,九窍通洞,⑥而公正无私,一言而万民齐;舜二瞳子,⑦是谓重明,作事成法,出言成章;禹耳参漏,⑧是谓大通,兴利除害,疏河决江;文王四乳,⑨是谓大仁,天下所归,百姓所亲;皋陶马喙,⑩是谓至信,决狱明白,察于人情;启生于石,契生于卵,史皇产而能书,⑪羿左臂修而善射。若此九贤者,千岁而一出,犹继踵而生!今无五圣之天奉,⑫四俊之才难,欲弃学而循性,是谓犹释船而欲蹀水也。⑬夫纯钩、鱼肠剑之始下型,⑭击则不能断,刺则不能入,及加之砥砺,摩其锋鄂,⑮则水断龙舟,陆剸犀甲。⑯明镜之始下型,蒙然未见形容,及其粉以元锡,摩以白旃,⑰鬓眉微毫可得而察。夫学,亦人之砥锡也。⑱而谓学无益者,所以论之过。……

[注释]

①末:端。两末之端议:固执两端的偏激言论。②摄提:太岁在寅为摄提,这里指太岁的运行。镇星:土星。古人测得土星二十八年一周天,每年经一宿,好像逐年镇压二十八宿,故称镇星。③大氐:大概。④駤(zhì):蛮横无理。⑤重迟:行动迟缓。訬(chāo):轻捷。⑥八彩:八种颜色。尧眉八彩:传说尧的母亲庆都与赤龙合而生尧,尧如赤龙所负之彩图,眉宇有八种颜色。⑦二瞳子:一只眼睛有两个瞳孔。⑧参漏:一只耳朵有三个孔窍。⑨四乳:四个乳头。⑩皋陶:传说是舜之臣,掌管刑狱之事。喙:嘴。⑪史皇:即仓颉,传说是文字的发明者。产:出生。⑫天奉:天赋。⑬蹀:履。⑭纯钩、鱼肠剑:皆宝剑名。型:铸造器物的模子。始下型:刚从模子里取出来。⑮鄂(è):同"锷",刀剑之刃。⑯剸(tuán):割断。⑰粉:涂抹。元锡:铅。

斾：毡。⑱砥锡：即上文的砥砺、元锡。

[译文]

发言议论，要与众人齐同，符合常识。现在不是说到九天之上，就是说到黄泉之下，这是走极端的偏激言论，哪能当做公平的议论呢！桔树和柚树在冬天结果，人们说植物在冬天枯死，因为冬天枯死的植物多；荠菜和麦子入夏枯死，人们说植物在夏天生长，因为夏天生长的植物多。江河回旋弯曲，有时也南北流向，而人们说江河东流；摄提、镇星、太阳、月亮向东运行，而人们说日月星辰向西移动，是从大概而言的。胡人也有知道利害关系的，而人们说胡人蛮横固执；越人也有动作迟缓的，而人们说越人轻灵，这是从多数而言的。至于尧的眉宇八色，九窍通畅，因此公正无私，一句话就安定万民；舜一只眼睛两个瞳孔，叫做重明，所以他做的事就成为法则，他说的话就成为文章；禹的耳朵有三个孔，叫做大通，所以他兴利除害，疏导长江黄河；文王有四个乳头，叫做大仁，所以天下归附，百姓亲近；皋陶长着马嘴，叫做至信，所以他决狱明白，了解实情；启从石头中生出来，契从卵中生出来，仓颉一出生就会写字，羿的左臂长因而善于射箭。像这九位贤能，一千年出一个，也像接踵而至呢！现在，没有五圣的天赋、四俊的才能，却想放弃学习，任随天性，就像丢弃船在水上走一样。纯钩、鱼肠剑刚从模子里拿出来时，砍，砍不断，刺，刺不进，等到砥砺之后，磨利了剑锋，就可以下水砍断大船，上岸刺穿犀甲。镜子刚从模子里拿出来时，朦胧看不清面容，等到涂上铅粉，用毛毡抛光，鬓角眉毛里的毫毛都看得见。学习，就是人的磨刀石和铅粉啊。说学习没有用处，是说错了啊。……

昔者苍颉作书，①容成造历，②胡曹为衣，③后稷耕稼，④仪狄作酒，⑤奚仲为车，⑥此六人者，皆有神明之道、圣智之迹，故人作一事而遗后世，非能一人而独兼有之。……周室以后，无六子之贤，而皆修其业；当世之人，无一人之才，而知其六贤之道者何？教顺施续，⑦而知能流通。由此观之，学不可已，明矣。……夫瘠地之民多有心者，劳也；沃地之民多不才者，饶也。由此观之，知人无务，不若愚而好学。自人君公卿至于庶人，不自强而功成者，天下未之有也。……

[注释]

①苍颉：传说是黄帝的史官，文字的创造者。②容成：传说是黄帝的大臣，造制历法。③胡曹：传说是黄帝的大臣，制作衣裳。④后稷：相传是舜的农官，周的先祖，教民稼穑。⑤仪狄：相传是夏禹时发明酿酒的人。⑥奚仲：相传是夏代的车正，造作车辆。⑦教顺：教训。施续：延续。

[译文]

从前苍颉创造文字，容成造作历法，胡曹制作衣裳，后稷耕作稼穑，仪狄发明酒，奚仲发明车，这六个人，都绝顶聪明，具有圣明的智慧，所以每人创制一样东西流传后世，却不能一人独占六项发明。……周朝之后，无人拥有这样的资质，却都能从事他们的事业；当代的人，无人具有这样的才能，却都能了解他们的技能，为什么？是教育传递了他们的技艺，延续了他们的智慧。由此看来，学习不能废止，是很显然的。……贫瘠土地上的人，多用心琢磨，因为生存艰辛；肥沃土地上的人，多懒散无能，因为富饶。由此看来，聪明的人不动脑筋，不如愚笨的人爱好学习。从君王、公卿直到普通百姓，不自强就能获得成功的，天下从未有过呢！……

世俗之人，多尊古而贱今，故为道者必托之于神农、黄帝而后能入说。乱世暗主，高远其所从来，因而贵之。为学者蔽于论而尊其所闻，相与危坐而称之，正领而诵之，①此见是非之分不明。夫无规矩，虽奚仲不能以定方圆；无准绳，虽鲁般不能以定曲直。是故钟子期死而伯牙绝弦破琴,②知世莫赏也;惠施死,而庄子寝说言,③见世莫可为语者也。夫项托七岁为孔子师,④孔子有以听其言也。以年之少,为闾丈人说,救敲不给,⑤何道之能明也! ……楚人有烹猴而召其邻人,以为狗羹也而甘之,后闻其猴也,据地而吐之,尽泻其食。此未始知味者也。邯郸师有出新曲者,托之李奇,⑥诸人皆争学之,后知其非也,而皆弃其曲。此未始知音者也。鄙人有得玉璞者,⑦喜其状,以为宝而藏之。以示人,人以为石也,因而弃之。此未始知玉者也。故有符于中,⑧则贵是而同今古;无,以听其说,则所从来者远而贵之耳。此和氏之所以泣血于荆山之下。⑨……

[注释]

①危坐:端坐。称:赞扬。诵:熟读。②钟子期:春秋楚人,通音律。伯牙:春秋时人,精于琴艺。传说伯牙鼓琴,志在高山流水,钟子期完全理解琴声意趣。钟子期死,伯牙以为世无知音者,不再弹琴。③惠施:战国宋人,名家的代表人物,博学好辩,《庄子》中多载他与庄子辩论的情景。《庄子·徐无鬼》:"庄子送葬,过惠子之墓,顾谓从者曰:'……自夫子之死也,吾无以为质矣,吾无与言之矣。'"④项托:亦作项橐,春秋时人,相传其七岁为孔子师。汉代画像砖多以孔子师项橐为题材。⑤闾丈人:乡里老人。敲:老人用拐杖敲小孩的头。给:及。⑥邯郸:战国赵国都,在今河北邯郸。师:乐师。李奇:人名,赵国著名音乐家。⑦鄙人:乡野之人。⑧符:符合。中:内心。⑨和氏:即卞和,春秋楚人,曾发现一块玉璞,先后献给楚厉王、楚武王,都认为是石头,被砍去左右脚。楚文王即位,卞和抱玉哭泣于荆山之下,哭到眼睛流血,楚文王使人加工玉璞,果然得到美玉,称和氏玉。

[译文]

世俗之人,多看重古人而轻视今人,所以创立学说的人,必定假托神农或者黄帝,才能建立自己的学说。世道混乱,那些昏聩的君主以为这些理论流传久远且高深玄妙,因此推崇它们。从事学术的人被这些议论所蒙蔽,也尊重自己听到的传闻,相聚端坐而称颂不已，整饬衣冠而捧颂朗读，这是分不清是非啊。没有规矩，即使是奚仲也不能确定方圆；没有准绳，即使是鲁般也不能确定曲直。所以钟子期死了，伯牙拉断弦，摔坏琴，他知道世上没有人能欣赏他的琴声了；惠施过世，庄子不再辩论，他知道世上没有人能听懂他的思考了。项托七岁，就做孔子的老师，因为孔子肯听他说。像他这样年少，对着乡间的老人发议论，躲拐杖敲头还来不及呢，哪里说得清什么道理！……楚国有个人煮了猴肉，请邻居来吃，以为是狗肉汤，吃得很香甜，后来听说是猴肉，趴在地上呕吐，吐得一干二净。这是根本不懂得滋味的人！邯郸的乐师谱出了新曲，假托是李奇的作品，众人争着学习，后来知道不是李奇谱曲，都扔掉了曲谱。这是根本不懂得音乐的人！乡下人得到一块玉璞，喜欢它的形状，以为是宝贝而珍藏起来。拿出来给人看，别人说是石头，他就随手扔掉了。这是根本不懂玉的人，所以，心中有真见识，就会尊重实际，同等地看待古今；没有真见识，就听风是雨，以为所来古远就盲目追捧。卞和之所以在荆山之下泣血痛哭，原因正在于此啊。……

　　三代与我同行，五伯与我齐智。①彼独有圣智之实，我曾无有闾里之闻、穷巷之知者何？彼并身而立节，我诞谩而悠忽。②今夫毛嫱、西施，天下之美人，若使人衔腐鼠，蒙蝟皮，③衣豹裘，带死蛇，则布衣韦带之人，④过者莫不左右睥睨而掩鼻。⑤尝试使之施芳泽，正娥眉，设笄珥，⑥衣阿锡，曳齐纨，⑦粉白黛黑，佩玉环，揄步，⑧杂芝若，⑨笼蒙目视，冶由笑，目流眺，口曾挠，⑩奇牙出，靥䩉摇，⑪则虽王公大人，有志严颉颃之行者，⑫无不惮悇痒心而悦其色矣。⑬今以中人之才，蒙愚惑之智，被污辱之行，无本业所修，⑭方术所务，焉得无有睥面掩鼻之容哉！……君子修美，虽未有利，福将在后至。故诗云："日就月将，学有缉熙于光明。"⑮此之谓也。

[注释]

①三代：夏商周三代。五伯：五霸，指春秋五霸。②并身：身心专一。立节：有所建树。诞谩：放纵散漫。悠忽：漫不经心。③蝟：刺猬。④布衣韦带：指一般平民。⑤睥睨（pì nì）：斜视。⑥笄（jī）：发簪。珥：耳饰。⑦阿锡：一种精致的丝织物。纨（wán）：白色细绢。齐纨：齐地所产的细绢，以精美著称。⑧揄：引。揄步：形容步履轻盈。⑨芝：通"芷"，香草。若：杜若，亦香草。⑩挠：弯曲。这里指微笑时唇线弯曲。⑪奇牙：虎牙。靥（yè）：脸上的酒窝。酺（fǔ）：脸颊。⑫志严：志向高远。颉颃（xié háng）：倔强。⑬惮悇（tán tú）：贪恋。痒心：心动欲求的感觉。⑭本业：本人从事的行业。⑮"日就月将"二句：引诗见《周颂·敬之》。缉熙：渐积广大。

[译文]

三代君主与我的志向相同，春秋五霸与我的智力相等。他们有圣明智慧的名声，我却连闾里的声誉、陋巷的名气都没有，为什么？因为他们坚定专一，建功立业，我却漫不经心，荒废时日。毛嫱、西施，是天下的美人，如果让她们叼着死老鼠，披着刺猬皮，穿豹皮衣服，系死蛇腰带，那么，平民百姓经过她们，都会捂着鼻子扭头跑开。如果让她们香汤沐浴，对镜梳妆，别上发簪，戴上耳环，穿上华美的绸衣，系上曳地的长裙，脸儿粉得白白的，细眉描得黑黑的，玉环鸣锵，步态轻盈，杜若的暗香似有似无，她们的眼光迷离，笑容娇媚，秋波流转，樱口微启，露出小小的虎牙，显出浅浅的酒窝，这样的美人，就是王公大人、意志刚毅的人，也会迷恋动心，爱慕她们的美丽。现在以普通人的才能，却被愚昧蒙蔽，被不体面的行为方式玷污，没有本分的事业可以追求，没有方术机巧需要钻研，怎么能免除让人捂着鼻子跑开的面目呢！……君子修养美德，虽然不见得获利，但福祉在往后的岁月一定会来到。所以《诗》说："一天天奋进，一月月前行，由浅入深，直到光明之境。"说的就是这个啊！

卷二十 泰族训

[题解]

《泰族训》是《淮南子》的第二十篇,也是正文的最后一篇。泰,总,最。族,聚合。泰族犹言总结。此篇以总结的姿态调和儒、道两家的立场,一方面承认道家的"因",一方面强调儒家的"为",最后在道家的话语下,把儒家的仁义作为政治的基础肯定下来。

天设日月,列星辰,调阴阳,张四时。日以暴之,①夜以息之,风以干之,雨露以濡之。其生物也,莫见其所养而物长;其杀物也,莫见其所丧而物亡,此之谓神明。圣人象之,故其起福也,不见其所由而福起;其除祸也,不见其所以而祸除。……夫湿之至也,莫见其形,而炭已重矣;风之至也,莫见其象,而木已动矣。日之行也,不见其移,骐骥倍日而驰,草木为之靡,②县燧未转,③而日在其前。故天之且风,草木未动而鸟已翔矣;其且雨也,阴曀未集而鱼已噞矣,④以阴阳之气相动也。故寒暑燥湿,以类相从;声响疾徐,以音相应也。故《易》曰:"鸣鹤在阴,其子和之。"⑤……天之与人有以相通也,故国危亡而天文变,世惑乱而虹霓见,万物有以相连,精祲有以相荡也。⑥……

[注释]

①暴:同"曝(pù)",晒。②骐骥:千里马。倍:背。靡:倒下。

③燧：烽火台。有警报时，前一烽火台点燃，后一烽火台也要点燃，这样依次传递警报。未转：指烽火台还来不及点燃，形容时间极快。④瞳（yì）：阴暗。⑤"鸣鹤"二句：见《周易·中孚·九二》。阴：荫。子：鸣鹤的配偶。⑥精祲（jìn）：阴阳相侵的灾祸之气。

[译文]

上天设置日月，排列星辰，协调阴阳，安排四季。白天照射，夜间歇息，刮风使大地干燥，降水使大地湿润。生养万物，没有看见它抚育而物类生长了；摧杀万物，没有看见它毁灭而物类死去了，这就叫做神明。圣人模仿上天，所以他兴造福祉，没有看见他发动而幸福已经到来；他去除祸害，没有看见他动作而祸害已经清除。……湿气到来的时候，没有看见它的形状，木炭增加了分量；微风吹来，没有看见它的模样，树枝已经摇动。太阳运行，看不见移动，千里马背向太阳奔驰，草木为之倒伏，就在下一个烽火台还没有点燃的时候，太阳已经移到了马头前面。所以，天将要起风，草木还没有摇动，鸟儿已经飞走了；快要下雨，乌云还没有聚集，鱼儿已经浮上水面呼吸了，这是阴阳之气的相互影响。所以寒暑燥湿按照类别相互作用，声响疾徐根据快慢彼此呼应。《周易》说："雄鹤在树荫鸣叫，雌鹤应声而鸣。"……上天和人类是联系着的，所以国家危亡天象会改变，世道混乱虹霓会出现，万物彼此联系，灾气激荡有它的原因。……

凡可度者，小也；可数者，少也。至大，非度之所能及也；至众，非数之所能领也。故九州不可顷亩也，八极不可道里也，太山不可丈尺也，江海不可斗斛也。①故大人者，与天地合德，日月合明，鬼神合灵，与四时合信。②故圣人怀天气，抱天心，执中含和，不下庙堂而衍四海，③变习易俗，民化而迁善，若性诸己。④能以神化也。……圣人之治天下，非易民性也，拊循其所有而涤荡之。⑤故因则大，化则细矣。

[注释]

①顷亩：土地面积单位。这里指用顷亩为单位测量九州。下文的道里、丈尺、斗斛同义。太山：泰山。②信：这里指四季按时到来。③庙堂：指朝廷。衍：推广。④性诸己：本性中本来就具有的。⑤拊：保护，扶养。涤荡：清除污垢。

[译文]

可以度量的，是小的；可以计数的，是少的。最大的东西不是度量能够量出的，最多的东西不是点数能够穷尽的。所以九州不可能一亩一亩丈量宽广，八极不可能一里一里计算里程，泰山不可能一尺一尺测量高度，江海不可能一斗一斗度量容积。所以，大人具有与天地同样的德性，日月同样的光明，鬼神同样的灵动，四时同样的诚信。所以圣人怀抱天气，拥有天心，守持中庸，蕴涵和气，不走出朝廷就能影响四海，改变习俗，使人民感化而从善，好像他们的本性就是这样。这是因为圣人能够神妙地发挥影响啊。……圣人治理天下，不是要改变人民的本性，而是要扶养他们的本性，清洗其中的污垢而已。所以，因顺就大，强改就小。

禹凿龙门，辟伊阙，决江浚河，①东注之海，因水之流也。后稷垦草发菑，②粪土树谷，使五种各得其宜，③因地之势也。汤武革车三百乘，④甲卒三千人，讨暴乱，制夏、商，因民之欲也。故能因，则无敌于天下矣。

[注释]

①浚：疏通河道。②菑（zī）：荒废的农田。③五种：即五谷。④革车：兵车。

[译文]

大禹开凿龙门，劈开伊阙，疏导江河，向东注入大海，因顺了水的流势。后稷开垦荒地，恢复农田，施肥播种，使五谷各得其宜，因顺了地的条件。汤武兵车三百乘，战士三千人，讨伐暴乱，制伏夏桀、商纣，因顺了人民的心愿。所以，能够因顺，就能无敌于天下。

夫物有以自然，而后人事有治也。故良匠不能斫金，巧冶不能铄木，①金之势不可斫，而木之性不可铄也。埏埴而为器，②窬木而为舟，③铄铁而为刃，铸金而为钟，因其可也。驾马服牛，④令鸡司夜，令狗守门，因其然也。民有好色之性，故有大婚之礼；有饮食之性，故有大飨之宜；⑤有喜乐之性，故有钟鼓管弦之音；有悲哀之性，故有衰绖哭踊之节。⑥故先王之制法也，因民之所好而为之节文者也。因其好色而制婚姻之礼，故男女有别；因其喜音而正雅颂之声，故风俗不流；⑦因其宁家室、乐妻子，教之以顺，故父子有亲；因其喜朋友而教之以悌，故长幼有序。然后修朝聘以明贵贱，⑧飨饮习射以明长幼，⑨时搜振旅以习用兵也，⑩入学庠序以修人伦；⑪此皆人之所有于性，而圣人之所匠成也。

[注释]

①斫(zhuó)：砍削。冶：铸造金属器物的工匠。②埏(shān)：用水和泥。埴：黏土。③窬(yù)：中空。这里指掏空树木。④服：驯服。⑤飨(xiǎng)：宴请宾客。宜：通"仪"，礼节。⑥衰绖：丧服。踊：因悲恸而捶胸顿足。⑦雅颂：本来是《诗经》的两类，这里指高雅的乐曲。流：放荡。⑧朝聘：诸侯定期朝见天子。⑨飨饮：乡人共聚饮酒。习射：学习射术。宴饮时有射礼。飨饮和射礼都按长幼进行。⑩搜：通"蒐"，阅兵。振旅：整顿军队。⑪庠(xiáng)序：古代学校的名称。

[译文]

万物有自己的属性，然后才能以人工加以完善。所以优秀的木匠也不能砍削金属，能巧的冶工也不能熔炼木头，因为金属的属性是不能砍削，木头的属性是不能冶炼。和泥制作陶器，挖空树木建造船只，销熔生铁制作刀，浇铸金属制作钟，是因顺了事物的属性。驾驭马，制伏牛，让鸡报晓，让狗守门，是因顺了它们的本能。人民有求偶的天性，所以有隆重的婚礼；有饮食的天性，所以有乡里饮酒的礼节；有喜爱乐音的天性，所以有钟鼓管弦的音乐；有感伤悲哀的天性，所以有服丧哭丧的丧礼。所以，先王制定法令，不过因顺人民的爱好而加以节制修饰而已。因为他们追求异性，所以制定婚姻之礼，使男女有别；因为他们喜爱音乐，所以制定雅颂之声，使风俗之音不流荡放纵；因为他们希望家庭安宁、妻儿快乐，所以教育他们驯顺，使父子亲爱；因为他们喜欢朋友，所以教育他们尊敬兄长，使长幼有序。在此基础之上，制定朝见的礼节，来明确贵贱的区别；制定宴饮习射的礼节，来明确长幼的次序；按时检阅车马、整顿军队，让他们学会使用武器；让他们进入学校，懂得人伦的道理：这些都是人性本身所具有的，圣人不过培养和完善它们罢了。

故无其性不可教训，有其性无其养不能遵道。茧之性为丝，然非得工女煮以热汤，而抽其统纪，[①]则不能成丝。卵之化为雏，非慈雌呕暖覆伏，[②]累日积久，则不能为雏。人之性有仁义之资，非圣人为之法度而教导之，则不可使乡方。[③]故先王之教也，因其所喜以劝善，因其所恶以禁奸，故刑罚不用而威行如流，政令约省而化耀如神。故因其性则天下听从，拂其性则法县而不用。[④]

[注释]

①统纪：丝的头绪。②呕暖覆伏：指母鸡孵化小鸡。③乡：通"向"。方：道。④拂：违背。县：悬。

[译文]

所以，没有本性就不可能教育训导，有本性而不加以教养，则不能遵循大道。茧的本性是丝，但是，没有女工用热水泡煮，抽出头绪，茧成不了丝。鸡蛋能够化成小鸡，但是，没有母鸡趴窝孵化，日复一日，鸡蛋变不成小鸡。人性中有仁义的资质，但没有圣人制定法度来教育引导，人不可能趋向大道。所以，先王实施教化，因顺人们的喜爱来鼓励他们向善，因顺人们的厌恶来阻止他们为恶，所以不用刑罚，声威就如流水通行无阻，政令简约，教化就如神灵光明照耀。所以，因顺人的本性则天下都会听从，违背人的本性，即使制定法令也不起作用。

昔者五帝三王之莅政施教，①必用参五。②何谓参五？仰取象于天，俯取度于地，中取法于人。乃立明堂之朝，行明堂之令，③以调阴阳之气，以和四时之节，以辟疾病之灾。④俯视地理，以制度量，察陵陆水泽肥墽高下之宜，⑤立事生财，以除饥寒之患。中考乎人德，以制礼乐，行仁义之道，以治人伦，而除暴乱之祸。乃澄列金木水火土之性，⑥以立父子之亲而成家；别清浊五音六律相生之数，⑦以立君臣之义而成国；察四时季孟之序，⑧以立长幼之礼而成官。此之谓参。制君臣之义、父子之亲、夫妇之辨、长幼之序、朋友之际，此之谓五。乃裂地而州之，⑨分职而治之，筑城而居之，割宅而异之，分财而衣食之，立大学而教诲之，⑩夙兴夜寐而劳力之。⑪此治之纪纲也。……

[注释]

①莅（lì）：临。莅政：临朝处理政务。②参：三。参五，下文有解说。③明堂：古代帝王发布政令的地方。经过学者的渲染，明堂成为古代学者理想中的政治体制。参见《时则训》。④辟：避。⑤墽（qiāo）：瘦瘠的土地。⑥澄：清。⑦五音六律相生之数：参见《天文训》。⑧季孟：一年四季，每季

三月,以孟仲季为序。⑨裂地:划分区域。州:古代地方行政区域,这里作动词,即设立州县。⑩大(tài)学:古代贵族子弟的学校。⑪夙:早。

[译文]

从前五帝三王临朝执政,必定用三五。什么叫做三五?抬头效法天文,低头效法地理,中间效法人事。于是建立明堂,发布明堂的政令,用来调节阴阳之气,和顺四时节令,避免疾病瘟疫。低头考察地理,以便制定度量的标准,了解山陵、陆地、水流、沼泽、土地的肥沃瘦瘠和地势的高低,安排相应的用途,创造财富,用来解除饥寒。中间考察人的品德,以便制定礼乐,推行仁义之道,安顿人伦秩序,清除暴乱的祸害。于是,了解金木水火土的特性,据此确立父子相亲的原则来维系家庭;辨别五音六律相生的规律,据此确定君臣之间的道义关系来建立国家;考察一年四季十二个月的顺序,据此确定长幼之间的顺序来加以管理。这就是所说的"三"。规定君臣之间的道义、父子之间相亲的原则、夫妇之间的界限、长幼之间的顺序和朋友之间的关系,这就是所说的"五"。于是,划分区域,设立州县,分设官吏来进行管理,修筑城市来安顿居住,划分田宅来加以区别。分配财物,使人民有吃有穿;设立大学,对子弟加以教育;早起晚睡,让他们辛勤劳作。这些,就是治理的基本要领。……

夫物未尝有张而不弛,①成而不毁者也。唯圣人能盛而不衰,盈而不亏。②神农之初作琴也,以归神。③及其淫也,反其天心。④夔之初作乐也,⑤皆合六律而调五音,以通八风。⑥及其衰也,以沉湎淫康,⑦不顾政治,至于灭亡。苍颉之初作书,⑧以辨治百官,领理万事,愚者得以不忘,智者得以志远。⑨至其衰也,为奸刻伪书,以解有罪,⑩以杀不辜。汤之初作囿也,以奉宗庙鲜犕之具,⑪简士卒,习射御,以戒不虞。及至其衰也,驰骋猎射,以夺民时，罢民之力。尧之举禹、契、后稷、皋陶，政教平，奸宄息，狱讼止而衣食足，贤者劝善，而不肖者怀其德。及至其末，朋党比周，各推其与，废公趋私，外内相推举，奸人在朝而贤者隐处。故《易》之失也卦，《书》之失也敷，《乐》之失也淫，《诗》之失也辟，《礼》之失也责，《春秋》之失也刺。

[注释]

①张、弛：原来指拉紧和松开弓弦，这里比喻事物的兴盛和衰落。②盈、亏：原来指月圆月缺，这里还是指事物的兴盛和衰落。③归神：恢复精神。④淫：过度。反：违背。⑤夔（kuí）：传说是尧舜的乐官。⑥八风：各地风俗。⑦沉湎：沉溺于酒。淫康：醉心于享乐。⑧书：书写，这里指文字。⑨志：记。⑩解：开脱。⑪鲜：鲜肉。犒：音未详，干肉。

[译文]

事物并不是只有紧张而没有松弛，只有成功而没有毁坏。只有圣人能够兴盛而不衰败，饱满而不亏缺。神农当初制作琴瑟，是为了抚慰心神。后来滥用，便违背了心灵本身的需要。夔当初制作音乐，完全符合六律，协调五音，贯通各地的风俗。后来滥用，使乱国之主沉溺于宴饮享乐，不顾政治，以至于灭亡。苍颉当初发明文字，是为了管理百官，掌握情况，使愚笨的人不忘事，聪明的人流传自己的经验。后来滥用，被奸人用来书写伪造的文书，开脱罪人，杀害无辜者。汤当初规划苑囿，是为了供奉宗庙祭祀需要的干鲜贡品，检阅士卒，练习骑马射箭，防备意外。后来滥用，被用来驰骋打猎，既耽误农时，又使人民疲惫不堪。尧选拔禹、契、后稷、皋陶，使政教平和，奸邪平息，诉讼停止，人民丰衣足食，贤良的人鼓励向善，不肖的人感念他的恩德。后来滥用，各人拉帮结伙，推举自己的党羽，废弃公道，任用私心，朝廷内外互相勾结，使奸诈的人把持朝廷，贤德的人隐居山野。所以《易》的偏差在卜卦，《书》的偏差在粉饰，《乐》的偏差在淫荡，《诗》的偏差在偏激,《礼》的偏差在苛责,《春秋》的偏差在嘲讽。

天地之道:极则反,盈则损。五色虽朗,有时而渝;①茂木丰草,有时而落。物有隆杀,不得自若。②故圣人事穷而更为,法弊而改制。非乐变古易常也,将以救败扶衰,黜淫济非,③以调天地之气,顺万物之宜也。圣人天覆地载,日月照,阴阳调,四时化,万物不同,无故无新,无疏无亲,故能法天。天不一时,地不一利,人不一事,是以绪业不得不多端,④趋行不得不殊方。⑤五行异气而皆适调,六艺异科而皆同道。温惠柔良者,《诗》之风也;淳庞敦厚者,《书》之教也;清明条达者,《易》之义也;恭俭尊让者,《礼》之为也;宽裕简易者,《乐》之化也;刺几辩义者,《春秋》之靡也。⑥……六者圣人兼用而财制之。⑦……

[注释]

①五色:青赤黄白黑。朗:明亮,明朗,指颜色鲜明不混清。渝:改变,违背。这里指褪色。②隆:兴盛。杀:衰败。自若:保持原样。③黜(chù):革除。济:停止。④绪:前人未完成的事业。绪业:事业。⑤趋行:选择的行为方式。⑥几:讥。刺几:讽刺。靡:美。⑦财:裁。

[译文]

天地的法则是:到了极端就会走向反面,充盈了就会亏损。五色虽然鲜艳,时间长了也会黯淡;草木虽然茂盛,时间长了也会落叶。事物有兴盛和衰败,不可能永远保持原样。所以,圣人在事情不能再发展的时候,就改变做法,法令有了弊病之后,就改变制度。并不是喜欢更改传统,修改常规,而是要挽救失败,扶持衰亡,剪除多余的,停止错误的,以便调和天地之气,顺应万物的适当变化。圣人像上天一样覆盖,像大地一样承载,像日月临照万物,像阴阳协调变化,像四时推动更新。万物各不相同,没有谁是故旧谁是新交,不会疏远谁也不会亲近谁,所以圣人能够效法天道。天不是只有一个季节,地不是只有一种用途,人不是只有一件事情,所以,圣人要做的事情必定是多方面的,采取的措施必定是各式各样的。五行的气色不同,都能够协调气运,六艺的科目不同,都能够呈明大道。温柔善良,是《诗》的风格;敦厚淳朴,是《书》的教诲;清明畅达,是《易》的用意;恭俭谦让,是《礼》的作用;宽裕简易,是《乐》的感化;讽刺辩义,是《春秋》的功能。……这六项,圣人综合运用而加以制裁。……

舜为天子,弹五弦之琴,歌《南风》之诗而天下治;①周公肴臑不收于前,钟鼓不解于悬而四夷服。②赵政昼决狱而夜理书,③御史冠盖接于郡县,④覆稽趋留,⑤戍五岭以备越,筑修城以守胡。⑥然奸邪萌生,盗贼群居,事愈烦而乱愈生。故法者治之具也,而非所以为治也,而犹弓矢中之具,而非所以中也。黄帝曰:"芒芒昧昧,因天之威,与元同气。"⑦故同气者帝,同义者王,同力者霸,无一焉者亡。

[注释]

①《南风》,古诗名,其辞曰:"南风之熏兮,可以解吾民之愠兮;南风之时兮,可以阜吾民之财兮。"②肴:荤菜。臑(nào):牲畜的前肢。肴臑:这里指食案。③赵政:即秦始皇,名政,生于赵,故称赵政。④冠:礼帽。盖:车盖。冠盖:这里指官员。⑤覆:审查。稽:考核。趋:奔向。留:留驻。⑥戍:驻军防守。越:古时泛指东南地区的部族。胡:泛指北方民族。⑦芒:茫。芒芒昧昧:混沌不分的样子。元:初始。指道未分化的统一状态。

[译文]

舜当天子,弹奏五弦之琴,吟唱《南风》之诗,而天下大治;周公忙得顾不上吃饭,钟鼓悬挂着不解下来,而四夷归顺。秦始皇白天断案,晚上处理文书,御史们接二连三派往郡县,审查、考核、奔走、留驻，在五岭驻扎军队防备百越，在北边修筑长城阻止胡人。然而奸邪不断滋生，盗贼成群结队，事情越繁琐，混乱越杂多。所以，法令是治理的工具，并不保证一定治理，如同弓箭是射中目标的工具，并不保证一定射中。黄帝说："混混沌沌，凭借天的神威，与本源同气。"所以，通达本源的，是帝；崇尚道义的，是王；任用力量的，是霸。什么都没有，只能灭亡。

故人主有伐国之志，邑犬群嗥，雄鸡夜鸣，库兵动而戎马惊。①今日解怨偃兵，家老甘卧，巷无聚人，妖菑不生。②非法之应也，精气之动也。故不言而信，不施而仁，不怒而威，是以天心动化者也。③施而仁，言而信，怒而威，是以精诚感之者也。施而不仁，言而不信，怒而不威，是以外貌为之者也。故有道以统之，法虽少足以化矣。无道以行之，法虽众足以乱矣。……

[注释]

①库兵：府库里的兵器。②菑（zī）："灾"的异体字。③天心：自然的本心。动化：感动而使之变化。

[译文]

所以，国君有征伐别国的意向，城里的狗一起乱叫，雄鸡在晚上打鸣，府库的兵器振动，战马嘶鸣。一旦解除仇怨，停止战争，家中的父老酣睡，里巷中安静无人，谣言不会流传，灾祸不会发生。这不是法令的效应，而是精气感动的结果。所以，不说话就获得信任，不施予就表明仁爱，不发怒就显示威严，这是自然本心带来的变化。施予而表明仁爱，说话而取信于人，发怒而显示威严，这是真诚带来的感动。施予却不体现仁爱，说话却不获得信任，发怒却不显示威严，这是只有外貌的做作。所以，有道的统领，法令虽然不多，足以带来变化。没有道的引导，法令虽然众多，反而造成混乱。……

水之性淖以清,①穷谷之污,②生以青苔,不治其性也。掘其所流而深之,茨其所决而高之,③使得循势而行,乘衰而流,④虽有腐髊流渐弗能污也。⑤其性非异也,通之与不通也。风俗犹此。诚决其善志,⑥防其邪心,启其善道,塞其奸路,与同出一道,则民性可善,而风俗可美也。……民无廉耻,不可治也;非修礼义,廉耻不立。民不知礼义,法弗能正也;非崇善废丑,不向礼义。无法不可以为治也,不知礼义不可以行法。法能杀不孝者,而不能使人为孔、曾之行。法能刑窃盗者,而不能使人为伯夷之廉。孔子弟子七十,养徒三千,人皆入孝出悌,言为文章,行为仪表,教之所成也。墨子服役者百八十人,皆可使赴火蹈刃,死不还踵,⑦化之所致也。……百事并行,圣人一以仁义为之准绳,中之者谓之君子,弗中者谓之小人。君子虽死亡,其名不灭;小人虽得势,其罪不除。使人左据天下之图,⑧而右吻喉,愚者不为也,身贵于天下也。死君亲之难,视死若归,义重于身也。天下大利也,比之身则小;身所重也,比之义则轻,义所全也。诗曰:"恺悌君子,求福不回。"⑨言以信义为准绳也。

[注释]

①淖(chuò):同"绰",柔顺。②污:不流动的水。③茨:堆积;添。④衰:这里指地势降低。⑤髊(cī):同"胔",肉未烂尽的骸骨。⑥决:引导。⑦踵(zhǒng):脚后跟。⑧据天下之图:指拥有天下。⑨"恺悌(kǎi tì)君子"二句:引诗见《诗经·大雅·旱麓》。恺悌:和乐近人。

[译文]

水的本性柔和而清澈,但是,幽谷中不流动的死水会长出青苔,这是因为没有修治水性。挖深水道,堵塞决口,加高围堤,使水流顺势而行,向下流动,即使有腐烂的尸体流入,也不会污染水质。水性并没有改变,就在于水流通畅不通畅。风俗是同样的道理。如果引导向善的心愿，防止奸邪的动机，敞开向善的大道，堵塞为恶的邪路，就像修治水性一样，人民的本性能够良善，而风俗可以美好。……人民没有廉耻之心，是不可能治理的；不推崇仁义，廉耻之心培养不起来。人民不知道礼义，法令不能严明；不崇尚善良遏止丑恶，礼义的尊严建立不起来。没有法令不可能治理，不懂得礼义则不可能实施法令。法令能够诛杀不孝顺的人，却不能使人具有孔子、曾子的行为。法令能够处罚偷盗抢劫的人，却不能使人有伯夷的廉洁。孔子有七十弟子，门人三千，个个在家孝顺父母，出门尊敬兄长，出口成章，举止优雅，这是教育造成的。为墨子服役的有一百八十人，都可以赴汤蹈火，死不回头，这是教化造成的。……各种事情都在进行，圣人以仁义为衡量的标准，符合的称为君子，不符合的称为小人。君子虽然死亡，名声不会消失；小人虽然得势，罪过不会消除。让人左手拿着天下的地图，右手割断脖子，傻瓜也不会干，因为生命比天下贵重。用生命解救君王和父母的危难，视死如归，因为道义比生命贵重。拥有天下，是获得了重大利益，与生命比较，天下就不重要了；生命是宝贵的，与道义比较，生命就不重要了，因为道义成就生命的意义。《诗》说："平易近人的君子啊，追求福祉，不违背先人的教导。"这是说信义是标准啊。

欲成霸王之业者，必得胜者也。能得胜者，必强者也。能强者，必用人力者也。能用人力者，必得人心者也。能得人心者，必自得者也。故心者身之本也，身者国之本也。未有得己而失人者也，未有失己而得人者也。故为治之本，务在宁民；宁民之本，在于足用；足用之本，在于勿夺时；勿夺时之本，在于省事；省事之本，在于节用；节用之本，在于反性。未有能摇其本而静其末，浊其源而清其流者也。故知性之情者，不务性之所无以为;知命之情者,不忧命之所无奈。……

[译文]

想要成就霸王功业的人,必定是能够取胜的人。能够取胜的人,必定是强者。能够强大的人,必定能够借用他人的力量。能够借用他人力量的人,必定能够获得人心。能够获得人心的人,必定能够自得本心。所以,心是身的根本,身是国的根本。没有自得本心却丧失人心的,没有迷失自我却得到众人拥戴的。所以,治理的根本,在于安顿人民;安顿人民的根本,在于财用充足;财用充足的根本,在于不占用农时;不占用农时的根本,在于减少徭役;减少徭役的根本,在于节省费用;节省费用的根本,在于回归本性。摇晃树干,树叶不可能不动,搅浑源头,水流不可能清澈。所以,了解人性的真实,就不会追求本性不需要的东西;懂得命运的真谛,就不会担忧命运不能把握的未来。……

天之所为,禽兽草木;人之所为,礼节制度,构而为宫室,①制而为舟舆是也。治之所以为本者,仁义也;所以为末者,法度也。凡人之所以事生者本也,其所以事死者末也。②本末一体也,其两爱之,一性也。③先本后末,谓之君子;以末害本,谓之小人。君子与小人之性非异也,所在先后而已矣。……故仁义者,治之本也。今不知事修其本,而务治其末,是释其根而灌其枝也。且法之生也,以辅仁义,今重法而弃义,是贵其冠履而忘其头足也。故仁义者,为厚基者也,不益其厚而张其广者毁,不广其基而增其高者覆。……五帝三王之道,天下之纲纪,治之仪表也。今商鞅之启塞,④申子之三符,⑤韩非之《孤愤》,⑥张仪、苏秦之从衡,⑦皆掇取之权,⑧一切之术也,⑨非治之大本。

[注释]

①构:构建房屋。②事生者、事死者:字面的意思是有利于生长或导致

死亡。由于《淮南子》认为心比身更根本，心可以越来越充实，而身只能越来越衰老，所以，这里的事生者、事死者，是指养心和养身。③一：皆、都。一性：都是本性所需要的。④商鞅：战国卫人，入秦助秦孝公变法，秦孝公死后，商鞅被反对变法的人诬陷，车裂而死。启：开启。塞：堵塞。这里指商鞅奖励耕战、禁止奸邪的变法措施。⑤申子：申不害，战国郑人，入韩为相，推行法家学说。符：符验。三符：三方面的验证。据《韩非子·定法》所引，申不害有"因任而授官，循名而责实，操杀生之柄，课群臣之能"之说。所谓三符，大概就是指这些观念所代表的申子思想。⑥韩非：战国韩人，法家代表人物，著有《韩非子》，《孤愤》是其中一篇，这里指代韩非思想。⑦张仪、苏秦：战国末著名游说家，张仪主张连衡，苏秦主张合纵。⑧掇（duō）：拾取。掇取：这里指获取利益。⑨一切：与一个方面相关。这里指权宜之计。

[译文]

上天所造就的，是禽兽草木；人类所造就的，是礼节制度，例如建造房屋，制作车船之类。治理国家所凭借的基础是仁义，所采取的手段是法度。凡是人们用来修养心性的，是根本；用来保养身体的，是枝节。根本和枝节是一个整体，两方面都顾及，是符合本性。先根本而后枝节的，叫做君子；以枝节危害根本的，叫做小人。君子和小人的本性没有什么不同，差别只在于本末的先后不同。……仁义是治理的根本，现在不知道修治根本，却致力于枝节，这是放弃树根而浇灌树枝啊。况且，法令的制定是为了辅助仁义，现在看重法令而抛弃仁义，是珍视鞋帽而遗忘头足啊。所以，推行仁义如同夯筑房屋的基础，不增加地基的厚度却只想宽大，房子一定会毁坏，不拓宽地基的宽度却只想增高，房子一定会倒塌。……五帝三王的学说，是天下的纲领，政治的原则。商鞅的耕战，申子的三符，韩非的《孤愤》，张仪、苏秦的合纵连衡，都只是掠取的计谋，一时的手段，而不是政治的根本原则。

故仁知，①人材之美者也。所谓仁者，爱人也；所谓知者，知人也。爱人则无虐刑矣，知人则无乱政矣。……故仁莫大于爱人，知莫大于知人。二者不立，虽察慧捷巧，劬禄疾力，[2]不免于乱也。

[注释]

①知：智。与下"所谓知者"之"知"同。②劬（qú）禄：亦作"劬录"，劳苦貌。

[译文]

所以，仁爱和智慧，是人性中最美好的。所谓仁爱，就是爱人；所谓智慧，就是了解人。爱人，就没有暴虐的刑罚；了解人，就不会有混乱的政治。……所以，仁爱，最重要的就是爱人；智慧，最重要的就是了解人。这两个方面不确立，即使明察秋毫，聪明、敏捷、灵巧，勤劳辛苦，也不能避免动乱。

卷二十一　要　略

[题解]

《要略》是《淮南子》的序言。除了宣布自己的著作目的，归纳前二十篇各篇大意，《要略》还追溯了先秦各种学说产生的背景，指出它们都是应对时代的需要而产生的，最后以自夸的姿态宣称，《淮南子》包揽各家，兼采众善，具有集大成的规模。

夫作为书论者，所以纪纲道德，经纬人事，上考之天，下揆之地，①中通诸理。虽未能抽引元妙之中才，②繁然足以观终始矣。③总要举凡，而语不剖判纯扑，靡散大宗，惧为人之惛惛然弗能知也，④故多为之辞，博为之说，又恐人之离本就末也。故言道而不言事，则无以与世浮沉；言事而不言道，则无以与化游息。⑤故著二十篇，有《原道》、有《俶真》、有《天文》、有《地形》、有《时则》、有《览冥》、有《精神》、有《本经》、有《主术》、有《缪称》、有《齐俗》、有《道应》、有《泛论》、有《诠言》、有《兵略》、有《说山》、有《说林》、有《人间》、有《修务》、有《泰族》也。

[注释]

①揆（kuí）：测度。②抽引元妙之中：提炼元妙的道理。才：通"哉"，语气词。③繁然：丰富的样子。④惛惛（hūn）然：迷糊，不清楚。⑤化：造

化，指道。游息：周游和歇息。

[译文]

著书立说的目的，是为了阐明道德，规划人间事务，向上考察天道，向下测度地势，中间贯通道理。这部书虽然还没有把玄妙的道理充分提炼出来，但也内容充实，足以观察事物的始终了。如果只是提纲挈领，归纳大意，不从源头上分析纯朴，解构大道，我们担心别人懵懵然不能理解本书的用意，所以用了各种言辞，从各个方面加以论述，这样又担心别人偏离主旨，关注细节。所以，谈论大道而不谈论世事，就无法与俗世会通；谈论世事而不谈论大道，又无法与造化相随。所以撰写了二十篇，它们是《原道训》、《俶真训》、《天文训》、《地形训》、《时则训》、《览冥训》、《精神训》、《本经训》、《主术训》、《缪称训》、《齐俗训》、《道应训》、《泛论训》、《诠言训》、《兵略训》、《说山训》、《说林训》、《人间训》、《修务训》和《泰族训》。

《原道》者，卢牟六合，[1]混沌万物，[2]象太一之容，[3]测窈冥之深，以翔虚无之轸。[4]托小以苞大，[5]守约以治广，使人知先后之祸福，动静之利害。诚通其志，浩然可以大观矣。欲一言而寤，则尊天而保真；[6]欲再言而通，则贱物而贵身；欲参言而究，则外物而反情。[7]执其大指，以内洽五藏，瀸涩肌肤，[8]被服法则，[9]而与之终身，所以应待万方，览耦百变也，[10]若转丸掌中，足以自乐也。

[注释]

①卢牟：规划，使有秩序。②混沌万物：探索万物在混沌未分时的统一性。③象：描画。象太一之容：呈明太一的形态。④轸（zhěn）：通"畛"，界域。⑤苞：通"包"，包容。⑥寤：通"悟"，觉悟。真：本性。⑦参：同"叁"。究：追究，深入了解。情：实，本性。⑧指：旨。洽：沾湿，浸润。瀸涩（jiān sè）：浸润。⑨被服：蒙受。⑩览：通"揽"。耦：合。

卷二十一　要略　323

[译文]

《原道训》论述的是，整体地把握整个宇宙，探索万物在混沌未分时的统一属性，描绘这个整体的基本面貌，探索幽暗微妙的深远大道，在虚无的界域中漫游。每一个小的比喻都有大的用意，原则虽然简洁，但适用的范围很广，希望人们能因此懂得先后的祸福，动静的利害。如果确实理解了《原道》的旨意，对于广博的事物会有洞彻的了解。用一句话来领悟，那就是：尊重天性，保持本心。用第二句话来贯通，那就是：轻视外物，珍惜自身。用第三句话来透彻说明，那就是：放弃外物，返回自我。把握其中的要领，可以滋养五脏，滋润肌肤，体验天道的法则而终身持守。用它来应对各种事务，迎接各种变化，就好像在掌中转动小球，能够体会到其中的乐趣。

《俶真》者，穷逐终始之化，嬴垀无有之精，① 离别万物之变，合同死生之形，使人遗物反己。审仁义之问，通同异之理，观至德之统，知变化之纪，说符元妙之中，② 通回造化之母也。③

[注释]

①嬴：环绕。垀（hū）：繁细。②说：解说。符：吻合。元妙：玄妙。③通回：通达。

[译文]

《俶真训》论述的是，全程考察事物从始到终的演化，完整把握有无相生的精髓，分析万物的变化，等同地看待生死，使人遗忘外物，返回自身。明察仁义的真谛，通晓同异的道理，掌握最高道德的内在理路，知道变化的基本法则，论述符合玄妙之道，知道造化的本源。

《天文》者，所以和阴阳之气，理日月之光，节开塞之时，① 列星辰之行，知逆顺之变，② 避忌讳之殃，顺时运之应，法五神之常,③使人有以仰天承顺,而不乱其常者也。

[注释]

①开塞:指阳气开张阴气闭合。②逆:星辰的运行违反正常轨迹。③五神:指东南西北中五方之神。

[译文]

《天文训》要论述的是,协调阴阳之气,协理日月之光,让阴阳的开张闭合能够按照时节进行。日月星辰各有轨道,观察它们,了解它们是否按照正常的轨道运行,回避忌讳可能带来的祸殃。顺应天象的运行,取法五神的准则,使人们能够承顺天道,而不扰乱它的正常运转。

《地形》者,所以穷南北之修,极东西之广,经山陵之形,①区川谷之居,②明万物之主,知生类之众,列山渊之数,规远近之路,使人通回周备,③不可动以物,④不可惊以怪者也。

[注释]

①经:度量。②区:划分。居:居住环境。③通回周备:指交通便利,对周围环境有充分了解。④物:指奇特少见的异物。

[译文]

《地形训》要论述的是,穷尽大地的南北长度,东西宽度,测量山陵的形势,区别河谷的环境,说明万物有统一的法则,知道生物有众多的类别,罗列山川的数量,规划道路的远近,使人们往来方便,见多识广,不至于被异物所迷惑,不至于被怪异所惊吓。

《时则》者,所以上因天时,下尽地力,据度行当,①合诸人则,②刑十二节,③以为法式,终而复始,转于无极。因循仿依,④以知祸福,操舍开塞,各有龙忌,⑤发号施令,以时教期,⑥使君人者知所以从事。

[注释]

①度：指时节的按时变化。行当：行为恰当。②人则：人应该遵守的法则。③刑：划分。十二节：指一年十二个月。④仿依：仿效。⑤龙忌：鬼神的忌日。⑥教期：教人懂得按节令做事。

[译文]

《时则训》要论述的是，向上因顺天时，向下利用地力，根据时节采取恰当的行为，符合人应当遵守的法则。一年划分为十二个月，成为定制，终而复始，运行不止。人顺从时节，采取相应的行为，这样就可以预知祸福。持守、放弃、开启、闭合，各有不同的禁忌，据此发号施令，使人民懂得尊奉时节的道理，使君主知道应该如何做事。

《览冥》者，所以言至精之通九天也，至微之沦无形也，纯粹之入至清也，昭昭之通冥冥也。乃始揽物引类，览取挢掇，①浸想宵类，②物之可以喻意象形者；乃以穿通窘滞，③决渎壅塞，引人之意系之无极；乃以明物类之感，同气之应，阴阳之合，形埒之朕，④所以令人远观博见者也。

[注释]

①挢（jiǎo）：举起。掇：拾取。②浸想：深入地想。宵：相似。宵类：相似的物类。③窘：困迫。滞：凝滞，阻塞不通。④埒（liè）：矮墙。形埒：有形之物之间的界线。

[译文]

《览冥训》要论述的是，最纯粹的精神上通九天，最精细的物质沦于无形，纯粹的进入了洁净的境地，光明的贯通了幽暗的深处。于是分别物类，广泛搜集，细细揣想物类的相似，看哪些事物可以用来比喻，哪些事物可以用来描述；于是打通拥堵的地方，让思路通畅，把人的思考引导到没有穷尽的地方；于是阐明物类的感通，相同性质之间的呼应，阴阳的聚合，有形事物之间的界线，使人的观察深刻，见识广博。

《精神》者，所以原本人之所由生，^①而晓寤其形骸九窍，取象与天。^②合同其血气，与雷霆风雨比类；其喜怒，与昼宵寒暑并明。审死生之分，别同异之迹，节动静之机，^③以反其性命之宗。所以使人爱养其精神，抚静其魂魄，不以物易己，而坚守虚无之宅者也。^④

[注释]

①原本：追溯本源。②晓寤：领会。取象：从……获得形象。与：于。③机：关键处。节……机：把握住关键处。④宅：住所。这里指状态。

[译文]

《精神训》要论述的是，追溯人的来源，由此领悟人的形体五官都是从上天那里获得了形态。人的血气运行，与雷霆风雨类似；人的喜怒之情，与昼夜寒暑一样。要明白生死的区别，分辨同异的痕迹，把握动静的关键，返回性命本身。以便使人爱养自己的精神，安定自己的魂魄，不因为外物改变自身，保持虚无的状态。

《本经》者，所以明大圣之德，通维初之道，^①坪略衰世古今之变，^②以褒先圣之隆盛，而贬末世之曲政也。^③所以使人黜耳目之聪明，精神之感动，樽流遁之观，^④节养性之和，分帝王之操，列小大之差者也。

[注释]

①维：句首助词。初：原初，本原。②坪略：大概说明。③曲政：不正常、不正派的政治局面。④樽：止息。

[译文]

《本经训》要论述的是，彰明伟大圣人的德行，通晓最根本的道理，概略叙述世道如何衰败以及古今的变化，以褒扬先世圣人的兴盛，贬斥末代社会的弊政。以便使人废黜耳目的聪明，精神的动荡，停止精神对外物的追逐，以节制保持天性的醇和，分别帝王的不同操守，排列他们的等级次序。

《主术》者，君人之事也，所以因作任督责，^①使群臣各尽其能也。明摄权操柄，^②以制群下，提名责实，考之参伍，^③所以使人主秉数持要，不妄喜怒也。其数直施而正邪，^④外私而立公，使百官条通而辐辏，^⑤各务其业，人致其功，此《主术》之明也。

[注释]

①作任：担负的工作和承担的责任。②摄、操：操持。③参伍：错综比较。④施：通"迤"，斜行。这里指不正。直、正都是动词，意思是使斜的变直，使歪的变正。⑤条通：枝条连通树干。辐辏（còu）：车辐辏集于毂上。

[译文]

《主术训》论述君主治理的事情，使君主根据臣下的职务和职责来要求他们，使群臣各自发挥自己的才能。君主高明地操纵权势，来控制臣下，根据名分来要求臣下，并且用各种方式来考察他们。为此，君主要掌握方法，抓住要害，不轻易表现喜怒。原则是端正偏斜，排除私心和树立公道，使百官像枝条依附树干，像辐条聚集轴心，各自担负职责，努力工作，这就是《主术训》所要论述的。

《缪称》者，破碎道德之论，^①差次仁义之分，^②略杂人间之事，总同乎神明之德。^③假象取耦，以相譬喻，^④断短为节，以应小具，^⑤所以曲说巧论，应感而不匮者也。

[注释]

①破碎：解析，分别。②差次：安排次序。③总同：会同，归纳。④假：借。⑤具：才干。

[译文]

《缪称训》细致分析道德理论，依次论述仁义的不同含义，略微涉及人间的事务，最终归结到神圣的道德。借助形象的比喻，来说明相关的道理，把长篇大论裁成短小论述，以适应才智低浅者的理解，所以委曲陈说，机巧论辩，足以应对各种理解而不会匮乏。

《齐俗》者，所以一群生之短修，①同九夷之风气，②通古今之论，贯万物之理，财制礼义之宜，③擘画人事之终始者也。④

[注释]

①一：整齐划一。②九夷：东方民族的统称。这里指各个地方。③财：通"裁"。财制：裁制。④擘（bò）：拇指。擘画：亦作"擘划"，筹划。

[译文]

《齐俗训》要论述的是，一视同仁地看待万物的长短优劣，没有差别地对待各地的风俗习惯，连通古代和当今的理论，贯穿万物的不同事理，裁定礼义的适宜范围，完整筹划人世的事务。

《道应》者，揽掇遂事之踪，①追观往古之迹，察祸福利害之反，②考验乎老庄之术，而以合得失之势者也。

[注释]

①揽掇：拾取。遂事：往事。②反：转变。

[译文]

《道应训》论述的是，拾取往事的踪影，追观往古的痕迹，考察祸福利害之间的转换，用老子、庄子的理论来检验，以便符合得失的趋势。

《泛论》者，所以箴缕縿繱之间，①攦搎呞齝之隙也，②接径直施，③以推本朴，而兆见得失之变，利病之反，所以使人不妄没于势利，不诱惑于事态，有符晔晛，④兼稽时势之变，⑤而与化推移者也。

[注释]

①箴：同"针"。箴缕：针线，这里用作动词，指用针线缝。縩（cài）：象声字。行动时衣服摩擦的声音。縠（shā）：同"纱"，两幅宽的巾。縩縠：泛指衣服布料。②撊（xiān）：通"纤"，纤细。挈（xiè）：通"楔"。呡齲（wā yú）：牙齿参差不齐。③接径：捷径。接径直施：指直截了当。④晛（yǎn）：日的运行。晼（nǐ）：日落。这里指天道。⑤稽：考核。

[译文]

《泛论训》要论述的是，应该像用针线缝制衣物一样细密，像用细签剔除参差不齐的牙缝一样合宜，直截了当，推论本源，从而预见得失的变化，利害的转移，使人不轻易陷于动用力量的境地，不被表面现象迷惑，既符合天道，又关注时势的变化，随顺具体形势而改变做法。

《诠言》者，所以譬类人事之指，①解喻治乱之体也，差择微言之眇，②诠以至理之文，而补缝过失之阙者也。

[注释]

①指：旨。②差（chāi）择：选择。眇：通"妙"，微妙。

[译文]

《诠言训》采用类比的方法揭示人间事务的意义，解说国家治乱的根本，选择精妙的言论，用最根本的道理加以诠释，来弥补过失造成的差错。

《兵略》者，所以明战胜攻取之数，形机之势，①诈谲之变，②体因循之道，③操持后之论也。所以知战阵分争之非道不行也，知攻取坚守之非德不强也。诚明其意，进退左右无所失，击危乘势以为资，④清静以为常，避实就虚，若驱群羊，此所以言兵也。

[注释]

①形机之势：形成战机的形势。②诈谲之变：欺诈的变幻莫测。③体：

体会,懂得。④击危:打击处于危险境地的敌人。乘势:形势对自己有利就趁机进攻。

[译文]

《兵略训》要阐明战胜敌人、攻取敌阵的方法,形成战机的态势,诈术的变幻莫测,领悟因循的道理,采用后发制人的理论。使人懂得,战场的对抗不遵行大道是不可能成功的,夺取敌阵或坚守阵地不具备德行是不可能强大的。如果真懂这个道理,前进后退,左冲右突,都不会失败。打击处于危险境地的敌人,凭借对自己有利的形势展开进攻,以清静为基本原则,避开锋芒,打击空虚,这样就好像驱赶羊群一样。这就是对战争问题的讨论。

《说山》、《说林》者,所以窈窱穿凿百事之壅遏,①而通行贯扃万物之窒塞者也。②假譬取象,异类殊形,以领理人之意,解堕结细,③说捃抟囷,④而以明事埒者也。

[注释]

①窈窱:贯通。穿凿:凿通。壅遏:水流不通,堵塞。②扃(jiōng):从外面关门的闩,转义为门或关门。贯扃:打开门户。③解堕:解开。结细:打得很紧的结。④说:通"脱"。捃:通"释"。说捃:解开。抟:揉成一团。囷(qūn):圆的谷仓。抟囷:聚合成堆。

[译文]

《说山训》和《说林训》要论述的是,打通各种事情的壅滞,贯通万物的堵塞。借用比喻和象征,不同的类别用不同的形象,来传达人的意思,打开死结,解开疑团,划分各种事情的界线。

《人间》者,所以观祸福之变,察利害之反,钻脉得失之迹,①标举终始之坛也。②分别百事之微,敷陈存亡之机,③使人知祸之为福,亡之为得,成之为败,利之为害也。诚喻至意,则有以倾侧偃仰世俗之间,④而无伤乎谗贼螫毒者也。

[注释]

①钻:钻研。脉:脉络。钻脉:探索。②标举:宣扬。坛:通"嬗",变迁。③敷陈:叙述。④倾侧偃仰:身体的不同姿态,用以形容从容周旋,左右逢源。

[译文]

《人间训》要论述的是,观察祸福的变化,了解利害的转换,探究得失的踪迹,指点终始的演变。分析各种事情的微妙,揭示生存和灭亡的起因,使人们知道祸可以变成福,损失可以变成获得,成功可以变成失败,利益可以变成危害。真正懂得了其中的精义,就能够从容应对世俗社会,而不会被谄佞小人所伤害了。

《修务》者,所以为人之于道未淹,①味论未深,②见其文辞,反之以清净为常,恬淡为本,则懈堕分学,③纵欲适情,欲以偷自佚,④而塞于大道也。今夫狂者无忧,圣人亦无忧。圣人无忧,和以德也;狂者无忧,不知祸福也。故通而无为也,与塞而无为也同,其无为则同,其所以无为则异。故为之浮称流说,⑤其所以能听,所以使学者孳孳以自几也。⑥

[注释]

①淹:精深广博。②味论:体会道理。③分:离开。分学:放弃学习。④偷:苟且。⑤浮称流说:随便用一些话来顺着说。《修务训》是一篇儒家立场的文献,它的论述方式是用道家的话题和话语,来反驳道家比较偏激的立场,宣扬儒家的观念。所以这里说用浮称流说,让《淮南子》中占主流的道家人士能够听从。⑥孳(zī)孳:同"孜孜",勤勉不倦。几:接近,差不多。

[译文]

《修务训》论述的是,因为有些人对道的理解还不深刻,对理论的体会还不深入,看到一些说法,就认为以清净为常理,以恬淡为原则,就是松弛懈怠,放弃学习,放纵嗜欲,贪图安逸,于是苟且闲散,自我放纵,这是没有透彻理解道理啊。癫狂的人没有忧虑，圣人也没有忧虑。圣人没有忧虑，是因为德性平和；狂人没有忧虑，是因为分不清祸福。所以，事情顺利进行的无所作为，与走投无路的无所作为，似乎是相同的，在无所作为这一点上它们是一样的，但是，为什么要无所作为的原因却完全不同。所以啊，这里也就是随便说说而已，因为只有这样说才被接受，之所以还是要说，是希望学者以勤奋的学习，自己去接近道理。

《泰族》者，横八极，致高崇，上明三光，下和水土，经古今之道，治伦理之序，总万方之指，而归之一本，以经纬治道，纪纲王事。乃原心术，理情性，以馆清平之灵，①澄澈神明之精，②以与天和相婴薄。③所以览五帝三王，怀天气，抱天心，执中含和。德形于内，以菩凝天地，④发起阴阳，序四时，正流方，⑤绥之斯宁，推之斯行。乃以陶冶万物，游化群生，唱而和，动而随，四海之内，一心同归。故景星见，⑥祥风至，⑦黄龙下，⑧凤巢列树，⑨麟止郊野。德不内形，而行其法藉，专用制度，神祇弗应，⑩福祥不归，四海弗宾，兆民弗化。故德形于内，治之大本。此《鸿烈》之"泰族"也。

[注释]

①馆：住宿，安置。②澄澈：使清明透亮。③婴：环抱。薄：接近。④菩凝：使成形。⑤流方：四面八方。⑥景星：预兆祥瑞的星。⑦祥风：和顺之风。⑧黄龙：传说中在太平之世出现的龙。景星、祥风、黄龙，都是汉代人心目中的祥瑞。⑨列树：一棵树一棵树排列着。⑩神祇：天神曰神，地神曰祇。

[译文]

《泰族训》论述的是，横贯四方八极，纵贯至高无上，在天上使日月光明，在大地使水土和顺，研究古今的道理，建立伦理秩序，总结各种方法，归结到一个根本，使治国之道井然有序，使政治事务条理分明。再追问人心的功能，考察人性的表现，这样来安顿清净平和的心灵，使灵动的精神光明透亮，以便与上天的和气同流并行。根据这些来考察五帝三王的历史踪迹，体会宇宙的大化流行，感悟上天的生育之心，持守本性，蕴含和气。德性在内心呈明，可以凝聚天地，鼓动阴阳，排列四时，安顿八方，抚慰则天下康宁，推广则天下通行。这样来陶冶万物，化育群生，倡导就能得到回应，发动就能获得追随，四海之内，凝成一个心愿，达成一个目标。所以，祥瑞之星出现了，祥和之风吹拂了，黄龙飘飘降临，凤凰在树上筑巢，麒麟在郊野停留。如果德性不能够在内心呈明，只是凭借法令，专用制度，那么，神灵不会佑护，祥瑞不会到来，四海不会宾服，万民不会归化。所以，让内在的德性显明，才是治理天下的根本。这就是《淮南鸿烈》一书的"总结"。

　　凡属书者，所以窥道开塞，①庶后世使知举错取舍之宜适，②外与物接而不眩，内有以处神养气，宴炀至和，③而已自乐所受乎天地者也。故言道而不明终始，则不知所仿依；④言终始而不明天地四时，则不知所避讳；言天地四时而不引譬援类，则不识精微；言至精而不原人之神气，则不知养生之机；⑤原人情而不言大圣之德，则不知五行之差；⑥言帝道而不言君事，则不知小大之衰；⑦言君事而不为称喻，则不知动静之宜；言称喻而不言俗变，则不知合同大指；⑧已言俗变而不言往事，则不知道德之应；知道德而不知世曲，则无以耦万方；知泛论而不知诠言，则无以从容；通书文而不知兵指，则无以应卒；⑨已知大略而不知譬谕，则无以推明事；知公道而不知人间，则无以应祸福；知人间而不知修务，则无以使学者劝力；欲强省其辞，览总其要，弗曲行区入，⑩则不足以穷道德之意。故著书二十篇，则天地之理究矣，人间之事接矣，帝王之道备矣。其言有小有巨，有微有粗，指奏卷异，⑪各有为语。今专言道，则无不在焉，然而能得本知末者,其唯圣人也。

[注释]

①窥道:窥视道,意思是看清道理。开塞:畅通堵塞,意思是开阔眼界。②庶:但愿。错:通"措"。③宴:逸乐,闲居。炀:温暖。④仿依:模仿,照着做。⑤机:关键。⑥五行之差:指五行的次序。⑦衰(cuī):差次,等级。⑧指:通"旨"。大指:要义。⑨卒(cù):同"猝",突然。⑩区(gōu):通"勾"。⑪奏(còu):通"凑"。指奏:意旨。

[译文]

撰写著作的目的,是体察道理,开阔视野,希望后世能因此知道行为和取舍的恰当方式,对外接触事物而不迷惑,对内能安顿精神、颐养气魄,从容温和,达到祥和的境界,自己享受从天地禀受的本性。所以,只是论述道,而不了解宇宙的演化过程,就不知道如何效仿;只论述宇宙的演化,而不呈明天地四时的运行,就不知道避讳;只论述天地四时的运行,而不用类比的方式来说明,就理解不了其中的奥妙;只论述微妙的对象,而不考察人的精神志气,就不懂得保养生命的关键;只追溯人的性情,而不论述伟大圣人的德行,就不知道五行的秩序;只论述帝王之道,而不言说君主的事务,就不知道大小的等级差别;只言说君主的事务,而不引具体事例来说明,就不知道动静的分寸;只称引具体事例,而不言说世俗的变化,就不知道把握的要点;只言说世俗的变化,而不言说过去的事情,就不知道道德的感应;只懂得道德,而不懂得人世间的复杂,就无法应对各种事务;只知道普遍的理论,而不知道如何解释,就不能从容处理具体事情;只通晓书籍文书,而不懂得兵法,就无法应对突发事件;只知道大概的说法,而不懂如何应用于实际,就无法推明事理;只知道公认的道理,而不知人间的事务,就无法应对福祸的变化;只知道人间事务,而不懂得努力学习,就无法使学者勤奋努力;只想删减文字,概括要领,而不委婉论述,详尽说明,就不能够充分呈明道德的意旨。所以著书二十篇,这样,天地的道理就穷尽了，人间的事务也涉及了，帝王的准则就详备了。具体的论述有大有小，有粗有细，旨趣并不相同，各有各的论述。如果只是论述道，那么，道是无处不在的，然而，能够把握根本又知道枝节的，就只有圣人了。

今学者无圣人之才，而不为详说，则终身颠顿乎混溟之中，①而不知觉寤乎昭明之术矣。②今《易》之《乾》、《坤》，足以穷道通意也，八卦可以识吉凶，知祸福矣然，而伏羲为之六十四变，周室增以六爻，③所以原测淑清之道，④而捃逐万物之祖也。⑤夫五音之数，不过宫商角徵羽，然而五弦之琴不可鼓也，⑥必有细大驾和，⑦而后可以成曲。今画龙首，观者不知其何兽也，具其形，则不疑矣。今谓之道则多，谓之物则少，谓之术则博，谓之事则浅。推之以论，则无可言者。所以为学者，固欲致之言而已也。夫道论至深，故多为之辞以抒其情，万物至众，故博为之说以通其意。辞虽坛卷连漫，⑧绞纷远援，所以洮汰涤荡至意，⑨使之无凝竭底滞，卷握而不散也。⑩夫江河之腐胾不可胜数，⑪然祭者汲焉，大也。一杯酒白，蝇渍其中，匹夫弗尝者，小也。诚通乎二十篇之论，睹凡得要，以通九野，径十门，外天地，捭山川，⑫其于逍遥一世之间，宰匠万物之形，⑬亦优游矣。若然者，挟日月而不桃，⑭润万物而不耗。曼兮洮兮，⑮足以览矣！藐兮浩兮，旷旷兮，可以游矣！

[注释]

①颠顿：颠沛困顿。混溟：混沌。②觉寤：觉悟。③周室：指周文王，据说周文王推演《周易》，使之更加复杂细密。④原测：推本求源。淑清：明朗。⑤捃（jùn）：摘取，拾取。逐：探究。万物之祖：万物的本始。⑥鼓：弹奏。⑦驾：架构。驾和：互相搭配成为整体。⑧坛卷、连漫：皆形容文词铺排曲折。⑨绞纷：形容文字纷繁复杂。洮汰、涤荡：洗涤的意思。⑩凝竭、底滞：都是壅滞不通的意思。⑪腐胾（zì）：腐肉。⑫捭（bǎi）：通"擘"，分

开。⑬宰匠：主宰，控制。⑭姚（yáo）：光。⑮曼：长。洮：盥洗。这里意思不清楚。曼洮：注家多以为是绵延宽广的意思。

[译文]

　　现在的学者不具备圣人的才华，如果不为他们详细论说，那么，他们会一辈子走得跌跌撞撞，活得糊里糊涂，而不能领悟光明博大的道理。《周易》的《乾》、《坤》二卦，就足以彰明道的含义了，八卦，就足以识别吉凶、知晓祸福了，但是伏羲推衍为六十四种变化，周文王又增加为每卦六爻，就是为了探究美好纯净的大道，追溯万物的本原啊。五音的数目，不过宫商角徵羽，然而并不是琴上装上五根弦就能够弹奏，一定要粗弦细弦彼此配合，才能弹出乐曲。现在，只画出龙头，看的人不知道是什么动物，完整画出形貌，就不会疑惑了。这里对大道的论述比较多，对外物的论述比较少，对方法谈得比较深入，对事情谈得比较浅显。推论到极致，则无话可说了。学术的目的，不就是要达到语言穷尽的地方吗？道的理论是深远的，所以用了很多文辞来描述它的情状，万物是纷纭复杂的，所以用了许多议论来阐明它的性质。文辞虽然铺排委婉，繁复纷纭，目的却是提炼出精粹的思想，使它敞明，而又凝练集中。江河中腐烂的东西很多，但是祭祀的人还是汲水来用，这是因为江河广大。一杯水酒，掉进一只苍蝇，一般人都不再喝，因为酒杯太小。确实懂了本书二十篇的论述，看出了它的理路，掌握了它的要领，用来贯通各个领域，敞开各种可能，超越外在约束，不受外物挤压，在世上逍遥自在，主宰万物，也是很惬意的啊。如果是这样，手握日月却不光耀，滋润万物却不损耗。多么宽广啊，纵情观看吧！多么浩淼空阔啊，尽性游览吧！

　　文王之时，纣为天子，赋敛无度，戮杀无止，康梁沉湎，①宫中成市，作为炮烙之刑，②刳谏者，剔孕妇，天下同心而苦之。文王四世累善，③修德行义，处岐周之间，地方不过百里，天下二垂归之。④文王欲以卑弱制强暴，以为天下去残除贼而成王道，故太公之谋生焉。⑤

[注释]

①康梁：沉溺于安乐。②炮烙之刑：商纣王所用的一种酷刑，让犯人抱持铁柱，下面架火烧烫柱子，把人烫死或掉进火堆烧死。③四世：指太王、王季、文王、武王。累善：积累善德。④二垂：指三分之二的地方。⑤太公：姜太公。传说他为周出谋划策，助周灭商。《汉书·艺文志》收《太公》二百三十七篇，其中《谋》八十一篇。

[译文]

周文王的时候，商纣王是天子，赋税没有限度，杀戮不会停止，沉湎酒色，宫廷如同街市，造作炮烙的酷刑，剖挖谏者的心，剖开孕妇的肚子，天下人都感到受够了。文王四代积累善行，修养道德，推行仁义，在岐周之间，地方不过百里，但是天下三分之二的地方都归顺他。文王想以卑下弱小战胜强大暴虐的纣王，为天下除去凶残，成就王道，所以姜太公的计谋就产生了。

文王业之而不卒，①武王继文王之业，用太公之谋，悉索薄赋，躬擐甲胄，②以伐无道而讨不义，誓师牧野，以践天子之位。天下未定，海内未辑，③武王欲昭文王之令德，④使夷狄各以其贿来贡，⑤辽远未能至，故治三年之丧，殡文王于两楹之间，以俟远方。武王立三年而崩，成王在襁褓之中，未能用事，蔡叔、管叔辅公子禄父，而欲为乱。⑥周公继文王之业，持天子之政，以股肱周室，辅翼成王。惧争道之不塞，臣下之危上也，故纵马华山，放牛桃林，败鼓折枹，搢笏而朝，⑦以宁静王室，镇抚诸侯。成王既壮，能从政事，周公受封于鲁，以此移风易俗。孔子修成、康之道，⑧述周公之训，以教七十子，使服其衣冠，修其篇籍，故儒者之学生焉。

[注释]

①业之：开展一项事业。卒：完成。②擐（huàn）：套，穿。③辑：和同，齐一。④令德：美好的德行。⑤赗：财物，亦指赠送财物。⑥蔡叔、管叔：皆周武王弟，分别封于蔡地、管地，故称。禄父：商纣王子武庚。武王灭商，封武庚以继商祀，使蔡、管监视，周公摄政之后，蔡、管联合武庚反叛，被周公镇压。⑦枹（fú）：鼓槌。搢（jìn）：插。笏（hù）：古代朝会所执手板，用以记事。⑧成、康：指周成王诵和周康王钊。这里指周代文化。

[译文]

文王开创大业，但没有完成，武王继承文王的事业，运用姜太公的计谋，动员全国兵力，亲自身穿铠甲，去讨伐没有道德的不义之人，在牧野击败纣王，登上了天子之位。当时天下还没有安定，海内还没有统一，武王想昭明文王的美德，使远方的藩国各自带着礼品来进贡，路途遥远，一时到不了，所以安排三年的丧期，把文王的灵柩停放在大堂上，等待远方来人。武王当上天子，三年就死了，成王还是婴儿，不能管事，蔡叔、管叔辅助纣王的儿子禄父，准备叛乱。周公继承文王的事业，操持天子的权柄，支撑周王室，辅助成王。他担心天下纷争不止，臣下危害主上，所以把战马解散，放归华山，把运送辎重的群牛放入桃林，毁坏战鼓，折断鼓槌，群臣都手持笏板上朝，以这些措施来安定王室，镇抚诸侯。成王长大成人，能够管理政事了，周公受封于鲁，在那里移风易俗。孔子研究成王、康王治国的道理，讲述周公的教导，来教育他的学生，让他们穿戴先王的衣冠，学习先王的典籍，所以儒家学说就产生了。

墨子学儒者之业，受孔子之术，以为其礼烦扰而不悦，①厚葬靡财而贫民，服伤生而害事，②故背周道而用夏政。禹之时，天下大水，禹身执虆垂，③以为民先，剔河而道九岐，④凿江而通九路，辟五湖，而定东海。当此之时，烧不暇撌，濡不给扢，⑤

死陵者葬陵，死泽者葬泽，故节财、薄葬、闲服生焉。⑥

[注释]

①悦：据王念孙说，当作"悦（tuō）"，简易。②服：服丧。③虆（léi）：盛土器。垂：当作"臿（chā）"，铁锹。④剔：疏通。⑤攢（guì）：清除。抇（gǔ）：揩擦。⑥闲：通"简"。闲服：简易的服丧主张。

[译文]

墨子学习儒家理论，接受孔子的学说，但认为儒家的礼仪繁琐而不简易，厚葬浪费钱财并使人贫困，长久服丧损害身体又妨碍劳作，所以背弃周的做法，采取夏的方式。夏禹的时候，天下洪水泛滥，禹亲自挑着土筐，拿着铁锹，率领民众，疏导黄河长江的众多支流，开辟五湖，使水流入东海。在那个时候，燃烧的火堆来不及清除，淋湿的衣裳来不及擦干，死在山上就埋在山上，死在沼泽就葬在沼泽，所以节财、薄葬、服丧简易的理念就产生了。

齐桓公之时，天子卑弱，诸侯力征，南夷北狄，交伐中国，中国之不绝如线。齐国之地，东负海而北障河，地狭田少，而民多智巧。桓公忧中国之患，苦夷狄之乱，欲以存亡继绝，崇天子之位，广文、武之业，故《管子》之书生焉。①

齐景公内好声色，外好狗马，猎射亡归，好色无辨，作为路寝之台，②族铸大钟，③撞之庭下，郊雉皆呴，④一朝用三千钟赣，⑤梁丘据、子家哙导于左右，⑥故晏子之谏生焉。⑦

[注释]

①《管子》：书名，旧题管仲著，今认为是战国时的一部著作总集。②路寝：古代君主处理政事的宫室。③族：聚。族铸大钟：指许多人同时作业，铸造大钟。④呴（gòu）：通"雊"，雉鸡叫。⑤赣（gòng）：赐予。⑥梁丘据、子家哙：齐景公佞臣。⑦晏子：齐景公相晏婴，对齐景公多有劝谏，《晏子春秋》记载了许多晏子劝谏景公的故事。

[译文]

齐桓公的时候，天子地位下降，力量减弱，诸侯凭借武力相互征伐，南方的夷族、北方的狄族，轮番进攻中国，中国面临灭亡的危险。齐国的地域，东面靠海，北面有黄河阻隔，地方狭窄，田地很少，因此人民有很强的谋生技能。桓公担忧中国的命运，苦于夷狄的动乱，想保存灭亡的国家，延续绝灭的宗祀，推崇天子的地位，弘扬文王武王的事业，所以《管子》之书就产生了。

齐景公在宫廷里爱好声色，在郊野外爱好狗马，打猎不知道回来，迷恋女色不加区别，修建高大的寝台，动用众多人力铸造大钟，在庭院里敲击，郊外的雉鸟都受惊乱叫，一早上赏赐粮食达三千钟，梁丘据和子家哙在他身边教唆，所以晏子的劝谏就产生了。

晚世之时，六国诸侯，溪异谷别，水绝山隔，各自治其境内，守其分地，握其权柄，擅其政令。下无方伯，①上无天子，力征争权，胜者为右。②恃连与，③约重致，④剖信符，结远援，以守其国家，持其社稷，故纵横修短生焉。⑤

[注释]

①方伯：一方诸侯的首领，通常有许多诸侯国君听从他的号令。②右：古时尚右，以右为尊。③连与：同盟。④重：一再。约重致：一再缔结盟约。⑤修短：指纵横家的学说。

[译文]

晚近的时候，六大诸侯国山川各异，山水隔绝，各自治理自己的国家，守护自己的封土，把持政权，自己发布政令。下面没有称霸的方伯，上面没有统一的天子，各自以武力征伐，抢夺权力，胜利者受到尊敬。他们依持彼此的联合，一再缔结盟约，剖符为信，谋求远方的支援，以此守卫国家，卫护社稷，所以纵横家的长短学说就产生了。

申子者，韩昭釐之佐。①韩，晋别国也。②地墽民险，③而介于大国之间。晋国之故礼未灭，韩国之新法重出；先君之令未收，后君之令又下。新故相反，前后相缪，④百官背乱，不知所用，故刑名之书生焉。⑤

[注释]

①申子：申不害。韩昭釐：战国韩国君，公元前362至前333年在位。②晋别国：春秋末韩赵魏三家分晋，公元前403年，周天子正式承认三家为诸侯，所以韩赵魏都被称为晋之别国。③墝（qiāo）：贫瘠。险：恶。④缪（miù）：通"谬"，错误，违反。⑤刑名：又称形名，战国一派学说，主张循名责实，名实相符。

[译文]

申子辅佐韩昭侯。韩国，是从晋国分离出来的国家，土地贫瘠，人民凶险，又夹在大国之间。晋国的旧礼法没有废除，韩国的新法令又颁行了；前代君王的命令还没有撤销，后代君王的命令又发布了。新旧相反，前后抵触，百官混乱，不知如何执行，所以主张名实相符的学说就产生了。

秦国之俗，贪狼强力，寡义而趋利。可威以刑，而不可化以善；可劝以赏，而不可厉以名。被险而带河，①四塞以为固，地利形便，畜积殷富。孝公欲以虎狼之势而吞诸侯，②故商鞅之法生焉。③

[注释]

①被险：有高山险阻。带河：黄河环绕。②孝公：秦孝公，公元前361至前338年在位。他的变法措施，为秦国的强大奠定了基础。③商鞅之法：商鞅帮助秦孝公变法，提出许多改革措施，其中最主要的就是废弃世卿世禄，鼓励耕战。

[译文]

秦国的风俗，贪婪凶狠，崇尚力量，不讲仁义，趋向利益。可以用刑罚来威慑，不能用教化来使之向善；可以用奖赏来鼓动，不能用名节来激励。秦国地势险要，黄河环绕，四面都有要塞，地形有利，积蓄充足。秦孝公想以虎狼的气势吞并诸侯，所以商鞅的变法措施就产生了。

若刘氏之书，①观天地之象，通古今之事，权事而立制，度形而施宜。原道之心，合三王之风，以储与扈冶。②玄眇之中，精摇靡览。③弃其畛挈，④斟其淑静，⑤以统天下，理万物，应变化，通殊类，非循一迹之路，守一隅之指，拘系牵连于物，而不与世推移也，故置之寻常而不塞，布之天下而不窕。⑥

[注释]

①刘氏之书：指《淮南子》。②储与：高诱注曰"犹揽畧也"，大意指涉及的领域。扈冶：广大。③精摇：精进。靡览：小处也看得很清楚。④畛挈：浑浊。⑤斟：取。⑥寻常：古代长度单位，八尺为寻，二寻为常。窕（tiǎo）：多余地，不充满。

[译文]

至于刘氏的这部书，观察天地的现象，贯通古今的事理，权衡事务来建立规矩，度量事态来适当处理。追溯道的真谛，符合三代的遗风，涉及的领域非常广阔。在玄妙之中，精神清朗，没有什么观察不到。放弃浑浊，吸取精华，用来统一天下，治理万物，应对变化，打通不同类别。并不是只走一条路，只守一种学说，被有限的外物拘束，而不与整个时代一起前进，所以，（刘氏的学说）放在狭窄的地方不会壅塞，散布整个天下也不会留下空隙。

图书在版编目(CIP)数据

淮南子/(汉)刘安撰;陈静注译.—郑州:中州古籍出版社,2010.8(2015.1重印)
(国学经典)
ISBN 978-7-5348-3398-4

Ⅰ.①淮… Ⅱ.①刘…②陈… Ⅲ.①杂家-中国-西汉时代②淮南子-注译③淮南子-译文 Ⅳ.①B234.4

中国版本图书馆 CIP 数据核字(2010)第 141833 号

出版社:中州古籍出版社
　　　(地址:郑州市经五路 66 号　邮政编码:450002)
发行单位:新华书店
承印单位:郑州市毛庄印刷厂
开本:640mm×960mm　　1/16　　**印张**:21.75
字数:235 千字　　　　　　　　**印数**:9001-13000 册
版次:2010 年 8 月第 1 版　　　**印次**:2015 年 1 月第 3 次印刷

定价:33.00 元
本书如有印装质量问题,由承印厂负责调换。